Forschung zur Bibel Band 38

herausgegeben von

Rudolf Schnackenburg
Josef Schreiner

in den Verlagen Katholisches Bibelwerk und Echter

Vidimus et approbamus ad normam Statutorum
Pontificii Instituti Biblici de Urbe

Romae, die 10. mensis maii anni 1980

+ Carlo Maria MARTINI S.J.
R. P. Dionisio MINGUEZ S.J.

forschung zur bibel

Matthäus Franz-Josef Buss

Die Missionspredigt
des Apostels Paulus
im Pisidischen Antiochien

Analyse von Apg 13,16–41
im Hinblick auf die literarische
und thematische Einheit
der Paulusrede

Verlag Katholisches Bibelwerk GmbH

CIP-Kurztitelaufnahme der Deutschen Bibliothek

Buss, Matthäus Franz-Josef:
Die Missionspredigt des Apostels Paulus im
Pisidischen Antiochien: Analyse von Apg 13,16–41
im Hinblick auf d. literar. u. themat. Einheit d. Paulusrede /
Matthäus Franz-Josef Buss. –
Stuttgart: Verlag Katholisches Bibelwerk 1980.
  (Forschung zur Bibel: Bd. 38)
   ISBN 3-460-21091-5
NE: GT

ISBN 3-460-21091-5
© 1980 Verlag Katholisches Bibelwerk GmbH, Stuttgart
Gesamtherstellung: SV-Druck, Ostfildern

Die Druckerlaubnis als Ordensoberer erteilte
P. Gaudentius Sauermann, OSB, Prior des Klosters Nütschau, am 11. 7. 1980.

IN DANKBAREM GEDENKEN
AN MEINE VERSTORBENE MUTTER
+ 20. 5. 1971

Vorwort

Unter dem Thema „Die Missionspredigt Pauli im pisidischen Antiochien (Apg 13,16–41). Eine redaktionsgeschichtliche Untersuchung" hat die vorliegende Studie als Dissertation dem Päpstlichen Bibelinstitut in Rom zur Erlangung des Doktorgrades „in re biblica" vorgelegen und wurde im Jahre 1976 verteidigt. Erstellt wurde sie unter der Leitung des damaligen Rektors des Bibelinstituts und jetzigen Erzbischofs von Mailand Carlo M. Martini S. J.

Wegen starker anderweitiger Inanspruchnahme hat sich die Veröffentlichung verzögert. Ich habe darum die Studie neu redigiert und die zwischenzeitlich erschienene Literatur eingearbeitet. Bislang liegt noch keine deutschsprachige Monographie über die wichtige Acta-Rede in Apg 13,16–41 vor; ich hoffe, daß diese Untersuchung einem Mangel abhelfen kann.

Ohne vielfältig erfahrene Hilfe wäre die Arbeit nicht zu einem Abschluß gekommen. Nennen möchte ich an erster Stelle meinen Moderator Erzbischof Carlo M. Martini S. J., der durch seinen kompetenten Rat und sein stetes Wohlwollen die Arbeit immer wieder gefördert hat. Den beiden Korreferenten der These, Prof. P. Dr. Dionisio Mínguez S.J. und Prof. P. Dr. Klemens Stock S. J. danke ich sehr für manchen freundschaftlichen und klärenden Hinweis. Eine Fülle von Anregungen und entscheidende Unterstützung erhielt ich schließlich durch die Gespräche mit meinem Mitbruder Prof. P. Dr. Jacques Dupont O.S.B. und das Studium seiner Schriften. Prof. Dr. Rudolf Schnackenburg und Prof. Dr. Josef Schreiner möchte ich herzlich danken für die Aufnahme dieser Arbeit in die Reihe „Forschung zur Bibel", dem Verlag Katholisches Bibelwerk für die sorgfältige Drucklegung des Manuskripts.

Der Gründerabt von Nütschau, der Gerlever Altabt Dr. Pius Buddenborg O. S. B., der mir seinerzeit das Studium am Bibelinstitut ermöglichte, hat unserer Kommunität das Leitwort aus der Regel des hl. Benedikt „Per ducatum evangelii" mitgegeben. In dem großen Verständnis, das meine Mitbrüder, die ganze Klostergemeinschaft und treue Freunde Nütschaus mir bei der Erstellung meiner Arbeit stets entgegengebracht haben, ist mir die gelebte Wirklichkeit dieses Regelwortes besonders begegnet.

Nütschau, den 11. Juli 1980
am Fest des hl. Benedikt
in seinem 1500. Geburtsjahr
Matthäus Franz-Josef Buss O. S. B.

INHALTSVERZEICHNIS

Einleitung

1. APG 13,16–41 IN DER HISTORISCH-KRITISCHEN FORSCHUNG

a) Die Position der Tübinger Schule und ihrer Gegner

Der detaillierte und äußerst instruktive Forschungsbericht von E. Kränkl über die Auslegung der Missionsreden vermittelt dem Leser u. a. die Erkenntnis, daß die antiochenische Rede vom Beginn der historisch-kritischen Forschung an das besondere Interesse der Exegeten gefunden hat.[1] Die Erklärung hierfür ist recht einfach: Als man zu Beginn des 19. Jahrhunderts begann, die Acta-Reden kritisch zu sichten und zu vergleichen, konnte es nicht verborgen bleiben, daß die Pauluspredigt in Antiochien eine auffallende inhaltliche und formale Ähnlichkeit mit den Petrusreden aufweist. Das besondere Interesse, das der antiochenischen Paulusrede entgegengebracht wurde, beruhte also nicht auf eventuellen Eigenarten dieser Rede, sondern eben darauf, daß Lukas Petrus wie Paulus offensichtlich Reden gleichen Typs in den Mund legte.[2]

Der Tübinger tendenzkritischen Schule bot die Paulusrede in Antiochien einen willkommenen Einstieg für die Begründung ihrer These, daß die Apg als ein Schlichtungsversuch zwischen „Petrinern" und „Paulinern", zwischen Judenchristen und Heidenchristen, zu begreifen sei.[3]

Der radikale Kritiker der Tübinger Schule, B. Bauer, wies aber alsbald darauf hin, daß sich die These, die Apg wolle schlichtend in einen Konflikt zwischen Judaisten und Paulinern eingreifen, historisch nicht beweisen lasse.[4] Er gab eine andere, wiederum sehr modern anmutende Erklärung für die Verwandtschaft der Paulusrede mit den Petrusreden: Die Apg ist nach seiner Ansicht „nicht ein Friedensvorschlag, sondern der Ausdruck und Abschluß des Friedens und der Erschlaffung"[5].

Sehr beachtenswert und vorwärtsweisend ist die Position, die F. Overbeck gegenüber der tendenzkritischen Konstruktion der Tübinger Schule einnimmt. Dieser Exeget versteht die Apg als den Versuch eines selbst vom urchristlichen Judaismus schon stark beeinflußten Heidenchristentums, sich mit der Vergangenheit, insbesondere seiner eigenen Entstehung und seinem ersten Begründer Paulus auseinanderzusetzen. Die Ähnlichkeit der Petrusreden mit der antiochenischen Paulusrede zeigt nach diesem Autor, daß der Apg nichts ferner liegt, als die Reden „als spezifisch petrinisch (oder urapostolisch) betrachtet wissen zu wollen"[6]. Gegen den apostolischen Ursprung der Reden spricht nach F. Overbeck auch die Beobachtung, daß in ihnen nicht das in Kürze erwartete Ende, sondern „die zwischen erster und zweiter Parusie verlaufende Zeit" im Vordergrund steht.[7]

---

1 Vgl. E. Kränkl, Jesus der Knecht Gottes (Biblische Untersuchungen 8) Regensburg 1972, 53f; siehe weiter die verschiedenen Hinweise ebd. 3–74. U. Wilckens urteilt in seiner Rezension über dieses Buch – vgl. ThLZ 99 (1974) 185–187 –, daß der Forschungsbericht von E. Kränkl „an Vollständigkeit in der Erfassung und Einordnung aller einschlägigen Untersuchungen seit dem ausgehenden 18. Jh. bis in die Gegenwart alles dazu Erarbeitete in den Schatten stellt" (vgl. ebd. 185). In unserer Übersicht über die Literatur des 19. Jahrhunderts stützen wir uns, auch was die Zitate betrifft, sehr stark auf die Untersuchung von E. Kränkl.
2 Vgl. J. G. Eichhorn, Einleitung in das Neue Testament II, Leipzig 1810, 38.
3 Vgl. F. C. Baur, Das Christenthum und die christliche Kirche der drei ersten Jahrhunderte, Tübingen ²1860, 128.
4 Vgl. B. Bauer, Die Apostelgeschichte. Eine Ausgleichung des Paulinismus und des Judenthums innerhalb der christlichen Kirche, Berlin 1850, 121.
5 Vgl. ebd. 121.
6 Vgl. W. M. L. de Wette, Kurze Erklärung der Apostelgeschichte, 4. Aufl. bearb. u. stark erweitert v. F. Overbeck, Leipzig 1870, LV.
7 Vgl. ebd. 25.

Ähnlich wie F. Overbeck beurteilen auch Exegeten wie O. Pfleiderer,[8] A. Jülicher[9] und H. J. Holtzmann[10] die Acta-Reden. Ihr Verfasser gilt für sie als ein Vertreter des beginnenden Katholizismus: „Nicht Paulus wird judaisiert, nicht Petrus paulinisiert, sondern Paulus und Petrus lukanisiert, d. h. katholisiert"[11].

Der Beobachter wird unschwer erkennen, wie sehr die Thesen der Tendenzkritiker und ihrer ersten Schüler vor allem die deutsche protestantische Acta-Forschung beeinflußt haben. Nicht von ungefähr hat gerade ein Tübinger Professor, nämlich E. Käsemann, für die Erforschung der Reden das Programm aufgestellt, daß man die Thesen der Tübinger Tendenzkritik modifiziert mit der von M. Dibelius vorgetragenen verbinden müsse.[12]

b) Traditions- und formgeschichtliche Untersuchungen

Der Einfluß der Tübinger Schule war indessen nicht so stark, als daß sie die Frage nach eventuell den Reden zugrundeliegenden Traditionen gänzlich zum Schweigen gebracht hätte. Die gegen Ende des 19. Jahrhunderts wieder erwachende Quellenkritik ist nicht zuletzt als eine Gegenbewegung gegen die Tübinger Schule zu begreifen. Doch im gleichen Maße, als scharfsichtige Forscher wie M. Sorof[13] und J. Jüngst[14] die Rede sezierten und in verschiedene Quellenstücke zergliederten, mußte sich mit Notwendigkeit das Interesse wieder dem Redaktor zuwenden, der schließlich all die Quellen verarbeitet und zu einer Komposition verschmolzen hatte. Auch die Quellenhypothese eines A. Harnack, der die Paulusrede einer antiochenisch-jerusalemischen Quelle zuordnen wollte,[15] war nicht von langer Lebensdauer.

Aussichtsreicher schienen die Untersuchungen zu sein, die sich auf die atl. Zitate der Rede konzentrierten, um von daher zu Rückschlüssen auf etwaige Quellen zu gelangen. Freilich hatte schon J. G. Eichhorn die Möglichkeit einer semitischen Quelle mit dem Argument bestritten, die Zitate der Acta-Reden stimmten z. T. fast wörtlich mit der LXX überein, selbst gegen den hebräischen Text.[16] Auch ein Forscher wie H. J. Cadbury hatte schon sehr früh auf die große Vertrautheit des Lukas mit der LXX hingewiesen.[17] Diese Beobachtung ist im großen und ganzen durch moderne Studien bestätigt worden. Mögen heute auch noch Abweichungen vom herkömmlichen LXX-Text verschiedene Erklärungen finden, so beginnt sich doch die Einsicht durchzusetzen, daß die Suche nach einzelnen „Semitismen" in der Quellenfrage der Acta-Reden nicht weiterführt.[18]

Bot auch der Text der Schriftzitate keinen direkten Ansatz für Quellenhypothesen, so schien doch die *Art und Weise der Schriftverwendung* in der antiochenischen Rede gewisse

---

8 Vgl. O. *Pfleiderer*, Das Urchristenthum I, Berlin [2]1902, 581f.
9 Vgl. A. *Jülicher*, Einleitung in das Neue Testament, Freiburg i. B. – Leipzig 1894, 267f.
10 Vgl. H. J. *Holtzmann*, Lehrbuch der neutestamentlichen Theologie I, Tübingen [2]1911, 539.
11 A. *Jülicher*, Einleitung 263.
12 E. *Käsemann*, Ein neutestamentlicher Überblick, in: Verkündigung und Forschung (Theolog. Jahresber. 1949/50) München 1951/52, 208f.
13 Vgl. M. *Sorof*, Die Entstehung der Apostelgeschichte, Berlin 1890, bes. 58.79–83.103.
14 Vgl. J. *Jüngst*, Die Quellen der Apostelgeschichte, Gotha 1895. Nach diesem Quellenkritiker kommen auf die „gute Quelle A": Apg 13,16–23.26.27a.28.30–33.38, auf die „legendarische Quelle B": Apg 13,40f, auf den „paulinischen Redaktor": Apg 13,24f.27b.29.34–37.39: siehe dazu *Kränkl*, Jesus der Knecht Gottes, 34f Anm. 28.
15 Vgl. A. *Harnack*, Neue Untersuchungen zur Apostelgeschichte und zur Abfassungszeit der synoptischen Evangelien (Beitr. z. Einl. in d. N. T. 4), Leipzig 1911, 75f.
16 Vgl. J. G. *Eichhorn*, Einleitung 43.
17 Vgl. H. J. *Cadbury*, Luke – Translator or Author?: Am. Journ. of Theol. 24 (1920) 436–455, bes. 452–455.
18 Siehe dazu das Urteil von J. *Dupont*: „L'étude du sémitisme ne parait pas pouvoir fournir beaucoup de lumière sur leurs sources." Vgl. J. *Dupont*, Les discours de Pierre dans les Actes et le chapitre XXIV de l'évangile de Luc (Bibl. Ephem. Theol. Lovaniensium 32) Löwen 1973, 357.

Hinweise auf vorlukanische Überlieferungen zu geben. Es ist naheliegend, daß die Forscher vor allem aus Apg 13,32–37 ihre Theorien zu beweisen suchten.

Wegweisend für die Exegese dieses Textes wurde für viele Exegeten J. W. Doeve. Seine These, daß dem Verfasser der Apg ein ursprünglich in hebräischer Sprache formulierter frühchristlicher Midrasch vorlag, in dem auf dem Hintergrund der Nathansweissagung (2 Sam 7,6–16) verschiedene Schriftstellen assoziativ miteinander verbunden waren,[19] fand großen Anklang.

Vor allem E. Lövestam, von dem wohl die gründlichste Untersuchung zu Apg 13,32–37 stammt, versuchte die These von J. W. Doeve durch verschiedene traditionsgeschichtliche Argumente, insbesondere aber durch Beiziehung von Qumran-Texten zu stützen. Seiner Ansicht nach bietet 4 Q Flor. eine unabweisbare Parallele zu der antiochenischen Rede, da auch hier der davidische Bundesgedanke, ausgehend von 2 Sam 7,6–16, in Form eines *Midrasch* entfaltet werde.[20]

D. Goldsmith und E. E. Ellis spezifizierten diese Midraschform, wiederum unter Berufung auf 4 Q Flor., als Pescher.[21] Damit glaubte man auch eine einleuchtende Erklärung für die Zitatenfolge gefunden zu haben. „The complex of OT citations in Acts 13,33–37 is not a random selection, but one carefully conceived on linguistic and theological grounds to show the Jews how God fulfilled his promise to David in 2 Sam 7 – namely by raising Jesus from the dead"[22]. Auf die Studie von J. W. Bowker, der die Redekomposition von der jüdischen Homilieform her zu erklären versuchte,[23] gehen wir im 1. Kapitel unserer Arbeit näher ein.

Mit den genannten Exegeten halten auch eine Reihe anderer Forscher den beherrschenden Einfluß der Nathansweissagung auf die Paulusrede für erwiesen.

L. Hartmann versucht dies durch einen ausgedehnten synoptischen Vergleich von Apg 13,17–41 mit 2 Sam 7,6–16 nachzuweisen.[24] T. Holtz zieht aus seiner Untersuchung das Fazit: „Mit einiger Sicherheit läßt sich auf ein traditionelles spätjüdisch-messianisches Testimonium zurückschließen, das geprägt ist von dem Gedanken, daß der Messias der Erfüller der Davidsverheißung ist"[25]. Auch E. Schweizer betrachtet die Rede als Reinterpretation alter davidischer Prophetien.[26] B. M. F. van Iersel glaubt, die Pauluspredigt als einen sich um Ps 2,7 (vgl. Apg 13,33) gruppierenden Assoziationskomplex erklären zu können; der υἱός-Titel werde dabei aufs engste mit den beiden Schrifttexten 2 Sam 7,12–14 und Ps 2 verknüpft.[27]

Eigene Wege in der Interpretation geht O. Glombitza.[28] Er sieht in der gesamten Rede altes israelitisches Traditionsgut verarbeitet. Die Verse 17–23 stammen nach ihm aus der Synagogenpredigt, in der atl. Texte messianisch ausgelegt werden konnten, der Abschnitt vv. 24f ist nach diesem Autor auf lehrhafte Wendungen der Täufergemeinde zurückzuführen; in den

---

19 Vgl. *J. W. Doeve*, Jewish Hermeneutics in the Synoptic Gospels and Acts, Assen 1953, 168–207.

20 Vgl. *E. Lövestam*, Son and Saviour. A Study of Acts 13,32–37 (Coniect. Neotest. 18) Lund 1961, 7.

21 Vgl. *D. Goldsmith*, Acts 13,33–37: A Pescher on II Sam 7: JBL 87 (1968) 321–324; *E. E. Ellis*, Midraschartige Züge in den Reden der Apostelgeschichte: ZNW 62 (1971) 94–104.

22 Vgl. *D. Goldsmith*, Acts 13,33–37 324.

23 Vgl. *J. W. Bowker*, Speeches in Acts. A Study in Proem and Yelammedenu Form: NTS 14 (1967) 97–111.

24 Vgl. *L. Hartmann*, Davids son. A propå Acta 13,16–41: Svensk Exegetisk Årsbok 18–19 (1964) 117–134.

25 *T. Holtz*, Untersuchungen über die alttestamentlichen Zitate bei Lukas (TU 104) Berlin 1968, 140.

26 *E. Schweizer*, The Concept of the Davidic „Son of God" in Acts and its Old Testament Background, in: *L. E. Keck* and *J. L. Martyn* (Hrsg.), Studies in Luke-Acts, Nashville – New York 1966, 186–193.

27 *B. M. F. van Iersel*, „Der Sohn" in den synoptischen Jesusworten (Suppl. to Nov. Test. 3) Leiden ²1964, 66–77.

28 *O. Glombitza*, Akta XIII.15–41. Analyse einer lukanischen Predigt vor Juden: NTS 5 (1958) 306–317.

Versen 27–31 sieht er hingegen echt lukanisches Gut. Zu den Versen 33–37 bemerkt er: „Wir haben also in diesen v. 33–37 die lukanische Wiedergabe eines tradierten Stoffes, der das große Gebiet einer vorchristlichen messianischen Ämterlehre einschloß"[29]. Der Schlußteil bewegt sich nach O. Glombitza, soweit es sich um das Amt der Versöhnung, um das priesterliche Wirken des Messias handelt, ebenfalls in Traditionsbahnen.[30]

Ein gewisses Summarium all dieser traditionsgeschichtlich orientierten Untersuchungen stellen die Ausführungen von P. S. White über die atl. Zitate der Paulusrede dar.[31] Die Predigt bezeichnet auch er als eine Art von Midrasch über 2 Sam 7,6–16; die exegetische Methode, die sich dabei verrät, ist freilich eher rabbinisch als qumranisch und verweist auf den Rabbinenschüler Paulus.[32]

Einen neuartigen Versuch, den traditionsgeschichtlichen Hintergrund der Acta-Rede aufzuhellen, hat zuletzt U. Wilckens unternommen, der sich dabei die Erkenntnisse von O. Steck über die atl.-jüdische Tradition der Umkehrpredigt zunutze zu machen versuchte.[33] U. Wilckens kommt allerdings zu dem Ergebnis, daß sich im Unterschied zur „vorlukanischen Stephanusrede" die „Scheltrede" in den lukanisch konzipierten Missionspredigten auf das Handeln der Juden an Jesus konzentriert.[34] Im übrigen äußert er sich vorsichtig: „Daß es außer Act 7 noch weitere ausgestaltete Umkehrpredigten an Juden in vorlukanischer Tradition gegeben hat, die Lukas bei der Gestaltung der Apostelreden benutzt hat, ist nur als Möglichkeit zuzugestehen, nicht aber zu beweisen"[35].

Auf die zuvor dargestellten traditionsgeschichtlichen Hypothesen nimmt U. Wilckens auch in der neuesten Ausgabe seines Buches wenig Bezug. Es hat auch den Anschein, als ob in dieser Richtung kaum weitere Fortschritte erzielt werden könnten. Vielmehr geben gerade die in 4 Q Flor. zu beobachtenden Anpassungen der Zitate an Kontext und Thema das Recht, primär den *Eigenarten* der atl. Zitate in der antiochenischen Rede unsere Aufmerksamkeit zu widmen.[36]

Als sehr fruchtbar hingegen hat sich die formgeschichtliche Betrachtungsweise der Reden erwiesen, die von M. Dibelius und C. H. Dodd unabhängig voneinander initiiert wurde.

M. Dibelius erklärt die Gleichartigkeit der Missionsreden aus dem lukanischen Bestreben, durch das literarische Mittel der Wiederholung die Einheit der christlichen Predigt aufzuzeigen. Der Predigtaufriß als ganzer ist Lukas aus der kerygmatischen Tradition vorgegeben, deren hohes Alter u. a. durch 1 Kor 15,1ff ausgewiesen wird. Diese Tradition ist für M. Dibelius direkt aus der Heilspredigt erwachsen.[37]

Auch für C. H. Dodd ist die weitgehende Übereinstimmung zwischen der vorpaulinisch-kerygmatischen Tradition und dem Petrus-Kerygma der Apg Indiz dafür, daß die urchristliche Predigt schon sehr früh eine feste Form gehabt hat. Paulus und Petrus stehen also auf dem

---

29 *Ebd.* 315.
30 *Ebd.* 316.
31 *P. S. White,* Prophétie et Prédication. Une étude hermeneutique des citations de l'Ancient Testament dans les sermons des Actes, Université de Lille III, 1973, 337–416.
32 *Ebd.* 428.
33 *U. Wilckens,* Die Missionsreden der Apostelgeschichte (Wiss. Monograph. z. A. u. N. T. 5) Neukirchen [3]1974, 187–224; vgl. dazu O. H. Steck, Israel und das gewaltsame Geschick der Propheten. Untersuchungen zur Überlieferung des deuteronomistischen Geschichtsbildes im Alten Testament, Spätjudentum und Urchristentum (Wiss. Monograph. z. A. u. N. T. 23) Neukirchen 1967.
34 *U. Wilckens, ebd.* 222–224.
35 *Ebd.* 223.
36 Vgl. *M. Rese,* Alttestamentliche Motive in der Christologie des Lukas (Stud. z. N. T. 1) Gütersloh 1969, 222.
37 So zum ersten Mal bei *M. Dibelius,* Die Formgeschichte des Evangeliums, Tübingen 1919, 4–15; ausführlicher äußerte er sich dazu in seinem programmatischen Aufsatz: Die Reden der Apostelgeschichte und die antike Geschichtsschreibung (SAH 1) Heidelberg 1949, in: Aufsätze 120–162.

14

gleichen kerygmatischen Fundament, und so kann C. H. Dodd die Paulusrede in Antiochien in ihrer sachlichen Entsprechung zu den vorangehenden Petrusreden als durchaus historisch echt beurteilen. C. H. Dodd stellt die Einzelaussagen der Missionspredigten und die entsprechenden Abschnitte aus den Paulusbriefen synoptisch zusammen, um so die Einheit der apostolischen Überlieferung aufzuzeigen.[38]

Dankbar wurden vielerorts diese Ergebnisse der formgeschichtlichen Analyse begrüßt, war man doch nun der Meinung, bei den Predigten der Apg auf historisch gesichertem Grund zu stehen.[39]

Die große und bedeutende Monographie von U. Wilckens über die Missionsreden der Apg hatte die Zielsetzung, das durch die Formgeschichte gewonnene Fundament hinsichtlich seines traditionsgeschichtlichen Wertes zuallererst einmal gründlich auf seine Tragfähigkeit zu überprüfen.[40] Auf traditionsgeschichtliche Analyse bedacht, gelangte U. Wilckens allerdings zunächst zu einem rein redaktionsgeschichtlichen Ergebnis: das für traditionell gehaltene Predigtschema entstammt nicht urchristlicher Tradition, sondern hat als Kernstück lukanischer Theologie zu gelten.[41]

Bemerkenswerterweise hat U. Wilckens diese Auffassung neuerdings korrigiert. Heute scheint ihm der Schluß methodisch berechtigt zu sein, daß das Schema von 1 Kor 15, vermittelt durch die Evangelientradition, auch im Aufriß des Kerygmas der Apg wirksam ist, wenn es dort auch eine besondere Ausprägung erfährt. Die Auffassung der heutigen redaktionsgeschichtlich orientierten Forschung, daß Lukas die Reden eigenständig-frei gestaltet hat, wird so auch von U. Wilckens nicht in Zweifel gezogen, mag er auch zu Recht betonen, daß Lukas dabei auf ein traditionelles Schema des Jesuskerygmas zurückgreifen konnte.[42]

U. Wilckens behandelt zwar die einzelnen Acta-Reden und so auch die Pauluspredigt in Antiochien gesondert und macht auf Eigenheiten aufmerksam, doch ist es ihm vornehmlich darum zu tun, die Gemeinsamkeiten der Acta-Reden herauszustellen. Eine ähnliche Zielsetzung verfolgen J. Dupont, G. Delling und E. Kränkl in ihren Studien.[43] Die Predigten und ihr Einzelstoff werden in synoptischem Vergleich betrachtet. Das hat zur Folge, daß die individuelle Redekomposition weniger Beachtung finden kann.

Nun ist inzwischen, unmittelbar nach Fertigstellung unserer Dissertation und unabhängig davon, eine umfassende französische Monographie über Apg 13,16–41 erschienen, verfaßt von dem Kanadier M. Dumais.[44] Wenngleich die Studie dieses Autors eine andere Zielrichtung verfolgt als die unsrige, gebietet doch die Darlegung des heutigen status quaestionis, auf

---

38 *C. H. Dodd,* The Apostolic Preaching and its Developments, London 1936, 21–30.
39 Siehe dazu *J. Gewiess,* Die urapostolische Heilsverkündigung nach der Apostelgeschichte (Breslauer Stud. z. hist. Theol. N. F. 5) Breslau 1939; fernerhin *J. R. Geiselmann,* Jesus der Christus. Die Urform des apostolischen Kerygmas als Norm unserer Verkündigung und Theologie von Jesus Christus (Bibelwiss. Reihe 5) Stuttgart 1951.
40 So *U. Wilckens,* Missionsreden[3] 29f.
41 So noch in der 2. Aufl. seines Buches: vgl. Missionsreden[2] 188–190.
42 Siehe dazu *U. Wilckens,* Missionsreden[3] 194–200. Vgl. damit die These in: Missionsreden[2] 80: „Die von Dibelius auf Grund der Actareden vermutete Predigt-Tradition läßt sich durch 1. Kor 15 nicht belegen."
43 Vgl. *J. Dupont,* Les discours de Pierre; *G. Delling,* Die Jesusgeschichte in der Verkündigung nach Acta: NTS 19 (1972/73) 373–389; *E. Kränkl,* Jesus der Knecht Gottes 85–214.
44 *M. Dumais,* Le Langage de l'Évangélisation. L'annonce missionnaire en milieu juif (Actes 13,16–41) (Recherches 16) Tournai-Montréal 1976. An dieser Stelle dürfen auch die inzwischen erschienenen monographischen Abhandlungen über andere Acta-Reden nicht unerwähnt bleiben, so u. a. *D. Minguez,* Pentecostés. Ensayo de Semiótica narrativa en Hch 2 (AnBib 75) Rom 1976; *J. Kilgallen,* The Stephen Speech. A Literary and Redactional Study of Acts 7,2–53 (AnBib 67) Rom 1976 und *R. F. O'Toole,* Acts 26. The Christological Climax of Pauls's Defense (Ac 22,1–26,32) (AnBib 78) Rom 1978. All diese Studien sind in dem Anliegen geschrieben, den Eigenarten der einzelnen Reden gerecht zu werden.

das genannte Werk an dieser Stelle näher einzugehen; aber auch hier müssen wir uns auf die Diskussion einiger wichtiger Aspekte beschränken. Im übrigen möchten wir auf unsere ausführliche Rezension verweisen.[45]

M. Dumais greift im ersten Teil seiner Studie die schon mehrfach aufgestellte These auf, die Rede Pauli sei als ein christlicher Midrasch zu 2 Sam 7 zu verstehen und sucht diese These systematisch durch eine Analyse von Struktur, Form und Gehalt der antiochenischen Rede zu exemplifizieren. Er kommt dabei zu dem Ergebnis, daß die Rede Pauli als Midrasch zu definieren sei, der gleichzeitig charakteristische Merkmale der jüdischen Homilie und der Pescher-Form, wie man sie in Qumran finde (4 Q Flor.), an sich trage. Die Einheit dieser Rede erklärt sich nach diesem Autor durch die sich wiederholende direkte oder indirekte Bezugnahme auf die Nathansprophetie.[46]

Aus der Analyse der antiochenischen Predigt, welche die Vertrautheit des Predigers Paulus mit der biblischen Argumentationsweise seiner jüdischen Zuhörerschaft demonstrieren soll, sucht M. Dumais dann abzuleiten, wie sich die missionarische Verkündigung heute ihrer jeweiligen Umgebung zu adaptieren hat (zweiter Teil – Schlußteil).

Der Autor trägt seine These gleichzeitig mutig und behutsam vor.[47] Im Zentrum seiner Ausführungen steht die Exegese von Apg 13,32–37; dieser Abschnitt ist für ihn das Herz dieser Rede,[48] und auf ihn stützt sich primär seine Argumentation. M. Dumais geht es dabei nicht um die detaillierte Exegese sämtlicher Verse; er konzentriert sich vielmehr auf die Darlegung der von 2 Sam 7 inspirierten messianischen Tradition, welche die Erwartung der antiochenischen Zuhörerschaft nach seiner Meinung geprägt hat. Das reiche Material, das er zu diesem Punkt beibringt, ist zweifellos eine große Hilfe für das Verständnis des jüdischen „Milieus".

Doch bleiben Fragen zu seiner These angebracht. M. Dumais konstatiert zu Recht, daß sich die Argumentation Pauli auf die LXX stützt und sich eine zugrundeliegende semitische Quelle nicht mehr ausmachen läßt.[49] Daß aber auch in der *griechisch*-christlichen Verkündigung des 1. Jh. die Midrasch-Form oder -Struktur Einlaß fand, läßt sich nach wie vor nur vermuten, nicht aber beweisen.[50] Die genannte These läßt sich auch nicht verifizieren durch einen Vergleich von Apg 13,32–37 mit Apg 2,14–39 und 3,12–26 (S. 114–130), denn bezüglich dieser Reden stellt sich ja die gleiche Frage!

Der hypothetische Charakter seiner Ausführungen wird dem Autor gerade in der Exegese von Apg 13,34 (Jes 55,3) bewußt, eines Verses, der doch gerade eine Hauptstütze für seine These sein soll.[51] In seiner Analyse zieht M. Dumais die Interpretation von Apg 13,35 (Ps 16,10b) vor, da den Zuhörern nach Midraschart das rätselhafte Jesajazitat von Ps 16,10b her verständlich gemacht worden sei.[52] Darf er sich aber dann in seiner Auslegung von Jes 55,3 auf J. Dupont stützen, der ausführt, daß τὰ ὅσια ein damals bekannter Terminus der

---

45 Vgl. *M. F.-J. Buss*, Rez. *M. Dumais*, Le Langage de l'Evangélisation en milieu juif (Actes 13,16–41) (Recherches 16) Tournai-Montreal 1976, in: Bibl 61 (1980) 442–446.

46 Vgl. *ebd.* 114 und die Aussage über die Nathansprophetie, sie sei „l'élément unificateur de toutes ses parties" (*ebd.* 111).

47 Sicher ist sich *M. Dumais* bzgl. der Definition als Midrasch; die Begriffe „Homilie" und „Pescher" möchte er nur mit Nuancen und Einschränkungen auf Apg 13,16ff übertragen: vgl. *ebd.* 113f.

48 Vgl. *ebd.* 222: „La section du discours que constitue le coeur de la communication missionnaire."

49 Vgl. *ebd.* 103.

50 Der Verfasser glaubt einfach voraussetzen zu können, daß sich die griechisch-christliche Homilie am Vorbild der synagogalen Predigt orientiert hat: vgl. *ebd.* 105 Anm. 95: „Il était tout à fait normal." Zudem kennen wir nicht einmal die genaue jüdische Homilieform dieser Zeit, was auch *M. Dumais* eingesteht: vgl. *ebd.* 113.

51 Gerade in der Verbindung von Jes 55,3 mit Ps 16,10b zeigt sich nach *M. Dumais* die Midrasch-Technik: vgl. *ebd.* 197.

52 Vgl. *ebd.* 196.

griechisch-religiösen Sprache gewesen ist?[53] So ist es auch widersprüchlich, wenn gesagt wird, das Jesajazitat sei nicht von dem ihm eigenen Kontext her zu erklären, dieser Kontext aber dann doch zur Interpretation herangezogen wird.[54]

Wenngleich wir einen anderen Weg als M. Dumais beschreiten, ist seine Studie für uns doch sehr anregend gewesen.

2. PLAN UND ZIEL DER VORLIEGENDEN UNTERSUCHUNG

Ausgangspunkt unserer Untersuchung soll die Frage sein, ob und in welchem Maße die Einzelstoffe der antiochenischen Rede vom Redaktor zu einer *literarischen und thematischen Einheit* integriert worden sind.

Die Quellenkritik hat nach unserer Meinung zu kaum mehr als hypothetischen Ergebnissen geführt; sie schloß zugleich die Gefahr in sich, den Text in *membra disjecta* aufzusplittern. Der formgeschichtliche Zugang zu den Reden verführt zu einer uniformistischen Betrachtungsweise; die antiochenische Predigt unterscheidet sich aber von den übrigen Acta-Reden immerhin dadurch, daß sie in einer Synagoge der Diaspora gehalten wurde. Lukas mag dafür mit Bedacht die nicht unbedeutende Stadt Antiochien gewählt haben.

Antiochien in Pisidien war eine ca. 1100 m hoch gelegene römische Kolonie, in militärisch und verkehrsmäßig wichtiger Lage; ursprünglich war diese Stadt mit griechischen Ansiedlern als Polis gegründet worden.[55]

Die Rede steht im Zentrum des lukanischen Berichtes über die erste Missionsreise Pauli (vgl. Apg 13,1–14,28), der eine gewisse konzentrische Struktur aufweist.[56] Die Reise nimmt ihren Ausgang vom syrischen Antiochien und führt auch dorthin zurück. Berufen durch den hl. Geist zum Missionswerk und ausgesandt durch die Gemeinde (vgl. Apg 13,2f), berichten die Apostel Paulus und Barnabas beim Abschluß ihrer Reise der Gemeinde in Antiochien über das vollbrachte Werk (vgl. Apg 14,26f). Ihre Reiseroute führte sie über Zypern und Perge nach Antiochien in Pisidien (vgl. Apg 13,4–15), dem nördlichsten Punkt der Mission, und von dort aus nach Ikonium, Lystra und Derbe (vgl. Apg 14,1–20). Von Derbe aus traten die Missionare auf der alten Route, über Lystra, Ikonium und Antiochien (vgl. Apg 14,21), die Rückreise an.

Der geographischen Sonderstellung des pisidischen Antiochiens entspricht die Ausführlichkeit, mit der Lukas über die dortige Mission berichtet. Während die Anreise in 10 Versen (vgl. Apg 13,4–13) und die Rückreise nach Syrien in 25 Versen (vgl. Apg 14,1–25) beschrieben wird, beansprucht das antiochenische Geschehen allein 39 Verse (vgl. Apg 13,14–52) und hier wiederum die Predigt 26 Verse.

All die genannten Fakten verweisen auf den programmatischen Charakter der antiochenischen Rede.

Unsere Studie bleibt redaktionsgeschichtlich ausgerichtet; das schließt nicht aus, daß, vor allem in der Auseinandersetzung mit den Autoren, auch traditionsgeschichtliche Fragen behandelt werden.

---

53 Vgl. *ebd.* 214 mit *J. Dupont*, ΤΑ 'ΟΣΙΑ ΔΑΥΙΔ ΤΑ ΠΙΣΤΑ (Actes 13,34 = Isaïe 55,3): RB 68 (1961) 91–114, in: Études 337–359 hier: 344.
54 Vgl. *ebd.* 210 mit 219.
55 Siehe dazu *G. Delling*, Antiochien, in: Biblisch-Historisches Handwörterbuch I 99.
56 Vgl. dazu die Beobachtungen von *J. Bligh*, Galatians. A Discussion of St. Paul's Epistle (Householder Commentaries 1) London 1970, 7f. Im einzelnen müssen die Strukturanalysen dieses Autors skeptisch beurteilt werden, da er Geschehenszusammenhänge verkennt – so z. B. berücksichtigt er nicht die literarische Einheit von Apg 13,16–41 und 42–52 – und Verse ohne jedweden textkritischen Grund umstellt: vgl. u. a. seine Ausführungen zu Apg 13,26 (*ebd.* 7–11).

Im 1. Kapitel unserer Arbeit werden wir uns mit der Disposition der Paulusrede beschäftigen. Wir versuchen hier, das Grundgerüst und die Leitgedanken der ganzen Rede herauszuarbeiten.

Der Hauptteil unserer Untersuchung besteht aus der Analyse der einzelnen Abschnitte (2.–6. Kapitel). Den Anteil des Lukas an der Gestaltung des Redestoffes versuchen wir primär durch stilistische und terminologische Erwägungen zu erheben. Dabei beschränken wir uns nicht auf die Analyse der einzelnen Abschnitte in sich, vielmehr geschieht unsere Interpretation immer im Hinblick auf das im 1. Kapitel herausgearbeitete Grundgerüst der ganzen Rede. So soll auch die Theologie dieser Predigt abschnittweise erarbeitet werden.

In der Konsequenz der antiochenischen Predigt liegt die Hinwendung Pauli und Barnabas' zu den Heiden (vgl. Apg 13,46f). Von daher gebietet es sich, auch das Geschehen des „folgenden Sabbats" (vgl. Apg 13,44) in unsere Textbetrachtung einzubeziehen.

Im 7. und letzten Kapitel unserer Arbeit soll der bibeltheologische Ertrag unserer Textanalyse zusammenfassend dargestellt werden. Wir werden uns dabei besonders mit den Aspekten der antiochenischen Rede befassen, die uns für die heutige Lukasdiskussion wichtig zu sein scheinen.

Im Unterschied zu der Arbeit von M. Dumais, die bewußt von einer Exegese, welche die Verse in ihrer Reihenfolge kommentiert, abrückt, soll das Schwergewicht unserer Untersuchung in der detaillierten Analyse der einzelnen Verse liegen. Darum soll jeweils der griechische Text der Interpretation vorangestellt werden. Es werden keine Versgruppen ausgelassen und auch keine Verse umgestellt. Der Text soll so stehenbleiben, wie er uns vorliegt. Auch wenn er eine Pauluspredigt ist, gehen wir davon aus, daß er als Teil der Apg lukanische Redaktion und Theologie verrät.

1. Kapitel
Der Aufbau der antiochenischen Rede

1. METHODISCHE VORBEMERKUNGEN

Es gilt heute als ein exegetischer Grundsatz, daß die monographische Behandlung einer Acta-Rede nicht absehen kann von der Analyse ihrer Struktur. So beginnt auch die große Untersuchung von U. Wilckens mit einem Kapitel über „Aufbau und Gliederung der Reden".[1] Es ist zunächst das Verdienst von M. Dibelius, die Aufmerksamkeit der Exegeten auf die schematische Gliederung der Missionsreden gerichtet zu haben. Indem er durch seinen formgeschichtlichen Ansatz die „Predigt" als eine eigene Gattung entdeckte und in ihr jeweils einen typischen Aufbau erkannte, half er entscheidend mit, die für die Exegese der Reden wenig ergiebige Methode der Quellenscheidung zu überwinden. Was die Gliederung der Acta-Reden betrifft, so sind bis heute die Ergebnisse von M. Dibelius Ausgangspunkt und Diskussionsbasis für viele weitere Versuche geblieben.[2] Uns geht es in diesem Kapitel um die Ausarbeitung und Verbesserung von vorgeschlagenen Dispositionen.

Methodisch gesehen scheint es uns unbedingt notwendig zu sein, vor der Einzelanalyse sich sehr gründlich den logischen Gedankengang der ganzen Rede bewußt zu machen bzw. zu fragen, ob sich überhaupt eine einheitliche Konzeption der Rede ermitteln läßt. Jede größere Missionsrede in der Apg besteht aus verschiedenen Abschnitten. Entscheidend für das Begreifen einer Rede als einer Einheit sind zunächst die „charnières"[3], d. h. die einzelnen Verbindungsglieder und Übergangsverse zwischen den einzelnen Abschnitten. Hier werden der Aufbau und somit der Gedankengang der ganzen Rede sichtbar, da in diesen Versen die logischen Verbindungen geknüpft werden. Die Durchsicht der einschlägigen Literatur hat uns gezeigt, daß gerade von dieser Einsicht her die Studien über den Aufbau der Rede in Apg 13,16–41 noch vervollständigt werden können und müssen.

Um unseren Standpunkt abzuklären, werden wir uns im folgenden zunächst mit den wichtigsten Autoren auseinandersetzen.

2. DISKUSSION BISHERIGER DISPOSITIONSVERSUCHE

a) Die schematische Gliederung der Acta-Reden nach M. Dibelius

Der Hinweis von M. Dibelius auf die „stereotype Wiederholung des gleichen Aufrisses"[4] soll auch uns zunächst als Diskussionsbasis dienen. Nach Meinung dieses Autors folgt auf eine mit der jeweiligen Situation gegebene Einleitung regelmäßig das Kerygma von Jesu Leben, Leiden und Auferstehen und zwar meistens unter Betonung der Zeugenschaft der Jünger. Daran schließen sich Schriftbeweis und Bußmahnung an.

Eine kurze Übersichtstabelle soll die Ausführungen von M. Dibelius zusammenfassen und verdeutlichen:[5]

Apg-Reden	2,14–36	3,12–26	5,30–32	10,34–43	13,16–41
1. Einleitung	2,14–21	3,12	/	10,34–35	13,17–22

---

1 Vgl. *U. Wilckens* Missionsreden[3] 32–55. So wie „man vor der Auslegung eines antiken Textes zuerst nach seiner literarischen Struktur oder Form zu fragen hat", so auch bei der Exegese der Acta-Reden: vgl. *G. Lohfink*, Paulus vor Damaskus (SBS 4) Stuttgart 1965, 52.
2 Vgl. dazu die Abschnitte 2a–b dieses Kapitels.
3 Vgl. *J. Dupont*, ΤΑ 'ΟΣΙΑ ΔΑΥΙΔ ΤΑ ΠΙΣΤΑ, in: Études 337–359, hier: 359.
4 Vgl. *M. Dibelius*, Formgeschichte 15.
5 Vgl. *M. Dibelius*, Die Reden, in: Aufsätze 142.

2. Kerygma	2,22–24	3,13–15	5,30–31	10,36–42	13,23–25
Zeugenschaft	2,32	3,15	5,32	10,39.41	13,31
3. Schriftbeweis	2,25–31	3,22–26	/	10,43	13,32–37
4. Bußmahnung	2,38–39	3,17–20	5,31	10,42–43	13,38–41

Noch heute gilt diese Beobachtung eines schematisierten Aufrisses durch M. Dibelius als eine fundamentale Einsicht. Die Dispositionsversuche späterer Autoren werden daran gemessen, in welchem Maße das von M. Dibelius erstellte Schema bei ihnen Berücksichtigung findet. So kritisiert U. Wilckens an der Arbeit von E. Schweizer, daß dessen Aufgliederung zu detailliert sei. Die Teile, welche bei E. Schweizer nebengeordnet aufgeführt seien, sollten besser „in die 3 festen Teile des Dibeliusschen Schemas subordiniert werden"[6]. Andererseits weist J. Dupont in seiner Kritik an U. Wilckens darauf hin, daß der Autor das von Dibelius aufgewiesene Schema besser hätte herausarbeiten können.[7] Der Aufgliederungsversuch von M. Dibelius gilt also auch heute noch als *positio classica,* welche mit größter Autorität umgeben wird.

Die offensichtliche Übereinstimmung im Aufriß der Reden, wie sie in der obigen Tabelle zur Darstellung kommt, ist zunächst beeindruckend. Besonders die großen Missionsreden in den Kapiteln 2, 3, 10 und 13 scheinen sich leicht parallelisieren zu lassen, da sie alle von M. Dibelius genannten Elemente aufweisen.

Überprüft man aber näherhin die entsprechenden Abschnitte in seinen Schriften, so kommt man nicht umhin, zu sagen, daß sie zwar wichtige Beobachtungen enthalten, im Grunde aber doch nicht als sorgfältig herausgearbeitete Analysen betrachtet werden dürfen. So läßt die systematische Schematisierung folgende Mängel erkennen:

1. Ganze Versgruppen bleiben unberücksichtigt.
2. Folglich werden Einzelnuancierungen in der Disposition der einzelnen Reden übersehen.
3. Die Bezeichnung der einzelnen Elemente ist ungenau und gelegentlich unsachgemäß.

Ad 1.

Es bleibt unklar, wie z. B. die Verse 2,33–36 in das Dibeliussche Schema zu integrieren sind. Diskussionslos werden die Verse 2,38f in den Aufbau der Rede mit hineingezogen, wenngleich diese als solche doch schon in 2,36 aufhört. Was die Missionsrede in 3,12–26 betrifft, so bleibt 3,16 unerwähnt. Auch die Verse 13,26–30 (Rede Pauli in Antiochien) finden in dem von M. Dibelius erarbeiteten Predigtschema keinen Platz. Ebenso bleibt hier 13,16b unberücksichtigt. Es ist nicht ersichtlich, warum die Missionsrede in 4,9–12 nicht behandelt wird. Möglicherweise ist ein einfaches Übersehen die Erklärung.

Ad 2.

Es ist zu vermuten, daß die unterschiedliche Anordnung der einzelnen Topoi (vgl. Tabelle!) Nuancierungen verrät, welche gerade bei einer ansonsten großen Übereinstimmung für die Interpretation der einzelnen Rede von großer Bedeutung sind. Zwar folgt in allen Reden der jeweiligen Einleitung unmittelbar das Kerygma, doch sind die Elemente „Zeugenschaft", „Schriftbeweis" und „Bußmahnung" in ihrer Reihenfolge austauschbar. Besonders leicht verändert sich der Ort des „Schriftbeweises" und damit auch seine Funktion. Ähnliches gilt für das Element der „Zeugenschaft". Die jeweils verschiedene Anordnung der einzelnen Elemente bleibt aber bei M. Dibelius unberücksichtigt.

---

6 *U. Wilckens,* Missionsreden[3] 54 Anm. 1.

7 „Ces explications (= über die Struktur) n'apportent rien de très nouveau. Nous pensons même que M. Wilckens aurait pu mettre en lumière, mieux encore qu'il ne le fait, l'identité du schéma des six discours": vgl. *J. Dupont,* Les discours missionnaires des Actes des Apôtres d'après un ouvrage récent: RB 69 (1962) 37–60, in: Études 133–155, hier: 137f.

Ad 3.

Allzu schematisch, ja gelegentlich sogar unsachgemäß scheint uns indessen die Bestimmung und Charakterisierung der einzelnen Elemente zu sein. Schon M. Dibelius selbst hatte es als schwierig empfunden, die Einleitungsverse generell als Anknüpfung an eine bestimmte Situation zu verstehen. So schreibt er: „Es fällt schon beim ersten Lesen auf, daß der erste Abschnitt der Rede 13,16–22 jede Beziehung auf den Missionar und vollends auf den Inhalt der Missionspredigt vermissen läßt"[8]. Wenn er dann ausführt, es handle sich hier um den Anfang einer Synagogenpredigt, wie ihn jeder jüdische Redner in einer Ansprache ebenso bringen könnte[9], so bleibt er uns leider den Beweis schuldig.

Die Tatsache, daß in Apg 13,16–41 eine heilsgeschichtlich fundierte Auseinandersetzung mit Israel geboten wird, weist vielmehr darauf hin, daß Lukas hier den engen Rahmen eines Synagogengottesdienstes sprengen will. Stellt man die Funktion der Verse 13,16–22 in eine Reihe mit der von 2,14–21; 3,12 und 10,34f, so verschleiert man den einmaligen Charakter dieser Einleitung, die nur in der Stephanusrede (Apg 7,1–53) eine gewisse Parallele findet.

Es handelt sich eher schon um eine Nachlässigkeit, wenn man bei M. Dibelius liest, daß die Verse 13,23–25 das Jesuskerygma enthalten sollen (vgl. Tabelle!), obgleich hier doch weder vom Tod noch von der Auferstehung Jesu die Rede ist, sondern vornehmlich von Johannes d. T. als dem Vorläufer Jesu.

Was die Gestaltung des eigentlichen Jesuskerygmas in den Reden betrifft, so bleibt festzustellen, daß nur das Gegensatzpaar vom „Tun der Menschen" und dem „Tun Gottes" in allen Missionspredigten wiederkehrt.[10]

Als stark simplifizierend muß man es bezeichnen, wenn der letzte Teil der Reden einfach als „Aufruf zur Buße" charakterisiert wird. Da Lukas die Schuld am Tode Jesu nicht allen Juden, sondern lediglich den unmittelbar beteiligten Jerusalemiten anlastet, differenziert er je nach der Zuhörerschaft zwischen den einzelnen Predigten. Die Paränesen an die Jerusalemiten knüpfen an deren spezielle Schuld am Tode Jesu an und leiten von daher die Umkehrforderung ab (vgl. 2,38; 3,19; siehe auch 4,10.12 und 5,30f). Vor Nicht-Jerusalemiten ist primär von der Sündenvergebung durch den Glauben die Rede, mag auch darin die Umkehr zweifelsohne eingeschlossen sein (vgl. 10,43; 13,38f; siehe auch 13,24!).[11]

b) Die Gliederungsversuche von E. Schweizer und U. Wilckens

Daß der schematisierende Aufriß von M. Dibelius für die Erfassung der Reden unzureichend ist, hat E. Schweizer klar gesehen. Durch seinen Versuch indessen, dennoch in allen Predigten eine identische Struktur zu erkennen,[12] wirkt seine Gliederung reichlich gekünstelt.[13]

In unserer Kritik beschränken wir uns auf die Disposition von Apg 13,16–41 nach E. Schweizer.[14] Zunächst ist nicht einzusehen, weshalb in 13,16b „Anrede" und „Aufruf zum Hören" gliederungsmäßig zu trennen sind, da es sich hier doch einfach um Subjekt und Prädikat handelt. Die Feststellung, daß in dieser Rede der Topos „Mißverständnis" nicht enthalten

---

8 M. Dibelius, Die Reden, in: Aufsätze 143.
9 Vgl. ebd.
10 So auch R. Zehnle: „The 'contrast' presentation of the death and resurrection of Jesus is certainly common to all of six of the early mission discourses": vgl. R. Zehnle, Peter's Pentecost Discourse (SBL Mon. Ser. 15) Nashville – New York 1971, 25; vgl. auch ebd. 23f: „But even a cursory investigation reveals that a similar ordering or structuring of the material is precisely what Luke has not given us. It is the material which is similar; it is the ordering which differs."
11 Vgl. dazu U. Wilckens, Missionsreden³ 240.
12 Vgl. E. Schweizer, Zu den Reden der Apostelgeschichte: ThZ 13 (1957) 1–11.
13 Ähnlich urteilt U. Wilckens, Missionsreden³ 54 Anm. 1.
14 Vgl. zum folgenden E. Schweizer, Zu den Reden 4f.

sei,[15] ist nicht notwendig, da dieser Topos in den Reden ohnehin kein festes Moment ist. Von einem „Mißverständnis" kann nur bezüglich der ersten und zweiten Missionsrede gesprochen werden (vgl. 2,15 und 3,12b); in der dritten geht es nur um die Feststellung einer offenen Frage (vgl. 4,9b).

Die Verse 13,17–25 vermag E. Schweizer nicht in seinem Schema unterzubringen. Er schreibt zu diesem Abschnitt: „Anstelle des Schriftzitats tritt ein ‚heilsgeschichtlicher' Aufriß"[16]. Man wird der Funktion der Einleitung aber nicht gerecht, wenn man diese nur als ein ausgestaltetes Schriftzitat betrachtet. Dies erhellt ein Vergleich mit der Stephanusrede.

In 13,26 reißt E. Schweizer wiederum „Anrede" und „Aufruf zum Hören" auseinander. Ganz abgesehen davon, daß hier von einem „Aufruf zum Hören" nicht die Rede sein kann[17], ist auch 13,26a unlöslich mit 13,26b verbunden, da ἡμῖν in 13,26b wiederum auf 13,26a verweist.

Über das „christologische Kerygma" als festen Teil der Missionsreden kann natürlich kein Zweifel sein; gleiches gilt für den sog. Schriftbeweis (13,33–37), welcher nur in der vierten Missionsrede (5,29ff) fehlt. Letztere Rede hat allerdings ihrer Kürze wegen einen sehr partikulären Charakter; sie kommt darum kaum als Paradigma in Frage.

In 13,38a wiederholen sich nach E. Schweizer noch einmal „Anrede" und „Aufruf zum Hören". In 13,38f schließt sich die „Heilsverkündigung" an, wobei zu fragen bleibt, ob man diese wirklich von dem Element der „ausdrücklichen Zuspitzung der Botschaft auf die Hörer" (vgl. 13,26b) so scharf unterscheiden sollte. Der Autor selbst gesteht ja zu, daß letztere Bezeichnung für 13,40f nur bedingt zutrifft. Die Warnung vor dem Nichthören, welche in diesen beiden Versen enthalten ist, muß als ein Spezifikum dieser Rede gesehen werden und darf nicht einfach mit der Funktion der Schlußverse in den anderen Reden gleichgesetzt werden.

Zusammenfassend ist zu sagen, daß der Gliederungsversuch von E. Schweizer bezüglich Apg 13,16–41 eher verwirrt als ordnet und klärt.

Wenn auch U. Wilckens ein großes Kapitel über Aufbau und Gliederung der Acta-Reden geschrieben hat,[18] so bringen seine Ausführungen im Vergleich zu M. Dibelius und E. Schweizer keine neuen Gesichtspunkte ins Feld. Er gibt dem Dibeliusschen Schema den Vorzug vor der detaillierten Analyse E. Schweizers,[19] doch unterläßt er es, seine sechsteilige Gliederung von Apg 13,16–41 (13,16–23; 24f; 26–31; 32–37; 38f; 40f) durch literarische Kriterien zu stützen.[20] Darum bleibt unklar, welches der alle Teile verbindende Gedanke ist.

Die Disposition von U. Wilckens trägt wenig zur Sinnerfassung der antiochenischen Rede bei und bleibt, wie die Gliederungsversuche von M. Dibelius und E. Schweizer, im rein formalen Abgrenzen der einzelnen Abschnitte stecken.

c) Die Disposition von Apg 13,16–41 nach J. W. Bowker

Einen ganz neuartigen und interessanten Aufgliederungsversuch unternimmt J. W. Bowker,[21] der in Apg 13,16–41 Reste der alten jüdischen Homilieform wiederzuentdecken

---

15 *Ebd.* 5.
16 *Ebd.* 5.
17 Das Prädikat in Apg 13,26 steht im Indikativ Aorist (ἐξαπεστάλη)!
18 Das Kapitel über den Aufbau der Reden stellt einen Hauptteil der Arbeit von U. Wilckens dar. Vgl. *U. Wilckens,* Missionsreden³ 31.
19 S. o. Anm. 13.
20 Sehr bezeichnend ist, daß in dem entsprechenden Abschnitt U. Wilckens einfachhin nach der deutschen Übersetzung vorgeht, ohne einen griechischen Terminus zu zitieren: vgl. *U. Wilckens, Missionsreden³* 50–54.
21 Vgl. *J. W. Bowker,* Speeches 96–104. J. W. Bowker ist unseres Wissens der erste Autor, der den Versuch unternimmt, Apg 13,16–41 von der jüdischen Homilieform her auch gliederungsmäßig zu erfassen.

glaubt. Auf Grund von Stichwortverbindungen und anderen literarischen Kriterien sieht er Elemente einer midraschartigen Exegese gegeben. Er vergleicht die Rede in Apg 13,16–41 mit zwei Arten von Midraschim: mit dem Proömium-Midrasch und dem Yelammedenu-rabbenu („Unser-Lehrer-möge-uns-lehren")-Midrasch. Die Proömium-Homilie beginnt mit einem Einführungstext, welcher Anspielungen sowohl auf die Seder-, wie auch auf die Haftarah-Lesung enthalten muß. Die Auslegung des Proömiumtextes beginnt gewöhnlich mit der Formel: Die (seine) Deutung lautet pēšär oder pišrô). Es folgt eine Reihe von verschiedenen Texten (Haruzim), in welchen implizit Bezug genommen wird auf die Haftarah-Lesung. Die Homilie endet mit einem Hinweis auf die Tageslesung aus dem Pentateuch (Seder).[22]

Nach der Einleitung in 13,16–21, welche in Anlehnung an Dtn 4,37–38 einen kurzen Abriß der Geschichte Israels darstellt, beginnt die eigentliche Homilie in 13,22. Hier findet sich nach J. W. Bowker auch das Proömium und somit der Schlüsseltext der ganzen Homilie; der zugrundeliegende Schriftvers ist 1 Sam 13,14. Die darin enthaltene Anspielung auf Dtn 4,37f spiegelt nach Meinung dieses Autors die Seder-, und der darin implizierte Hinweis auf 2 Sam 7,6–16 die Haftarah-Lesung wider. Die folgenden Haruzim bis hin zu 13,40, und hier schließt sich J. W. Bowker dem Beweisgang von J. W. Doeve an, lassen auf 2 Sam 7,6–16 als den Haftarahtext schließen. Der Schlußvers 13,41 (vgl. Hab 1,5) weist wiederum, ganz nach den Gesetzen der jüdischen Homilie, auf Dtn 4,31 und Dtn 4,32 und damit auf den Sedertext hin. Somit wird eine jüdische Homilie in ihren Umrissen sichtbar.[23]

Der Artikel J. W. Bowkers ist ohne Zweifel beachtenswert, doch bleiben seine Thesen Vermutungen, welche sich nur auf einige wenige Anzeichen stützen können. Daß Lukas Quellen benutzt hat, ist allgemein anerkannt, bezweifelt aber wird, ob diese in ihrer Abgrenzung noch zu erkennen sind.

So wie Lukas seine Quellen nach seinen eigenen theologischen Intentionen verarbeitet und redigiert hat, so ist auch keine Synagogenpredigt in unbearbeiteter Form auf uns gekommen.[24] Ein klares Bild der Gattung läßt sich so nur schwer gewinnen. Darum sind auch alle Versuche, Predigten im NT als jüdische Synagogenpredigten bestimmen zu wollen, zum Scheitern verurteilt.

Selbst über den ursprünglichen Aufbau einer jüdischen Homilie ist man sich heute nicht einig. Als ein sicheres Ergebnis der Wissenschaft aber muß es gelten, daß dem sog. Proömialvers keineswegs die entscheidende Funktion als Brücke zwischen Seder und Haftarah zukommt, welche J. W. Bowker ihm zuschreiben will. „Derartige Prooemien vermissen wir in unseren Quellen völlig. Zwar ist auch oft eine Bibelstelle durch eine andere erklärt, nie aber läßt sich dabei eine feste Gesetzmäßigkeit und eine Einheit in Form und Sprache erkennen, und nie erscheinen derartige Stücke am Anfang der einzelnen Abhandlungen": so lautet das Fazit der Untersuchung von H. Thyen.[25]

22 Eine gute Übersicht über die Fragestellung gibt *E. E. Ellis* in seinem Artikel: Midraschartige Züge 94–97.

23 *J. W. Bowker*, Speeches 107: „There are fairly clear traces of proem homily form in Paul's discourse at Pisidian Antioch."

24 Vgl. hierzu *H. Thyen*, Der Stil der jüdisch-hellenistischen Homilie (FRLANT 47) Göttingen 1955, 7.

25 *Ebd.* 75. Es ist vorauszusetzen, daß nur diese jüdisch-hellenistische Predigtform für die griechisch sprechende Synagogengemeinde von Antiochien in Frage kommt. Wenn auch etwas abgeschwächt, gilt dieses Urteil H. Thyens auch für die nicht-hellenistische Homilieform. „Daß der sogenannte Prooemialvers eine Brücke zwischen Seder und Haphtara bilden sollte, wird zwar seit *J. Mann* immer wieder behauptet, ist aber keineswegs bewiesen (vgl. *J. Heinemann* JJS 19 (1968) bes. 47f)": so *P. Schaefer* in der Rezension von *J. W. Bowker*, The Targums and Rabbinic Literature. An Introduction to Jewish Interpretations of Scripture, London 1969 in: ThLZ 96 (1971) 102. Zudem wird 1 Sam 13,14 von W. Bacher nicht als Proömium erwähnt: vgl. *W. Bacher*, Die Proömien der alten jüdischen Homilie. Beitrag zur Geschichte der jüdischen Schriftauslegung und Homiletik (Beiträge zur Wissenschaft vom Alten Testament 12) Leipzig 1913.

Unklar bleibt bei J. W. Bowker weiterhin die Einordnung von 13,24–31 in das Schema einer jüdischen Homilie. Die Gestaltung des Jesus-Kerygmas hat doch wenig mit den Haruzim gemein, da diese Verse keine Hinweise auf den angeblich zugrundeliegenden Haftarahtext 2 Sam 7,6–16 erkennen lassen. Eher könnte man die Verse 33–36 als Haruzim im eigentlichen Sinn ansprechen.

Ferner berücksichtigt J. W. Bowker nicht, daß schon mit 13,37 die eigentliche „exposition of scripture" aufhört und in 13,38 die Paränese einsetzt.

Allen besprochenen Dispositionsversuchen haftet der Mangel an, daß sie die Rede in ein vorgegebenes Schema hineinzupressen versuchen. Sicherer wird es sein, wenn man vom endgültig redigierten Text ausgeht und schaut, ob nicht der Redaktor selbst gliederungsmäßige Nuancen zu erkennen gibt.

Wir schließen darum der Übersicht über bisherige Gliederungsversuche eine Textbetrachtung an, welche nicht so sehr auf eine inhaltliche Bestimmung der Rede zielt, sondern zunächst auf ihren literarischen Aufbau. Unsere Frage lautet, ob der ganze Redestoff vom Autor selbst durchgegliedert, d. h. nach eigenen Gesichtspunkten geordnet ist.

3. SCHEMA UND GLIEDERUNG DER ANTIOCHENISCHEN REDE

a) Das konstitutive zweiteilige Schema

Um den Aufbau der antiochenischen Rede zu begreifen, empfiehlt es sich, in der Analyse zwischen den Begriffen *Schema* und *Gliederung* zu unterscheiden. Konstitutiv für das Schema einer „geistlichen Predigt", im Unterschied zu einer „politischen Predigt", ist immer die Verbindung von geschichtlichem Rückblick mit Paränese. Als Beispiel aus dem AT seien genannt: Jer 7,1–8; Ez 20; Pss 78.105.106.[26] Auch nach dem jüdisch-hellenistischen Dispositionsschema folgt in der Predigt dem Hauptteil, der eine sachlich-theologische Darstellung enthält mit gelegentlichen Ermahnungen, ein kürzerer Teil mit der Schlußparänese.[27]

So bietet sich auch die antiochenische Rede dar im Rahmen einer fortlaufenden Erzählung, die durch aktualisierende Bezugnahmen auf die Zuhörerschaft unterbrochen wird (vgl. vv. 26.32) und schließlich mit einer großen Paränese endet (vv. 38–41). Der Modus der Prädikate ist durchgehend der Indikativ. Erst im abschließenden paränetischen Abschnitt begegnen uns imperativische Formen.[28]

Der doppelte Redeschluß in vv. 38f bzw. vv. 40f ist kein Argument gegen die fundamentale Zweiteilung, da der abschließende Heils- und Unheilsspruch in diesem Dispositionsschema als eine Einheit anzusehen ist.

Neuerdings hat K. Kliesch diese Predigtform als „heilsgeschichtliches Credo" zu bestimmen versucht, das in einer breiten atl.-jüdischen Tradition wurzele und dessen „Sitz im Le-

---

26 Vgl. *O. Eissfeldt,* Einleitung in das Alte Testament, Tübingen ²1956, 20; *ebd.* auch weitere Angaben über die atl. Predigtform.

27 Vgl. *H. Thyen,* Der Stil 87. Ein typisches Beispiel für das NT ist die Anlage des Hebr.-Briefes: 1. Teil: 1,1–10,18; 2. Teil: 10,19–13,21. Paulus folgt im Aufbau seiner Briefe im allgemeinen diesem Schema: vgl. *H. Thyen,* ebd., wie auch *R. Bultmann,* Theologie des Neuen Testaments, Tübingen ⁵1965, 95. Vgl. hierzu auch die Ausführungen von O. Michel zum λόγος παρακλήσεως als einem exegetischen Typos, der nicht nur Apg 13,16–41, sondern auch Hebr 13,22; 1 Tim 4,13 und 2 Makk 15,7–16 zugrundeliegen soll. Nach diesem Autor besteht die antiochenische Rede aus drei Teilen: der historischen „Anamnesis" (v. 16–25), einer „Erfüllungs- und Bestätigungsaussage" (v. 26–37) und der „paränetischen Zuspitzung" (v. 38–41): vgl. *O. Michel,* Der Brief an die Hebräer (Krit.-exeget. Komm. üb. d. N. T.) Göttingen ¹²1966, 550.

28 Im Schlußteil der Rede häufen sich sogar die Imperative: 1. γνωστὸν ἔστω (v. 38); 2. βλέπετε (v. 40); 3. ἴδετε; 4. θαυμάσατε; 5. ἀφανίσθητε (3.–5. in v. 41).

ben" insbesondere die Liturgie sei.[29] Als einflußreichster Text, der auch dem heilsgeschichtlichen Aufriß in Apg 13,16ff am nächsten steht, hat nach diesem Autor Dtn 26,5b–9 zu gelten.[30] Das Neue des christlich-antiochenischen Credos besteht in der Einführung des Christusgeschehens. Die Christen aber, die so ihren Glauben bekennen, sehen sich „fest verbunden mit der alten Heilsgeschichte"[31].

Zu Recht betont K. Kliesch vor aller Aufgliederung der Credo-Aussagen ihre Einheit. Es ist in der Tat von eminenter theologischer Bedeutung, daß in der antiochenischen Rede das Christusgeschehen in Zusammenschau mit den atl. Heilstaten gesehen wird, daß „der alte *und* der neue Glaube zusammen bekannt werden und so dem Leser Herkunft und Fundament seines eigenen Glaubens deutlich werden"[32].

Formgebend für die Paulus-Predigt ist darum nicht ein Geflecht von ineinander verschlungenen midraschartigen Verweisen auf atl. Texte,[33] sondern die Art und Weise, wie die Heilsgeschichte im Credo zum Ausdruck zu kommen pflegt. Die Interpretation dieser historia salutis aber kann für den antiochenischen Prediger nur eine christologische sein. In dieser christologischen Orientierung liegt auch der wesentliche Unterschied zu jedem jüdischen Midrasch.[34]

So scheint es sich nahezulegen, die Redestruktur in Analogie zum Periodenschema H. Conzelmanns zu begreifen: Nach der Zeit Israels (13,17–25) folgt die Zeit Jesu (13,26–31) und schließt sich endlich die Zeit der Kirche, d. h. die Zeit der Jesusverkündigung an (13,32–41). Die Predigt Pauli wäre dann ein Paradigma für die heilsgeschichtliche Konzeption des Lukas überhaupt, so wie sie sich nach H. Conzelmann in Lk-Apg darbietet.[35]

Wir glauben indessen nicht, daß eine solche Periodisierung der Heilsgeschichte auf Apg 13,16b–41 anwendbar ist. Paulus ist ja gerade um den Aufweis bemüht, daß das *Jesusereignis zur Geschichte Israels* gehört[36], und die Botschaft von der Rechtfertigung, welche in der Auferweckung Jesu ihren Grund hat, zunächst an die Kinder Israels gerichtet ist.[37]

Die Geschichte Israels bis hin zur aktuellen Predigtsituation ist eine lebendige Einheit. Das Prinzip dieser Einheit ist die göttliche Verheißungstreue, welche die den Vätern Israels einst gegebene ἐπαγγελία hic et nunc an ihren Kindern erfüllen will. Jahwe ist darum das herausragende Subjekt der Paulusrede, der primäre Adressat seines Heilsangebotes bleibt Israel.[38]

---

29 Vgl. *K. Kliesch*, Das Heilsgeschichtliche Credo in den Reden der Apostelgeschichte (BBB 44) Köln – Bonn 1975, 125.
30 Vgl. *ebd.* 60.
31 *Ebd.* 125.
32 *Ebd.* 179.
33 Zur Kritik an *J. W. Doeves* Ausführungen über Apg 13,16ff siehe auch die Rezension von *J. Jeremias* in: ThLZ 80 (1955) 211: „Auf Schritt und Tritt mutet uns der Verf. jetzt zu, hinter schlichten Aussagen der Synoptiker und der Apg. ganze Bündel von ineinander verschlungenen midrashartigen Bezugnahmen auf atl. Texte zu sehen. Er gleitet so völlig ins Phantastische ab, daß leider die ganze Arbeit dadurch entwertet wird."
34 Vgl. hierzu insbesondere die abschließende Zusammenfassung von *J. Dupont's* Artikel: L'utilisation apologétique de l'Andien Testament dans les discours des Actes: EThL 29 (1953) 239–327, in: Études 245–282, hier: 270f.
35 Vgl. *H. Conzelmann*, Die Apostelgeschichte (HNT 7) Tübingen ²1972, 76; *ders.*, Die Mitte der Zeit. Studien zur Theologie des Lukas (BHTh 17) Tübingen ⁵1964, 16ff.
36 Darum heißt es ja auch: ἤγειρεν τῷ Ἰσραὴλ σωτῆρα Ἰησοῦν (Apg 13,23). Sehr gut wird dieser Gesichtspunkt herausgearbeitet von *J. Jervell* in seinem Artikel: Midt i Israels historie: Norsk teologisk tidsskrift 69 (1968) 130–138.
37 Vgl. Apg 13,46: Ὑμῖν ἦν ἀναγκαῖον πρῶτον λαληθῆναι τὸν λόγον τοῦ θεοῦ. Siehe weiterhin Apg 13,14; 14,1; 16,13; 17,2.10.17; 18,4.19; 19,8; 28,17.23.
38 Am Beispiel von Apg 13,16ff wird dieser theologische Aspekt gut dargestellt von *E. Wright*, God Who Acts. Biblical Theology as Recital (Studies in Biblical Theology 8) London 1952, 70–81.

b) Die Aufgliederung des Redestoffs in fünf Teile

Die Aufreihung der göttlichen Gnadenerweise geschieht nicht wahllos. Durch einleitende und verbindende Verse verdeutlicht der antiochenische Prediger die kompositionelle Einheit wie die Gliederung seines heilsgeschichtlichen Aufrisses. Ein doppeltes literarisches Kriterium bestimmt diese Verse: Die sich wiederholende Anrede und in Verbindung damit die Repetition charakteristischer Termini.

Zunächst fällt die gliedernde Funktion der *Anreden* ins Auge. Diese finden sich in den Versen 16b.26.32/33a.38.40. Der Gedankengang Pauli bewegt sich in einem doppelten Sinn: In dem gleichen Maß, in dem sich das Heil verwirklicht bzw. seine Erfüllung aufgezeigt wird, wird auch die Anrede an die Zuhörer drängender und persönlicher, bis sie schließlich in einer Warnung (vv. 40f) gipfelt. So finden wir in

- v. 16b: ἄνδρες Ἰσραηλῖται mit einer Verbform im Imperativ;
- v. 26: ἄνδρες ἀδελφοί, υἱοὶ γένους Ἀβραάμ... mit einer Verbform im Indikativ;
- v. 38: ἄνδρες ἀδελφοί mit einer imperativischen Verbform.

Dieser sich steigernden Intensität entspricht von v. 26 an der gehäufte Gebrauch der Personalpronomina ὑμεῖς und ἡμεῖς in den Anreden, so in vv. 26. (zweimal).32 (zweimal).38 (vgl. auch vv. 33.34.41 [zweimal]). Eine ähnliche Steigerung finden wir in Apg 2,24.22.29.

Zu dem literarischen Kriterium der *Anrede* tritt im Blick auf die Bestimmung der Komposition von Apg 13,16–41 das der *Wortverteilung* hinzu. Im Anschluß an R. Morgenthaler hat schon O. Glombitza auf einen Kunstgriff des Lukas hingewiesen, der die Komposition von Apg 13,16–41 besonders kennzeichnet: die Wiederholung von stammgleichen Begriffen. So kehren neben Worten mit dem Stamme – γνως (vv. 15.27.28) auch solche mit dem Stamme – ἀγγ immer wieder. Wir finden in

- v. 23: ἐπαγγελία;
- v. 32: εὐαγγελιζόμεθα + ἐπαγγελία;
- v. 38: καταγγέλλεται.[39]

Leider hat O. Glombitza den Hinweis R. Morgenthalers nicht systematisch genug für seine Kompositionsanalyse ausgewertet. Sein eigentliches Einteilungsprinzip ist vielmehr die Abgrenzung nach verschiedenen Traditionen, die Lukas verwendet haben soll.[40] Zu Recht bemerkt U. Wilckens dazu, daß dieser Versuch scheitern muß, da O. Glombitza auf unkritische Weise motivgeschichtlich Traditionen erheben will.[41]

Der Ansatz R. Morgenthalers verdient jedoch weiterverfolgt zu werden. Seine Anregung, nach Schlüssel*begriffen* Ausschau zu halten, ist mit der Einsicht von J. Dupont zu verbinden, daß sich die Komposition der antiochenischen Rede in Schlüssel*versen* oder in sog. „versets charnières" zeigt.[42] Unsere Suche dehnt sich dabei auch auf bedeutungsgleiche Begriffe oder Wendungen aus, da in ihnen ja variierende Rückverweise zu vermuten sind.

Daß die Anrede in v. 16b bezüglich der Redekomposition die Funktion einer Einleitung hat, bedarf keines weiteren Nachweises. So richtet sich, nach dem Hinweis von R. Morgenthaler, unsere Aufmerksamkeit zunächst auf v. 23, da in diesem Vers uns das Stichwort ἐπαγγελία begegnet. Die gliedernde und ordnende Funktion von v. 23 aber muß ausführlich herausgearbeitet werden, zumal das Element der Anrede sich in diesem Vers nicht findet. Zwecks besserer Übersicht soll v. 23 schon an dieser Stelle ausführlich zitiert werden:

τούτου ὁ θεὸς ἀπὸ τοῦ σπέρματος
κατ' ἐπαγγελίαν ἤγειρεν τῷ Ἰσραὴλ σωτῆρα Ἰησοῦν.

Schon die Stellung dieses Verses zeigt seine zentrale Bedeutung an. Zwischen den beiden

---

39 Vgl. *O. Glombitza*, Akta 317.
40 Vgl. die Übersicht über die verschiedenen verwendeten Traditionen nach *O. Glombitza*, ebd. 308.
41 *U. Wilckens*, Missionsreden³ 53 Anm. 1.
42 S. o. Anm. 3.

großen Anreden in v. 16b und v. 26 stehend, wird er eingerahmt durch eine geraffte Übersicht über die weitere und nähere Vorgeschichte Jesu (vv. 17–22 bzw. v. 24f), welche jeweils in einem feierlichen Testimonium gipfelt (vgl. v. 22b bzw. v. 25).

Bewußt läßt der Redner bis hin zu v. 23 das *Motiv der Steigerung* wirksam werden. Der zunächst einfache parataktische Satzbau kompliziert sich von v. 21 an zusehends, bis schließlich sogar in v. 22 Ansätze zu einer Periode sichtbar werden.[43] Bestimmend scheint hierbei das Gesetz der „wachsenden Glieder" zu sein.[44] Ein Indiz ist hierfür zunächst die Länge der Ausführungen, mit denen die Richter (v. 20b), Saul (v. 21) und schließlich David (v. 22) bedacht werden:

    v. 20b: = 19 Silben;

    v. 21: = 42 Silben;

    v. 22: = 56 Silben.

κριτάς erscheint in v. 20b als ein unbestimmter Objektsakkusativ; hingegen wird in v. 21 die Satzkonstruktion durch eine dreifache Objektbestimmung erweitert:

τὸν Σαούλ

    1. υἱὸν Κίς;

    2. ἄνδρα ἐκ φυλῆς Βενιαμείν;

    3. ἔτη τεσσεράκοντα.

Das gleiche geschieht in v. 22 im Hinblick auf David. Hier aber handelt es sich nicht um ein reines Referieren von genealogischen Daten, sondern um ein persönliches Gotteszeugnis in wörtlicher Rede, feierlich eingeleitet durch den Relativsatz: ᾧ καὶ εἶπεν μαρτυρήσας. Der dramatische Effekt der wörtlichen Rede wird noch dadurch verstärkt, daß die dem Objekt τὸν Δαυίδ beigefügten Appositionen nicht nur längenmäßig (a), sondern auch sinngemäß (b) eine Klimax bilden:

    1. τὸν τοῦ Ἰεσσαί

        a) 4 Silben;

        b) Herkunftsbestimmung: Im Vergleich zu Saul kommt David aus einem auserlesenen Stamm.[45]

    2. ἄνδρα κατὰ τὴν καρδίαν μου

        a) 9 Silben;

        b) David ist von Gott auserwählt: Er ist ein Mann nach dem Herzen Gottes.

    3. ὃς ποιήσει πάντα τὰ θελήματά μου

        a) 11 Silben;

        b) David wird von Gott gesandt: Er wird sich in der Tat bewähren.

Wenngleich die Bußpredigt des Täufers dem Auftreten Jesu zeitlich vorgeordnet ist, hält sich Lukas doch nicht, wie in 13,17–22, an die chronologische Reihenfolge, sondern spricht erst von ihr in v. 24, und zwar in der Form eines genitivus absolutus.[46] Grammatikalisch gesehen bilden v. 23 und v. 24 eine Einheit. Durch die Verwendung der Partizipialkonstruktion

---

43 Eine klassische Periode im strengen Sinn findet sich freilich nur in Lk 1,1–4 und Apg 15,24–26 – was die lukanischen Schriften betrifft. Lukas verschmäht ansonsten dieses Kunstmittel. Wir gebrauchen hier den Begriff „Periode" in einem weiteren Sinn: vgl. dazu Bl-Debr 464.

44 Das Gesetz der „wachsenden Glieder" will in der klassischen Rhetorik besagen, daß bei parallelen Perioden die nächstfolgende jeweils die vorhergehende an Zahl und Länge der Glieder übertrifft: vgl. z. B. 1 Kor 15,42ff; Röm 8,33f; 2,21ff; 1 Petr 4,3. Ausführlicher hierzu Bl-Debr 490.

45 Das ist natürlich vor allen Dingen durch Jes 11,1 und 11,10 begründet, wonach der Messias selbst aus dem Stamm Isais kommen wird. Im übrigen bezeichnet Isai schon im Hebräischen den „Mann Jahwes" (Isai aus ˀîš jhwh: vgl. *Haag,* BL 779). Daß Lukas um solche etymologischen Fakten gewußt hat, legt sich auch von dem folgenden σωτῆρα Ἰησοῦν her nahe (ˀIησοῦς von jēšûˀᵉ = Jahwe hilft: vgl. *Haag,* BL 833).

46 Der genitivus absolutus wird im übrigen in der Apg mit besonderer Häufigkeit verwendet; genaue Angaben bei *E. Jacquier,* Les Actes des Apôtres, Paris ²1926, CLXXII.

erhält nun das Akkusativ-Objekt des Hauptsatzes σωτῆρα Ἰησοῦν eine zentrale Stellung innerhalb der aus v. 23 und v. 24 gebildeten Periode.

Die Sonderstellung von v. 23 hat letztlich ihren Grund darin, daß der Prediger durch diesen Vers entscheidende Begriffe und Kompositionselemente seiner Rede einführt oder aufgreift. So

– ἐπαγγελία;
– σωτήρ;
– Ἰσραήλ;
– ὁ θεός;
– τούτου;
– ἤγειρεν.

Neben dem Begriff ἐπαγγελία (vgl. v. 32) verdient die Wendung σωτῆρα Ἰησοῦν besondere Beachtung, da sie ja in dem Subjekt von v. 26: ὁ λόγος τῆς σωτηρίας ταύτης wieder aufgegriffen und in einer persönlichen Anrede für die Zuhörerschaft aktualisiert wird. Durch ὁ θεός und τῷ Ἰσραήλ geschieht die Verklammerung mit der einleitenden Anrede in v. 16b; die Bedeutung dieser beiden Begriffe erhellt schon aus ihrer unmittelbaren Wiederholung in v. 17a, wie auch die Wendung τῷ λαῷ Ἰσραήλ in v. 24 ein Rückverweis auf τοῦ λαοῦ Ἰσραήλ und τὸν λαόν in v. 17a ist: Das Thema „Israel" wird also stark hervorgehoben.

Auffällig ist auch das einleitende wie abschließende τούτου in v. 17a bzw. v. 23, das als Kompositionselement die Absicht der Inklusion unterstreicht.

Auf Sinn und Bedeutung von ἤγειρεν in v. 23 wird später noch ausführlich einzugehen sein, doch läßt sich jetzt schon sagen, daß diese Verbform in Verbindung mit ἐπαγγελία und Ἰησοῦν v. 23 in eine unübersehbare Nähe zu vv. 32f rückt.

Doch zunächst spannt sich der Bogen von v. 23 zu v. 26. Verbindende Elemente sind hier:
– σωτηρία;
– ἄνδρες ἀδελφοί – υἱοὶ γένους Ἀβραάμ;
– τὸν θεόν;
– ταύτης

Die Verklammerung von v. 23 mit v. 26 wird am auffälligsten in der Verwendung der stammgleichen Worte σωτήρ (v. 23) bzw. σωτηρία (v. 26) sichtbar. Das Stichwort Ἰσραήλ (v. 23) taucht in variierter Form in ἄνδρες ἀδελφοί, υἱοὶ γένους Ἀβραάμ wieder auf; gleichfalls findet sich in v. 26 der signifikante Gebrauch des Wortes θεός und des Demonstrativpronomens in der Form von ταύτης.

Im übrigen greift v. 26 auf die Anredeform von v. 16b zurück, erweitert sie allerdings durch den Zusatz υἱοὶ γένους Ἀβραάμ (vgl. auch bes. die Repetition von οἱ φοβούμενοι τὸν θεόν!).

Bei dem Abschnitt vv. 27–31 ist die anfängliche und abschließende Erwähnung des Stichwortes Ἰερουσαλήμ bemerkenswert (v. 27 und v. 31); so wie der Begriff Ἰσραήλ für die Abschnitte vv. 16b–23 (vgl. auch v. 17a) bzw. vv. 23–26 die Inklusion jeweils verstärkt, so kommt auch dem Begriff Ἰερουσαλήμ in v. 27 bzw. v. 31 eine starke inkludierende Bedeutung zu.

Mit vv. 32.33a nimmt der Prediger die Anrede von v. 26 wieder auf. Die Wendung ἡμεῖς ὑμᾶς εὐαγγελιζόμεθα ist ein variierender Rückverweis auf ἡμῖν ὁ λόγος τῆς σωτηρίας ταύτης ἐξαπεστάλη; auch das Vorkommen von ταύτην und ὁ θεός verstärkt die Bezugnahme auf v. 26.

Querverbindungen aber bestehen primär zu v. 23. Diese sehen wir begründet in dem Gebrauch von:
– εὐαγγελιζόμεθα – ἐπαγγελίαν;
– ταύτην;
– ὁ θεός;
– ἀναστήσας;
– Ἰησοῦν.

Besonders signifikant sind in diesem Zusammenhang die Stichworte ἐπαγγελίαν – ἀναστήσας – ’Ιησοῦν. Wir möchten die These aufstellen, daß sich in vv. 32.33a in Verbindung mit v. 23 das Thema der antiochenischen Rede artikuliert. Während die Funktion von v. 16b darin besteht, die Rede und damit das Exordium einzuleiten, v. 26 den Übergang zur Darstellung von Jesu Tod und Auferstehung markiert und mit v. 38 die Paränese sich ankündigt, kommt den genannten Versen 23.32.33a die Funktion zu, die *Leitgedanken zu formulieren,* die die Komposition von Apg 13,16–41 bestimmen.

Das emphatisch vorangestellte ἡμεῖς und der Gebrauch des präsentischen εὐαγγελιζόμεθα geben v. 32 eine noch persönlichere und drängendere Note als v. 26. Die folgende perfektische Wendung ταύτην ὁ θεὸς ἐκπεπλήρωκεν τοῖς τέκνοις ἡμῖν insinuiert einen Höhepunkt und zugleich einen gewissen Abschluß in der Gedankenfolge.

Vergangenheit und Gegenwart (vgl. πρός τοὺς πατέρας in v. 32 mit τοῖς τέκνοις ἡμῖν in v. 33a), Verheißung und Erfüllung (vgl. ἐπαγγελίαν γενομένην in v. 32 mit ἐκπεπλήρωκεν in v. 33a), in vv. 32.33a in Parallele zueinander gestellt, sind unauflöslich miteinander verbunden. In vv. 32.33a illustriert Paulus, daß das einigende Prinzip in der Geschichte Israels und damit auch in seinen bisherigen Ausführungen die Verheißungstreue Gottes ist, die sich bleibend (darum auch das Perfekt von ἐκπληρόω in v. 33a!) in der Auferweckung Jesu manifestiert hat.

Die gliedernde Funktion von v. 38 machen folgende Elemente leicht erkenntlich:
– γνωστόν – καταγγέλλεται;
– ὑμῖν (zweimal);
– ἄνδρες ἀδελφοί;
– τούτου.

All diese Stichworte finden ihre Parallelen in den schon genannten Schlüsselversen.

Im Schlußteil vv. 38–41 wird das Resultat der ganzen Erörterung zusammengefaßt. Heilsangebot (v. 38) und Drohung (vv. 40f) werden so wie bei den atl. Prophetenreden aus der Geschichte abgeleitet.[47] Eröffnet wird dieser doppelte Schluß jeweils mit einem Imperativ:

γνωστὸν οὖν ἔστω (v. 38);

βλέπετε οὖν μὴ (v. 40).

Lukas liebt es, mit der Formel γνωστὸν οὖν ἔστω, verbunden mit einer neuerlichen Anrede, zum Abschluß der Acta-Reden überzuleiten.[48] Dabei hat die Partikel οὖν – neben ihrer schlußfolgernden Bedeutung – in v. 38 (wie auch v. 40) eine paränetische Nuance.[49] οὖν bezeichnet aber auch nach Zwischenbemerkungen die Rückkehr zum Hauptthema.[50] Mit Fug und Recht können wir den ausführlichen Schriftbeweis in vv. 33b–37 als einen vv. 32.33a erläuternden Einschub betrachten. Die erneute Anrede ἄνδρες ἀδελφοί (v. 38) ersetzt gewissermaßen die abschließenden Anführungszeichen, welche der antike Schriftsteller noch nicht zur Verfügung hatte.[51]

Die Verbform καταγγέλλεται in Verbindung mit ihrem Objekt, der universalen Heilsankündigung durch den Glauben (πᾶς δικαιοῦται), macht schließlich vollends deutlich, daß v. 38 in einer Linie steht mit v. 32 (εὐαγγελιζόμεθα – ἐπαγγελίαν), v. 26 (ὁ λόγος τῆς σωτηρίας ταύτης) und v. 23 (κατ’ ἐπαγγελίαν – σωτῆρα ’Ιησοῦν). Es bleibe noch dahinge-

---

47 Vgl. *O. Eissfeldt,* Einleitung in das AT, 20 (Beispiele). In der deuteronomischen Rede entsprechen diesem doppelten Schluß der abschließende Fluch und die Segensverheißung; ausführlich in Dtn 27,15–26 bzw. 28,1–14.15–46.
48 Lukas hat eine besondere Vorliebe für γνωστός: Mt /; Mk /; Lk 2; Joh 2; Apg 10; Pl 1.
49 Vgl. *J. Dupont,* Repentir et Conversion d’après les Actes des Apôtres: ScEccl 12 (1960) 137–173, in: Études 421–457, hier: 441 Anm. 35.
50 So Bl-Debr 451,1.
51 Vgl. *E. Haenchen,* Die Apostelgeschichte (Krit.-exeg. Komm. üb. d. N.T., 3. Abt.) Göttingen ⁶1968, 142.

29

stellt, wie der „Paulinismus"[52] (v. 38) in den Gedankengang der Rede genauer zu integrieren ist; jedenfalls gibt es eindeutige Hinweise auf eine strukturelle und terminologische Verklammerung von v. 38 mit den bestimmenden Schlüsselversen der antiochenischen Predigt. In vv. 40f erscheint das Heilsangebot von vv. 38f antithetisch in einer Drohung wieder. Die sentenziöse Schlußwendung der ganzen Rede bringt Paulus, wie es auch häufig in der kynisch-stoischen Diatribe geschieht, in der Form eines Zitats.[53]

Prophetisch endet die erste paulinische Missionspredigt zugleich mit einem Heils- und einem Unheilsspruch, so wie auch die letzte große Predigt Pauli vor den Juden am Schluß der Apg (vgl. Apg 28,26–28).

Der Gedankengang Pauli läßt sich so am Leitfaden der einigenden Schlüsselverse leicht umreißen:

v. 23: Gott hat seiner Verheißung gemäß (κατ' ἐπαγγελίαν) dem Volke Israel Jesus als Retter erweckt (ἤγειρεν τῷ Ἰσραὴλ σωτῆρα Ἰησοῦν).

v. 26: Uns ist das Wort dieses Heils gesandt (ἡμῖν ὁ λόγος τῆς σωτηρίας ταύτης ἐξαπεστάλη).

v. 32: Und wir verkündigen euch diese den Vätern gegebene Verheißung (καὶ ἡμεῖς ὑμᾶς εὐαγγελιζόμεθα τὴν πρὸς τοὺς πατέρας ἐπαγγελίαν γενομένην):

v. 33: Gott hat sie uns, ihren Kindern erfüllt, indem er Jesus von den Toten erweckte (ταύτην ὁ θεὸς ἐκπεπλήρωκεν τοῖς τέκνοις ἡμῖν, ἀναστήσας Ἰησοῦν).

v. 38: Durch diesen (Jesus) wird euch also, Brüder, Sündennachlaß verkündigt… (διὰ τούτου ὑμῖν ἄφεσις ἁμαρτιῶν καταγγέλλεται).[54]

Alle Ausführungen, welche Paulus in den Zwischenversen macht, sind zeitlich oder logisch auf diese entscheidenden „versets charnières" hingeordnet. Das gilt für die einleitenden Verse 13,17–22, für den Abschnitt über Johannes d. T. (vv. 24f), für die in vv. 27–31 kurz skizzierte historia Jesu (vgl. die Einleitung οἱ γὰρ in v. 27!), wie auch schließlich für den in vv. 33b–37 entwickelten Schriftbeweis.

Durch diese verbindende, resümierende und aktualisierende Funktion der genannten „versets charnières" wird die von Paulus ausgebreitete historia salutis selbst zur Botschaft, zum Kerygma. Und gerade das scheint das Anliegen Pauli zu sein: die untrennbare Einheit von Geschichte und Kerygma aufzuweisen und seine Zuhörerschaft die Geschichte als Wort und Anruf Gottes verstehen zu lehren.

Die Einzelexegese muß noch erweisen, in welchem Maße die Rede sich auf die einleitenden oder gliedernden Verse 17a.26.38.40 und besonders auf die sich in vv. 23.32.33a artikulierende Thematik hinordnet.

Zusammenfassend können wir sagen, daß die Rede Pauli, welche Vergangenheit, Gegenwart und Zukunft umgreifen will, eine linear-dynamische Struktur aufweist. Sie ist darauf angelegt, die Gemüter in Bewegung zu bringen und eine Entscheidung herbeizuzwingen. So endet der antiochenische Auftritt Pauli auch mit einem dramatischen Effekt, indem er zur Teilung seiner Zuhörerschaft führt (vgl. 13,45). Die Schlüsselverse 23.26.32f.38f weisen zur Genüge die kompositionelle Einheit der Rede auf. Das Thema der Rede klingt in v. 23 zum ersten Mal an: κατ' ἐπαγγελίαν ἤγειρεν (ὁ θεός) τῷ Ἰσραὴλ σωτῆρα Ἰησοῦν. Von hier spannt sich der Bogen bis zu v. 39: Das pointierte paulinische Bekenntnis ἐν τούτῳ πᾶς ὁ πιστεύων δικαιοῦται faßt wie ein Merkwort, auf welches alle vorhergehenden Erörterungen hinzielen

---

52 Siehe hierzu P. Vielhauer, „Zum Paulinismus" der Apostelgeschichte: EvTh 10 (1950/51) 10–12.
53 Nicht nur hierin, sondern auch in dem antithetischen Schluß weist die paulinische Rede in Antiochien starke Ähnlichkeit mit dem Schluß der stoisch-kynischen Diatribe auf. Zum Aufbau der Diatribe vgl. R. Bultmann, Der Stil der Paulinischen Predigt und die kynisch-stoische Diatribe (FRLANT 13) Göttingen 1910, 53f.
54 Erste Ansätze zu einer solchen Übersicht bei O. Glombitza, Akta 312.

und welches gleichsam erst am Schluß als Ergebnis herausspringt, das Resultat der paulinischen Heilsbotschaft zusammen.[55]

In den folgenden Kapiteln wird die innere Einheit der Rede durch eine Einzelanalyse noch ausführlicher zu demonstrieren sein.

Unsere Kapiteleinteilung ergibt sich aus der nun sichtbar gewordenen Gliederung; Kriterium hierfür sind die sog. „versets charnières". So schließt das Exordium mit v. 23 (2. Kap.). Wenngleich v. 24 mit v. 23 durch einen genitivus absolutus verbunden ist, empfiehlt es sich doch, den Abschnitt über Johannes d. T. gesondert zu behandeln, mögen es auch nur zwei Verse sein. Dieser Redestoff bietet partikuläre Probleme; zudem ist er von zwei „versets charnières" eingerahmt. Es liegt dabei in der Natur dieser verbindenden Schlüsselverse, daß es nicht immer eindeutig ist, welchem Abschnitt sie nun zuzuordnen sind. Unsere Analyse muß erweisen, warum wir v. 26 zusammen mit vv. 24–25 exegesieren (3. Kap.).

Mit v. 27 beginnt das Summarium über Jesu Leiden und Auferstehen, das in v. 31 einen eindeutigen Abschluß findet (4. Kap.). Auch darüber, daß die Schriftargumentation in vv. 32–37 ein eigenes Kapitel bildet, kann es keinen Zweifel geben (5. Kap.). Zwar ist die Paränese zweigeteilt, doch dürfte aus unseren vorhergehenden Überlegungen klar geworden sein, daß dieser doppelte Schluß (vv. 38f.40f) von der Redeform her eine Einheit bildet und darum in einem Kapitel abzuhandeln ist. Es liegt in der Dynamik der Rede begründet, daß in dieses Kapitel auch der Abschnitt über das Geschehen des folgenden Sabbats (vgl. Apg 13,44) eingefügt wird.

Insgesamt hat also nach unserer Analyse die antiochenische Rede fünf Teile: vv. 16a–23; vv. 24–26; vv. 27–31; vv. 32–37; vv. 38–41. Die weiteren Untergliederungen, die wir in Zwischenüberschriften angeben, haben ebenfalls ihr Fundament im Text, können aber an dieser Stelle noch nicht begründet werden. Sie sollen dem Leser die Übersicht erleichtern. In den abschließenden Zusammenfassungen soll jeweils herausgearbeitet werden, welches die dominierenden Aussagen sind und wie die vielen Teile ein Ganzes bilden.

---

55 Zum Vergleich mit der Diatribe vgl. *R. Bultmann*, Der Stil 53.

2. Kapitel:
Apg 13,16b–23: Die heilsgeschichtliche Hinführung zum Thema der Predigt vom Heil in Jesus Christus

1. DIE PROBLEMATIK DES EXORDIUMS

U. Wilckens schreibt: „Im Aufriß der Predigt hat die Einleitung also zunächst die Funktion, heilsgeschichtlich auf das Jesuskerygma hinzuführen, das sich nun 13,23ff anschließt"[1]. Leider beläßt es der Autor bei einem allgemeinen Hinweis, ohne seine Behauptung durch eine detaillierte Exegese der entsprechenden Verse zu stützen. Handelt es sich hier, wie z. B. M. Dibelius annimmt, um die *rein formale Übernahme* eines geschichtlichen Kompendiums aus der synagogalen Tradition, allein zu dem Zweck, bei den Lesern die Erinnerung an lehrhafte Vorträge der Synagoge zu wecken?[2] Oder ist dieser Abschnitt von Lukas als *bewußte Hinführung* zum Thema seiner Predigt konzipiert?

E. Haenchen scheint vom redaktionsgeschichtlichen Gesichtspunkt her, der doch seinen bedeutenden Acta-Kommentar bestimmt, der historischen Einleitung in 13,17–22 keinen besonderen Sinn abgewinnen zu können. Seiner Meinung nach handelt es sich hier lediglich um eine Ergänzung zur Stephanusrede;[3] in dieser wird einfach die heilige Geschichte erzählt ohne ein anderes Thema als eben diese Geschichte selbst.[4] So kommt auch er über die Erklärung von M. Dibelius nicht hinaus: Der Abriß der Heilsgeschichte von den Vätern an war ein beliebtes Thema für Ansprachen in der Synagoge.[5] Mit dieser Feststellung und einigen Anmerkungen historisch-philologischer Art begnügt sich auch H. Conzelmann in seinem Kommentar.[6]

Der Hinweis auf synagogale Gepflogenheiten durch M. Dibelius, der von den genannten Exegeten unbesehen übernommen wurde, scheint den Blick dafür verstellt zu haben, daß es auch eine typisch lukanische Gewohnheit ist, die Heilsgeschichte auf ihre Ursprünge zurückzuführen. Dies geschieht z. B. im „Magnificat" (Lk 1,46–55) und im „Benedictus" (Lk 1,68–79). Viele Autoren haben auch Parallelen zur Stephanusrede gesehen, den Vergleich aber nicht systematisch durchgeführt.[7]

J. W. Doeve sieht schon in Apg 13,17–23, also nicht erst in Apg 13,33–36, unverkennbare Hinweise auf die Nathansprophetie. So macht er darauf aufmerksam, daß beide Texte von der Herausführung aus Ägypten sprechen (vgl. Apg 13,17 mit 2 Sam 7,6), von der Zeit der Richter (vgl. Apg 13,20 mit 2 Sam 7,11), von der Verwerfung Sauls (vgl. Apg 13,22 mit 2 Sam 7,15) und schließlich von der Verheißung an David (vgl. Apg 13,22 mit 2 Sam 7,12b–14a).[8] E. Lövestam kommt zum gleichen Ergebnis.[9]

Die Tragfähigkeit der Thesen J. W. Doeves und E. Lövestams bleibt noch zu prüfen, doch

---

1 *U. Wilckens,* Missionsreden[3] 51.

2 Vgl. *M. Dibelius,* Die Reden, in: Aufsätze 143.

3 *E. Haenchen,* Apg 350: „Er [= Lukas] verteilt die Schilderung der Heilsgeschichte auf die beiden Kapitel 7 und 13."

4 Vgl. *ebd.* 239.

5 *Ebd.* 350.

6 Vgl. *H. Conzelmann,* Apg 74f.

7 Leider hat *G. Duterme* seine Arbeit: Le vocabulaire du discours d'Étienne (Act. VII, 2–53), Diss. (Maschinenschrift), Löwen 1950, nicht veröffentlicht. In dieser Untersuchung wird die lukanische Redaktion der Stephanusrede überzeugend aufgewiesen: vgl. das Summarium dieser These bei *J. Dupont,* L'utilisation, in: Études 252f Anm. 12. Vgl. aber neuerdings die redaktionsgeschichtliche Arbeit von *Kilgallen,* The Stephen Speech.

8 Vgl. *J. W. Doeve,* Jewish Hermeneutics 172.

9 Vgl. *E. Lövestam,* Son and Saviour 7.

wird deutlich, daß man der Frage nach dem Zusammenhang von Apg 13,17–22 mit den folgenden Ausführungen Pauli nicht mehr mit einem Hinweis auf eine „allgemeine synagogale Gewohnheit" aus dem Wege gehen kann. Auch die „Ergänzungstheorie" von E. Haenchen erweist sich für die Erklärung von Apg 13,17–22 offensichtlich als unzureichend: Die Beobachtungen von J. W. Doeve und E. Lövestam weisen in eine andere Richtung, daß nämlich das Exordium in Apg 13,17–22 im Hinblick auf die Thematik eben dieser Rede vom Redaktor konzipiert worden ist.

Eine eingehende Stil- und Wortuntersuchung soll im folgenden erweisen, ob lukanische Redaktion in Apg 13,17–22 sichtbar wird und ob sich ein Zusammenhang dieses Abschnitts mit dem Thema der Rede deutlich machen läßt.

2. ANALYSE VON APG 13,16b–23

a) Die Anrede (Apg 13,16b) in ihrer werbenden und missionarischen Bedeutung

v. 16b: Ἄνδρες Ἰσραηλῖται
καὶ οἱ φοβούμενοι τὸν θεόν,
ἀκούσατε.

Die feierliche Anrede der Zuhörerschaft in v. 16b verdient zunächst besondere Aufmerksamkeit, da sie, zu einem eigenständigen Satz ausgebildet, deutlich von den nachfolgenden Ausführungen abgehoben und damit als ein spezifisches Glied in der Redekomposition gekennzeichnet ist.

Auf die gliedernde Funktion der Anreden in 13,16b.26.38 ist schon verschiedentlich hingewiesen worden,[10] doch glauben wir, daß die Form der allocutio uns auch wichtige Hinweise auf den Inhalt der Predigt geben kann. Durch die Begriffe Ἰσραηλῖται (v. 16b) bzw. Ἰσραήλ (v. 17a) ist schon eine terminologische Verflechtung der Anrede mit der historischen Einleitung gegeben (vgl. auch Ἰσραήλ in vv. 23f). Sinnvollerweise ist darum die Interpretation von v. 16b zunächst im Hinblick auf vv. 17ff zu suchen.

Bei dem feinen Gespür des Lukas für eine ausgeglichene Szenerie und bei seinem ausgesprochenen Sinn für Parallelismus[11] ist die feierliche Anrede Pauli in v. 16b zunächst nichts anderes als das literarische Pendant zu der in v. 15 erwähnten offiziellen Einladung der Synagogenvorsteher: Ἄνδρες ἀδελφοί, εἴ τίς ἐν ὑμῖν λόγος παρακλήσεως πρὸς τὸν λαόν, λέγετε. Die kurze Skizzierung der Einleitungsszene in v. 15 ist ein geschicktes Mittel, die nachfolgenden Ausführungen Pauli als Antwort auf ein bestehendes Desiderat der jüdischen Zuhörerschaft erscheinen zu lassen (vgl. hierzu im folgenden 13,42!). Die Einleitungsszene soll die Aufmerksamkeit des Lesers erregen.

Diese Intention des Schriftstellers Lukas wird auch darin deutlich, daß er Paulus mit der Gestik eines griechischen Rhetors auftreten läßt: ἀναστὰς δὲ Παῦλος καὶ κατασείσας τῇ χειρὶ εἶπεν (v. 16a).[12] Die Partizipialkonstruktion verrät eindeutig lukanischen Stil. Die Formel κατασείσας τῇ χειρί kehrt zwar in der Apg in einer gewissen stereotypen Weise wieder,[13] hier aber scheint es sich um eine bewußte Angleichung an die Redeweise eines antiken Rhetors zu

---

10 So u. a. bei E. *Jacquier*, Les Actes des Apôtres (Études Bibliques) Paris ²1926, 393; R. *Zehnle*, Peter's Pentecost Discourse 25.
11 Vgl. hierzu das Werk von R. *Morgenthaler*, Die lukanische Geschichtsschreibung als Zeugnis (ATHANT 14) Zürich 1948: Gestalt; 15 (1949): Gehalt.
12 Vgl. H. *Conzelmann*, Apg 75.
13 Zum Gebrauch des Partizips in Apg siehe E. *Jacquier*, Actes CLXXIII–CLXXVI. „Luc emploie volontiers le partizipe au commencement d'une phrase avec un verbe fini pour décrire la situation ou le geste d'un orateur ou d'un homme d'action... ἀναστάς, 19 fois dans les Actes": vgl. *ebd.* CLXXVI. Parallelen zu κατασείσας τῇ χειρί in Apg 12,17; 19,33; 21,40.

handeln, zumal man in der Synagoge sitzend zu predigen pflegte.[14] Damit ist ein erster Hinweis dafür gegeben, daß die Rede Pauli den engen synagogalen Rahmen sprengen und eine universal-missionarische Note erhalten soll.

In die gleiche Richtung weist die Form der Anrede. Wenn Paulus beginnt: Ihr Israeliten und ihr Gottesfürchtigen, hört (v. 16b)! – so scheint diese Form der Anrede nicht dem jüdischen, sondern dem antik-klassischen Vorbild entlehnt.

Eine Mehrheit von Personen mit dem Vokativ des Kollektivums anzureden, wie es im Hebräischen und auch im Deutschen möglich ist („Hochgeehrte Versammlung", „Liebe Gemeinde"), wäre dem antiken Redestil zuwider. Vokative wie ὦ δῆμε oder *popule* wären bei öffentlichen Ansprachen eine bare Ungeheuerlichkeit. So heißt es einfach ὦ ἄνδρες, eventuell mit dem Beisatz Ἀθηναῖοι, δικασταί, στρατιῶται.[15] Daß Lukas die Anrede nicht nachstellt, wie es klassisch geschehen müßte und er es auch gelegentlich tut,[16] erklärt sich vor allem aus ihrer Länge.

Da der Verfasser der Apg zwischen klassischer und mehr jüdischer Anredeform zu unterscheiden weiß, kann man schon aus eben dieser Variation Rückschlüsse auf die Zusammensetzung der Zuhörerschaft ziehen.[17]

Die Art der Anrede in v. 16b ist ein proprium lucanum. Aus der LXX ist das Wortpaar ἄνδρες Ἰσραηλῖται nicht zu belegen.[18] Auch im ganzen NT erscheint es nur in der Apg.[19] Diese lukanische Eigenart bedarf darum einer besonderen Würdigung.

Zunächst sind für Lukas die Substantive Ἰσραηλίτης und Ἰουδαῖος nicht einfach austauschbare Begriffe.[20] Ἰσραηλίτης ist für die Apg ein Ehrentitel, der sich von dem allgemeinen, auch in der profanen Literatur viel verwendeten Begriff Ἰουδαῖος deutlich abhebt.[21] Sicherlich nicht ohne Grund wird die jüdische Zuhörerschaft vorgängig zu ihrer Glaubensentscheidung mit ἄνδρες Ἰσραηλῖται angesprochen, während nach der Predigt nur noch von den Ἰουδαῖοι die Rede ist und zwar vornehmlich im abwertenden Sinn als Stiftern von Unfrieden und Verfolgung.[22]

Die eigentliche Pointe der Anrede liegt indessen in der Erwähnung der φοβούμενοι τὸν θεόν. Da die Proselyten den Juden trotz mancher Privilegien weiterhin als Heiden galten,[23] ist

---

14 Vgl. Lk 4,20: Bill. IV 1, 185.
15 Siehe hierzu *J. Wackernagel,* Kleine Schriften I–II, hrsg. von der Akademie der Wissenschaften zu Göttingen, Göttingen 1953, hier: II 980f.
16 So in Apg 18,14; 26,2.19; 28,17.
17 Die Form der klassischen Anrede ist natürlich für die Areopagrede gewählt (vgl. Apg 17,22: Ἄνδρες Ἀθηναῖοι). Typisch für die Anrede einer rein jüdischen Zuhörerschaft ist Apg 7,2. Nur für Juden gebraucht Lukas die allocutio ἀδελφοί: vgl. Apg 1,16; 2,29; 3,17; 7,2; 15,7.13 etc.
18 Lukas liebt die Zusammenstellung von ἄνδρες mit nomina propria wie Ἰουδαῖοι, Γαλιλαῖοι oder Ἰσραηλῖται vgl. Apg 1,11; 2,5.14.22; 3,12; 5,35; 13,16; 21,28. In der LXX finden wir nur das Wortpaar παῖδες Ἰσραηλῖται und zwar auch hier in einer Anrede: Ὦ τῶν Ἀβραμαίων σπερμάτων ἀπόγονοι παῖδες Ἰσραηλῖται (4 Makk 18,1). Der Terminus Israelit in seiner Schreibweise Ἰσραηλίτις, Ἰσραηλείτης oder Ἰεζραηλίτης begegnet uns ansonsten in der LXX nur selten: vgl. hierzu *Hatch-Redpath,* Suppl. 90. Das gleiche gilt für die gesamte antike Literatur: vgl. Beg. V 420 Anm. 2.
19 Die Anrede ἄνδρες Ἰσραηλῖται finden wir in Apg 2,22; 3,12; 5,35; 13,16 und 21,28. Abgesehen von Apg verwendet sie nur noch Flavius Josephus in: Ant. 3,189. Paulus ist allein der Terminus Ἰσραηλίτης geläufig: vgl. Röm 9,4; 11,1; 2 Kor 11,22. Zur allgemeinen Anredeform in der Synagoge vgl. Bill. II 766.
20 So wird es in Beg. V 420 Anm. 2 nahegelegt.
21 Die gewöhnliche Bezeichnung für die Juden in der Profanliteratur ist Ἰουδαῖος und nicht Ἰσραηλίτης: vgl. *J. Juster,* Les Juifs dans l'Empire Romain I, Paris 1914, 173.
22 Vgl. Apg 13,45.50; 14,2.4.19. Siehe hierzu *J. Beutler,* Die paulinische Heidenmission am Vorabend des Apostelkonzils: TheolPhil 43 (1968) 368.
23 Selbst nach der Beschneidung wurde die Heilsaneignung noch durch das ethnische Moment dauernd beeinflußt; der Proselyt hatte als geborener Nichtjude keinen Anteil am Verdienst der Väter Israels und blieb auf das eigene Verdienst angewiesen: vgl. Bill. III 558.

es wohl nicht richtig, wenn man diese Rede allein als „Predigt vor den Juden" beschreibt.[24] Ein Proselyt durfte nicht von „unseren Vätern" sprechen und blieb so von der Verheißung ausgeschlossen. Daß Paulus an Juden und Heiden die frohe Botschaft richtet, ist ein Novum für den synagogalen Gottesdienst,[25] ist in der Apg aber ein typisches Charakteristikum der Mission Pauli.[26] Wir können darum schon bezüglich v. 16b von einem lukanischen „Paulinismus" sprechen.

Zusammenfassend läßt sich über die Art der Anrede in v. 16b sagen, daß sie schon Rückschlüsse auf Form und Inhalt der Predigt ermöglicht. Durch ihre Anlehnung an die klassisch-antike Anredeform und durch die ungewöhnliche Nennung der φοβούμενοι erhält die allocutio in v. 16b eine werbende missionarische Note und bereitet so indirekt auf die universale Heilsankündigung in vv. 38f vor. Ihre Bedeutung ist schon dadurch angezeigt, daß sie bewußt von den nachfolgenden Ausführungen abgehoben ist.

b) Die vorbildhaften Heilstaten Gottes in der Begründung Israels (Apg 13,17–20a)

v. 17a: ὁ θεὸς τοῦ λαοῦ τούτου Ἰσραὴλ ἐξελέξατο
   τοὺς πατέρας ἡμῶν

Nach der Anrede mit dem Ehrentitel Ἰσραηλῖται kann es nicht mehr überraschen, daß Paulus mit dem Thema der *Erwählung* beginnt.

Die betont an den Anfang gestellte Epiklese Gottes ist ungewöhnlich. Wir kennen zwar aus der LXX und auch aus Lk-Apg die Bezeichnungen ὁ θεὸς Ἰσραήλ oder auch ὁ λαὸς Ἰσραήλ, doch finden wir nur an dieser Stelle die drei bedeutungsschweren Substantive in ein- und derselben Redewendung vereint.[27] Die Tendenz zur Emphase wird noch durch das dem Substantiv Ἰσραήλ vorangestellte Demonstrativpronomen τούτου verstärkt. Was soll dieses τούτου hier bezwecken?

Die Erklärung, Paulus fasse von vornherein hauptsächlich die anwesenden Proselyten ins Auge, da er nur ihnen gegenüber die Mehrzahl der Anwesenden mit dem deiktischen τούτου bezeichnen könne,[28] zerstört den Sinn der gemeinsamen Anrede von Juden und Heiden. Ebensowenig kann ein pejorativer Sinn von τούτου in Frage kommen, da dies eine Herabsetzung des israelitischen Gottes selbst einschließen würde. Es bleibt zu fragen, ob τούτου nicht zunächst als ein pronomen demonstrativum interpretiert werden sollte.

In diesem Fall bezöge sich λαὸς Ἰσραήλ auf die lokale synagogale Versammlung, von der schon in v. 15b die Rede war (vgl.: λόγος παρακλήσεως πρὸς τὸν λαόν). Diese Interpretation scheint uns dem ganzen Kontext angemessen zu sein: indem Paulus die synagogale Versammlung anspricht, predigt er dem ganzen Volke Israel. Die jüdische Gemeinde Antiochiens steht so *repräsentativ* für alle Israeliten. Darum übersetzen wir nicht: der Gott dieses Volkes, (der Gott) Israels, sondern verstehen Israel als einen genitivus epexegeticus zu τοῦ λαοῦ τούτου:

---

24 *G. Lohfink*, Paulus vor Damaskus, 50 simplifiziert.

25 Weder im AT noch in der gesamten jüdischen Literatur findet sich die gemeinsame Anrede von Israeliten und Proselyten. In 2 Chr 5,6 (LXX) wird die Gegenwart von Proselyten beim Gottesdienst erwähnt, wobei aber zu beachten bleibt, daß der TM kein Äquivalent zu οἵ φοβούμενοι enthält: vgl. Bill. II 719.

26 Vgl. Apg 9,15 mit Apg 11,19. Siehe weiterhin Apg 14,1.27; 15,8; 17,17. In der Synagoge pflegt Paulus regelmäßig Juden und Heiden anzusprechen: vgl. Apg 17,12; 18,4; 19,10.17; 20,21; 26,23.

27 Die Bezeichnung „Gott Israels" wird allerdings auch im Judentum als eine besondere verstanden: vgl. Sir 47,18 (sonst nicht in Sirach); nicht in Weish; in 1–4 Makk nur 2 Makk 9,5; PsSal 4,1; 9,8; 11,1; 16,3; 18,5: vgl. *G. Delling*, Israels Geschichte und Jesusgeschehen, in: Neues Testament und Geschichte, Festschrift *O. Cullmann*, Zürich – Tübingen 1972, 188 Anm. 6. λαὸς Ἰσραήλ begegnet uns noch in Lk 2,32 und Apg 4,10; ὁ θεὸς τοῦ Ἰσραήλ in Lk 1,68.

28 So *B. Weiss*, Die Apostelgeschichte. Textkritische Untersuchungen und Textherstellung (TU 9) Heft 3/4, Leipzig 1893, 170.

der Gott dieser Gemeinde, welche Israel ist bzw. für Israel steht.[29] Durch den redaktionellen Zusatz von τούτου zu den LXX-Wendungen erhalten die folgenden Ausführungen Pauli über die Vergangenheit Israels einen unmittelbaren Aktualitätsbezug.[30]

Mit der Aussage ἐξελέξατο τοὺς πατέρας ἡμῶν greift Paulus auf den Anfang Israels zurück, welcher wiederum durch das dem Objekt πατέρας beigefügte ἡμῶν mit der Gegenwart in Beziehung gesetzt wird. Die Tendenz, die Vergangenheit auf die Gegenwart zu beziehen, ist charakteristisch für die ganze Rede und findet ihren Ausdruck am stärksten in v. 26 und anschließend in dem wiederholten Gebrauch von ὑμῖν (vgl. vv. 32.34.38.41).

Auf welche Zeit in der Geschichte Israels will v. 17a anspielen? Steht das Objekt πατέρας ἡμῶν für das Volk Israel im allgemeinen, oder für die Patriarchen Abraham, Isaak und Jakob, deren Erwählung natürlich die ihrer Nachkommen einschließen würde (vgl. Apg 7,32; 3,13)?[31]

Die pluralistische Ausdrucksweise in vv. 17c–21 scheint es zunächst nahezulegen, unter πατέρας (v. 17a) Israel zu verstehen, doch läßt sich der Plural in diesen Versen ohne weiteres als constructio ad sensum erklären.[31a] Das Akkusativobjekt πατέρας in v. 17a auf die Patriarchen zu beziehen, legt sich aus folgenden Gründen nahe:

Da Lukas in vv. 17–22 chronologisch vorgeht (vgl. die Angabe der Jahreszahlen in vv. 18.20 und die Zeitangaben μετὰ ταῦτα und κἀκεῖθεν in v. 20 bzw. v. 21) handelt es sich bei ἐξελέξατο um ein dem nachfolgenden ὕψωσεν vorgängiges Ereignis, m. a. W.: es kann sich nicht um eine Anspielung auf die Exodus- oder Sinaitradition handeln; nur dort aber wird im AT von der Erwählung des „Volkes Israel" gesprochen.[32]

Daß hier mit πατέρας die drei Erzväter und unter ihnen vor allen Dingen Abraham gemeint sind, wird auch aus dem folgenden Argument von H. Zahn klar: „Nachdem im Subjekt Gott als der Gott des Volkes Israel benannt ist, kann das Objekt τοὺς πατέρας ἡμῶν nicht wohl wiederum das Volk in irgend einer Periode der Vergangenheit bezeichnen, sondern nur die drei Erzväter, die als einzelne Personen dazu erwählt wurden, Stammväter des Volkes Gottes zu werden"[33].

Zwei wichtige Gründe kommen hinzu:

1. Die erneute Anrede in v. 26, welche auf den Redeanfang zurückgreift, nennt die Israeliten υἱοὶ γένους 'Αβραάμ. Diese Bezeichnung kann nicht mehr überraschen, wenn schon in der Redewendung τοὺς πατέρας ἡμῶν (v. 17a) implizit von Abraham, dem Stammvater der Israeliten, die Rede war.

2. Lukas pflegt auch sonst bei historischen Rückblicken die Heilsgeschichte auf Abraham zurückzuführen, so auch in der Stephanusrede als der nächstliegenden Parallele zu Apg 13,17–22 (vgl. Apg 7,2).[34]

---

29 Die gleiche universalistische Tendenz findet sich unmittelbar darauf in Apg 13,24: παντὶ τῷ λαῷ Ἰσραήλ!

30 E. Haenchen (vgl. *Haenchen*, Apg 350 Anm. 3) vermutet in dem gesamten genitivischen Zusatz τοῦ λαοῦ τούτου eine lukanische Erweiterung.

31 2 Makk 1,25, die einzige Stelle in der LXX, welche die Begriffe ἐκλέγομαι (bzw. ἐκλεκτός) und πατέρες in Zusammenhang bringt, bezieht sich auf das Exodusereignis.

31a Vgl. *G. Delling*, Israels Geschichte 188 Anm. 8.

32 Die Erwählung des Volkes geschieht in der Herausführung aus Ägypten und seiner Heiligung durch Jahwe in der Wüste: vgl. bes. Dtn 7,6; 14,2; Jer 33,24; Ps 105,43. Zur Theologie von Exodus- und Sinaitradition vgl. *G. von Rad*, Theologie des Alten Testaments I, München 1958, bes. 254f.

33 *T. Zahn*, Die Apostelgeschichte des Lucas (Komm. z. N. T. V 2) Leipzig – Erlangen ³1922, 429. Allerdings wird nur an einer Stelle im AT direkt Bezug auf die Erwählung der Erzväter bzw. Abrahams genommen: vgl. Neh 9,7. G. Delling möchte den Begriff πατέρες in Apg 13,17a nicht nur auf die drei Stammväter, sondern im Anschluß an Apg 7,12 auch auf die Jakobssöhne und deren erste Nachkommen beziehen: vgl. *G. Delling*, Israels Geschichte 188.

34 Vgl. hierzu *N. A. Dahl*, The Story of Abraham in Luke-Acts, in: *L. E. Keck* and *J. L. Martyn* (Hrsg.), Studies in Luke-Acts, Nashville – New York 1966, 148.

Die „Ergänzungstheorie" von E. Haenchen, nach der Lukas in vv. 17–22 die Zeit der Patriarchen überschlug, weil von ihr schon in der Stephanusrede gesprochen wurde,[35] ist somit hinfällig. Auch melden sich schon erste Bedenken gegen die These von E. Lövestam an, daß der Begriff ἐπαγγελία in v. 23 und v. 32 nur auf die Davidsverheißung nach 2 Sam 7 bezogen werden dürfe.[36] Wenn ἐξελέξατο in v. 17a sich auf die Patriarchen Abraham, Isaak und Jakob bezieht, wie wir es aufzuzeigen versuchten, dann assoziiert das Thema der Erwählung auch unmittelbar den Begriff der Verheißung (ἐπαγγελία) an eben diese Väter. Diese Verheißung bestimmt nicht nur die Heilsgeschichte von David an; vielmehr steht nach v. 17a die mit der Erwählung verbundene ἐπαγγελία am Anfang Israels überhaupt.[37]

So wie Paulus in Athen vor Heiden an den Begriff des Schöpfergottes anknüpft (vgl. Apg 17,24), so spricht er in Antiochien vor Juden situationsgerecht zunächst vom Schöpfer und Erhalter Israels. Israel entstand durch die Erwählung der Väter. Diese Erwählung ist in der Geschichte Israels allen anderen Gottestaten vorgeordnet, da sie letztlich deren Grund ist.

v. 17b: καὶ τὸν λαὸν ὕψωσεν ἐν τῇ παροικίᾳ
ἐν γῇ Αἰγύπτου

Da alle Gottestaten an Israel ihren letzten Grund in der Erwählung der Erzväter haben, hat das erste nachfolgende καί in v. 17b auch nicht ausschließlich parataktische Bedeutung. Die lange Reihe dieser Kopula, welche hiermit eröffnet wird (vgl. vv. 17c.18.19.20.21 [zweimal].22), charakterisiert den ganzen Abschnitt vv. 17–22 als einen λόγος κατεστραμμένη im klassischen Sinn oder auch als semitisierend.[38] Ob es sich hier um eine bewußte Nachahmung des hebräischen Stils handelt oder um Spuren einer semitischen Quelle, sei noch dahingestellt. Jedenfalls ist es naheliegend, der Interpretation des καί in diesem Abschnitt jene Variationsbreite zukommen zu lassen, welche das korrespondierende wᵉ hat. So verstehen wir das erste καί in v. 17b im Sinne von „et ideo", „und deshalb".

Der Chiasmus zwischen v. 17a und v. 17b[39] hat offensichtlich zum Zweck, das Objekt λαόν als besonders betont erscheinen zu lassen. Die captatio benevolentiae vor dem Volk Israel kommt nicht nur thematisch, sondern auch stilistisch zum Ausdruck.

Die ganze Periode der historia salutis von der Erwählung der Erzväter an bis zur Erhöhung des Volkes in Ägypten, welche in der Stephanusrede einen so breiten Raum einnimmt (vgl. Apg 7,2–17), wird von Lukas überschlagen. Dennoch ist der Übergang von v. 17a zu v. 17b nicht abrupt. Das Substantiv παροικία in v. 17b impliziert nämlich einen Rückverweis auf die an die Patriarchen ergangene Verheißung und die dieser unmittelbar folgende Zeit des Aufbruchs und Wanderns.[39a] Das erhellt aus Apg 7,6: ἔσται τὸ σπέρμα αὐτοῦ πάροικον ἐν γῇ ἀλλοτρίᾳ. Der Begriff παροικία assoziiert umgekehrt aber auch die Vorstellung von der Erfüllung der ἐπαγγελία, welche zunächst in der κληρονομία Kanaans besteht.[40] Die erste Phase der Heilsgeschichte schließt darum mit vv. 19.20a (κατεκληρονόμησεν) ab.

Die erklärenden Zusätze in v. 17b (ἐν γῇ Αἰγύπτου und ἐν τῇ Χανάαν bzw. τὴν γῆν αὐτῶν in v. 17b bzw. v. 19) und v. 19 stehen, genau wie παροικία (v. 17b) und κατεκληρονόμησεν (v. 19), in einer Art von Kontraparallelität zueinander.

Schwierigkeiten bereitet in v. 17b nur die Interpretation von ὕψωσεν. Daß auch diese Verb-

---

35 S. o. Anm. 3.
36 Vgl. *E. Lövestam,* Son and Saviour 37ff.
37 Schon in Apg 7,17 wird der Begriff ἐπαγγελία ausdrücklich mit Abraham in Verbindung gebracht; vgl. auch Apg 7,5: ἐπηγγείλατο δοῦναι αὐτῷ (= Abraham); siehe hierzu ebenfalls Röm 9,9!
38 Vgl. Bl-Debr 458, und *R. Bultmann,* Der Stil 14.
39 v. 17a: ἐξελέξατο τοὺς πατέρας ἡμῶν; v. 17b: καὶ τὸν λαὸν ὕψωσεν.
39a Die LXX verwendet in diesem Kontext freilich nicht das Substantiv παροικία, sondern das Verbum παροικέω: vgl. Gen 12,10; 17,8; 20,1; Dtn 26,5; ferner Ex 12, 40 A. u. a.
40 Auch an anderen Stellen des NT assoziiert der Begriff der ἐπαγγελία einen Hinweis auf den Terminus κληρονομία bzw. seine Derivata: vgl. Gal 3,29; Hebr 6,17; 9,15; 11,9.

form eine Relation zur ἐπαγγελία an die Erzväter enthält, ist nach Apg 7,17 wohl nicht zu leugnen. Dort heißt es: Καθὼς δὲ ἤγγιζεν ὁ χρόνος τῆς ἐπαγγελίας ἧς ὡμολόγησεν ὁ θεός τῷ Ἀβραάμ, ηὔξησεν ὁ λαὸς καὶ ἐπληθύνθη ἐν Αἰγύπτῳ. Doch wird die soteriologische Komponente, welche sich aus dem Zusammenhang mit der ἐπαγγελία ergibt, in v. 17b viel stärker und eindeutiger akzentuiert. T. Holtz bemerkt hierzu: „Vielleicht begegnen wir auch hier einer lukanischen Änderung in Richtung auf eine sachliche Qualifizierung einer ursprünglich nur vom Wachsen des Volkes gemeinten Aussage. Lukas selbst wird jedenfalls so verstanden haben"[41].

Da Lukas offensichtlich eine besondere Vorliebe für das Verbum ὑψόω und seine Derivata hat, glauben auch wir, daß es sich bei der Einführung dieses Verbums in v. 17b um lukanische Redaktion handelt.[42] In diesem Fall aber bedeutet ὑψόω mehr als „aufziehen", „großziehen".[43] Nach lukanischem Sprachgebrauch handelt es sich hier zunächst um die Übertragung von Ehre und Ruhm an das Volk Israel.[44] Natürlich schließt dies die Konnotation eines zahlenmäßigen Anwachsens nicht aus (vgl. Ex 1,7.9.12). Doch der Ton liegt auf dem Gedanken der Erhöhung aus Niedrigkeit, dem gnadenhaften Handeln Gottes an Israel, welches in der Erwählung der Väter begründet ist.

v. 17c: καὶ μετὰ βραχίονος ὑψηλοῦ
ἐξήγαγεν αὐτοὺς ἐξ αὐτῆς

Da Lukas in v. 17c dem Prädikat ἐξήγαγεν wiederum ein Objekt (αὐτούς) folgen läßt, wird v. 17c zu einem grammatikalisch selbständigen Satz. Thesenhaft wie die einzelnen Artikel des Credos werden die Großtaten Gottes aufgezählt.

Die Präposition μετά vor βραχίονος ὑψηλοῦ ist sicher ungewöhnlich. Hat Lukas diesen Ausdruck nicht mehr als instrumental, sondern nur noch im Sinne einer begleitenden Geste verstehen wollen, oder war es seine Absicht, zwischen den Präpositionen ἐν (v. 17b zweimal) und μετά (v. 17c) zu variieren?[45] Da der Verfasser der Apg einerseits die Verwendung von μετά im instrumentalen Sinne kennt,[46] andererseits aber die LXX diesen Ausdruck mit ἐν konstruiert, ist T. Holtz zuzustimmen, wenn er in dem Gebrauch von μετά lukanische Redaktion vermutet.[47] Der Sinn dieser Änderung ist sicherlich nicht die Abschwächung eines Anthropomorphismus, den die Targumim offensichtlich in dieser Redewendung sehen.[48] Die Alternative „instrumental" oder „begleitende Geste" scheint uns falsch gestellt zu sein. Die Präposition μετά enthält beides, wenn man die erklärende Ergänzung mit in Betracht zieht, welche die LXX häufig folgen läßt und die auch Lukas bekannt ist. Unter βραχίων ὑψηλός sind dann die τέρατα καὶ σημεῖα zu verstehen, durch die Jahwe Israel aus Ägypten befreit und mit denen er den Auszug hoheitsvoll begleitet hat.[48a] Die Präposition μετά vermag diese dop-

---

41 E. Holtz, Untersuchungen 132 Anm. 4.
42 ὑψιστός Mt 1; Mk 2; Lk 7; Joh /; Apg 2. ὑψοῦν Mt 3; Mk /; Lk 6; Joh 5; Apg 3.
43 Diese Bedeutung hat ὑψόω offensichtlich in Jes 1,2 (hebr. rûm pil.), welche Stelle gern als Parallele zu Apg 13,17b angeführt wird: vgl. T. Holtz, Untersuchungen 132 Anm. 4; E. Haenchen, Apg 350.
44 Vgl. Lk 1,52; Apg 2,33; 5,31. Auch W. Bauer sieht Apg 13,17b in einer Reihe mit den angeführten Stellen: vgl. Bauer, Wb 1682. Im Sinne von „erhöhen" wird ὑψόω in der LXX u. a. auch in 1 Makk 14,3; Dan 12,7; Ps 37,34; 89,17; 148,14; 149,4 gebraucht.
45 Erstere Interpretation findet sich bei H. H. Wendt, Die Apostelgeschichte (Krit.-exeg. Komm. üb. d. N. T. 3. Abt.) Göttingen ⁸1899, 235; letztere bei E. Haenchen, Apg 350.
46 Vgl. Lk 17,15; Apg 24,7. Im Neugriechischen wird der Instrumentalis immer durch με (= μετά) ausgedrückt, also die ἐν ausgegangen ist: vgl. Bl-Debr 195.
47 Vgl. T. Holtz, Untersuchungen 133 Anm. 1.
48 Vgl. Bill. II 724.
48a Vgl. Dtn 4,34; 26,8; Jer 32,21; Bar 2,11; vgl. zum Ausdruck: Apg 2,19. 22.43; 4,30; 5,12; 6,8; 7,36; 14,3; 15,12.

pelte Funktion der Wundertaten Jahwes besser zum Ausdruck zu bringen als ἐν und wird darum von Lukas in v. 17c auch verwendet.

Das Verbum ὑψόω in v. 17b ruft die Vorstellung μετὰ βραχίονος ὑψηλοῦ in v. 17c wach wie auch umgekehrt das Adjektiv ὑψηλός in v. 17c auf v. 17b verweist. Es liegt hier eine typisch lukanische Gedankenverbindung vor. Sie ergibt sich einerseits aus der Vorliebe des Lukas für ὑψόω und seine Derivata, andererseits hat sie ihren Grund darin, daß bei der Verwendung des Verbums ὑψόω in Lk-Apg eine Anspielung auf das Lukas geläufige Thema von dem erhöhenden oder rettenden Arm Jahwes mitzudenken ist.[49]

Geläufig ist für den Verfasser der Apg auch der Terminus ἐξάγω, der wiederum ein atl.-biblisches Gepräge hat.[50] Daß Lukas gern das Personalpronomen αὐτός gebraucht, hat schon E. Jacquier festgestellt.[50a] Der Akkusativ αὐτούς in v. 17c bezieht sich auf τὸν λαόν in v. 17b und nicht auf τοὺς πατέρας in v. 17a. Hier ist nicht nur von einer grammatikalischen Möglichkeit zu sprechen,[51] sondern auch von einer syntaktischen Notwendigkeit, da τὸν λαόν das nächstliegende Akkusativobjekt ist. Nur die Stellung des Objekts variiert im Vergleich von v. 17c zu v. 17b, vermutlich, um v. 17c mit v. 17b auch stilistisch, d. h. wiederum durch einen Chiasmus eng zu verflechten.

v. 18: καὶ ὡς τεσσερακονταέτη χρόνον
ἐτροποφόρησεν αὐτοὺς ἐν τῇ ἐρήμῳ

Ebenso wie v. 17, so verrät auch v. 18 lukanische Redaktion. Einen ersten Hinweis darauf erblicken wir in dem der Zahlenangabe beigegebenen ὡς. Die Zahl vierzig hat für den Hebräer einen festen symbolischen Stellenwert.[52] Darum wird weder in der LXX noch im TM die Angabe der vierzigjährigen Wüstenzeit je mit einem „ungefähr" versehen. In v. 18 aber wird die symbolische Bedeutung dieser Zahl durch das vorangestellte ὡς abgeschwächt. Lukas, der gern Zahlenangaben mit ὡς oder ὡσεί versieht,[53] scheint hier aus eigenem zu schöpfen. Es ist ja kaum vorstellbar, daß eine semitische Quelle den Symbolwert dieser Zahl zugunsten einer größeren Annäherung an die historische Wahrheit, wie sie Lukas offensichtlich am Herzen liegt, unterschlagen hätte. Der Grund für dieses ὡς ist nicht eine ungenaue Vorstellung des Lukas von der Frühzeit Israels[54] – Lukas kennt ja die Zahl vierzig – sondern die Einstellung des Verfassers von Apg 13,17–22 auf den historischen Sinn seiner heiden-christlichen Leser.

Die Vermutung, daß es hier nicht zunächst um die Zahl vierzig als solche geht, sondern um die Angabe eines ungefähren Zeitraumes, wird dadurch verstärkt, daß die Zeitangabe nur adjektivisch zum Ausdruck kommt. Das Adjektiv τεσσερακονταέτης findet sich innerhalb des NT nur in Apg 7,23. Die Ausdrucksweise ist ansonsten hellenistisch, verrät aber gerade als

---

49 Vgl. Apg 4,30; 7,25.35 (Jes 63,12); 11,21: ἐν oder σὺν χειρί. Apg. 2,33; 5,31: τῇ δεξιᾷ. Siehe hierzu *J. Dupont*, L'interprétation des Psaumes dans les Actes des Apôtres, in: Le Psautier (Orient. et Bibl. Lov. 4) Löwen 1962, 357–388, in: Études 282–307, hier: 303.
50 ἐξάγω: Mt /; Mk 1; Lk 1; Joh 1; Apg 8; Hebr 1; mit Bezug auf die Herausführung aus Ägypten (durch Moses) in Apg 7,42!
50a Nach *E. Jacquier*, Actes CLXXVIII wird das Pronomen αὐτός allein 523mal in der Apg verwendet! Siehe auch *R. Morgenthaler*, Statistik 12.158.
51 So Bl-Debr 134,1. Constructio ad sensum auch in Apg 7,34.36.
52 Vgl. *W. H. Roscher*, Die Zahl 40 im Glauben, Brauch- und Schrifttum der Semiten (Abhandlungen der Philologisch-Hist. Klasse der Königl. Sächsischen Gesellschaft der Wissenschaften XXVII 4) Leipzig 1909, 18–24.
53 Vgl. Apg 1,15; 2,41; 4,4; 5,7.36; 10,3; 13,18; 19,7.34; 27,5. In Ex 16,35; Dtn 2,7; 8,4; 29,4; Am 2,10; 5,25; Ps 95,10 findet sich die Angabe der vierzigjährigen Wüstenzeit jeweils ohne ὡς bzw. ὡσεί; aus diesen Stellen wird aber Lukas seine Zahlenangabe wohl bezogen haben.
54 *T. Holtz*, Untersuchungen 132, legt solche Vermutungen bzgl. Apg 13,17–22 nahe.

solche den Redaktor Lukas.[55] Hinzu kommt, daß in Lk-Apg Zeitangaben in Verbindung mit χρόνος sehr beliebt sind.[55a]

Ähnlich wie ὕψωσεν in v. 17b scheint auch das Prädikat ἐτροποφόρησεν in v. 18 eine Doppelbedeutung zu haben. Das Verbum τροποφορέω bzw. τροφοφορέω kommt nur, was die LXX betrifft, in Dtn 1,31 und 2 Makk 7,27 vor; der Kontext von v. 18 aber läßt allein einen Hinweis auf Dtn 1,31 zu. Bezüglich Dtn 1,31 bleibt indessen unklar, ob ἐτροποφόρησεν sich von τρόπος oder von τροφή herleitet, da das zugrunde liegende hebräische nāśā' beide Interpretationsmöglichkeiten zuläßt.

E. Haenchen aber hat es im Anschluß an J. H. Ropes sehr wahrscheinlich gemacht, daß das Verbum τροποφορέω durch Dissimilation aus τροφοφορέω entstanden ist.[56] Der Sinn von ἐτροποφόρησεν αὐτούς in v. 18 also ist: er (= Jahwe) hat sie ernährt. Durch die Fürsorge Gottes brauchte das Volk in der Wüste keinerlei Mangel zu leiden.[57]

Da die LXX nur an einer Stelle das hebräische nāśā' mit τροποφορέω übersetzt, ist bezüglich v. 18 der Gebrauch einer semitischen Quelle äußerst unwahrscheinlich[58]. Der Gebrauch von τροποφορέω beweist vielmehr die außerordentliche Vertrautheit des Autors von Apg 13,16–41 mit der LXX.[58a]

Es sei noch darauf hingewiesen, daß der Terminus τροποφορέω einen Hinweis auf das Sohnesverhältnis Israels zu Jahwe impliziert. So wie eine Mutter ihr Kind, so hat Jahwe Israel getragen und genährt.[59] Wie in v. 17, so erkennen wir auch in v. 18 das Bestreben des Predigers, das Heilshandeln Gottes an Israel als eine Bevorzugung durch Gott zu beschreiben.

vv. 19.20a: καὶ καθελὼν ἔθνη ἑπτὰ ἐν γῇ Χανάαν
κατεκληρονόμησεν τὴν γῆν αὐτῶν
ὡς ἔτεσιν τετρακοσίοις καὶ πεντήκοντα

Apg 13,19 bezieht sich auf Dtn 7,1, ohne indessen diesen Vers wörtlich zu zitieren. Nur in Dtn 7,1 spricht die LXX ausdrücklich von den ἑπτὰ ἔθνη, welche Jahwe aus Kanaan vertrieben hat. Auch begegnet uns in Dtn 7,1 das Verbum κληρονομέω, das Lukas in dem Kompositum κατακληρονομέω wieder aufgreift.

G. Delling führt zur Formulierung des Hauptsatzes zunächst Dtn 12,10 an, da diese Stelle neben Jer 3,18 seines Wissens die einzige in der LXX sei, an der κατακληρονομέω mit Gott als Subjekt und γῆν als Objekt – in der Bedeutung „zum Erbe geben" – gebraucht werde;[60] doch fehlt hier der charakteristische Hinweis auf die ἑπτὰ ἔθνη. Es ist jedenfalls nicht zu übersehen, daß in v. 19 Formulierungen aus Dtn nachwirken.

Offensichtlich hat Lukas eine besondere Vorliebe für Komposita mit der Präposition κατά.[61] Das mag eine erste Erklärung dafür sein, daß er in v. 19 das von der LXX in diesem

---

55 Nur in Apg 7,23 und 13,18 begegnet uns innerhalb des NT eine solche adjektivische Form. In der LXX finden wir ähnliche Bildungen in 2 Makk 4,23; 14,1: τριετής; 10,3: διετής.

55a Vgl. die Statistik zu χρόνος: Mt 3; Mk 2; Lk 7; Joh 4; Apg 17.

56 E. Haenchen, Apg 350.

57 Vgl. hierzu Dtn 2,7; 8,4; 29,4.

58 Abgesehen von Dtn 1,31 kommt das Verbum τροποφορέω bzw. τροφοφορέω nur noch in 2 Makk 7,27 vor!

58a Von der Voraussetzung ausgehend, daß Apg 13,22 durch eine Targumformulierung beeinflußt sei, äußert R. P. Gordon die Vermutung, daß bzgl. der Verwendung von τροποφορέω in Apg 13,18 das gleiche zutreffe: vgl. R. P. Gordon, Targumic Parallels to Acts XIII 18 and Didache XIV 3: NT 16 (1974) 278. Die Voraussetzung, die R. P. Gordon macht, ist indessen eine reine Hypothese.

59 Vgl. Num 11,12; Jes 46,3. Hier verwendet der TM das Verbum nāśā' zum Ausdruck der sorgenden Mutterliebe.

60 Vgl. G. Delling, Israels Geschichte 190. κατακληρονομέω begegnet uns ansonsten recht häufig in der LXX, bes. im Buch Dtn: vgl. Hatch-Redpath II 733. Für das profane Griechisch ist dieses Verbum offenbar nicht belegt.

61 Siehe hierzu R. Morgenthaler, Statistik 160.

Zusammenhang gebrauchte ἐξαιρέω (vgl. Dtn 7,1) durch καθαιρέω ersetzt. Die Präposition κατά in Verbindung mit αἱρέω will in Lk-Apg nicht ein Intensivum bezeichnen, sondern bedeutet so viel wie „herabnehmen", „herunterstürzen", „erniedrigen". In der Bedeutung von „erniedrigen" tritt καθαιρέω, wie z. B. in Lk 1,52, in Gegensatz zu ὑψόω = „erhöhen". Die Heilsgeschichte verläuft nach einer bestimmten Gesetzmäßigkeit: Die Starken werden gedemütigt, die Schwachen aber erhöht.

Lukas expliziert durch den Gebrauch des Verbums καθαιρέω im Sinne von *deponere* einen Gedanken, der schon in Dtn 7,1 anklingt. Dort heißt es von den kananäischen Völkern, daß sie zahlreicher und mächtiger als die Israeliten waren: πολλὰ καὶ ἰσχυρότερα ὑμῶν. Wie alle in Apg 13,17–18 vorausgehenden Prädikate, so bezeugt auch καθελών in v. 19 die souveräne Macht Jahwes, welche zugunsten seines Volkes Israel in der Geschichte wirkt.

Gleiches gilt für κατεκληρονόμησεν. Es ist Jahwe selbst, der den Israeliten Kanaan zum Erbe gab. Der antiochenische Prediger bezieht sich nur auf die atl. Schriftstellen, in denen Gott selbst als das handelnde Subjekt erscheint.[62]

Eine crux interpretum bleibt die beigefügte Jahreszahl ὡς ἔτεσιν τετρακοσίοις καὶ πεντήκοντα. Diese Zeitangabe ist so offenkundig falsch, daß die Textüberlieferung sie alsbald geändert hat, indem sie diese auf die Dauer der Richterzeit bezog.[63] Doch ist die Aussage in sich klar, und von einem, der den Verlauf der israelitischen Geschichte nicht kennt, würde diese Zahl auch nicht beanstandet werden.[64] In v. 18 sahen wir schon, daß Lukas sich offensichtlich auf heidenchristliche Leser einstellt, da er der Zahl vierzig ein ὡς voranstellt.[65] So auch in v. 20a; es geht ihm hier um eine ungefähre Zeitangabe, welche sich auf das Prädikat κατεκληρονόμησεν beziehen muß. Dann aber handelt es sich bei κατεκληρονόμησεν wie auch bei ἐτροποφόρησεν (v. 18) jeweils um einen komplexiven Aorist.[66]

Die Angabe der Jahreszahl wirkt im Zusammenhang von vv. 17–19 durchaus nicht sinnstörend. Sie weist darauf hin, daß selbst die Inbesitznahme Kanaans nicht das endgültige Ziel der Geschichte Jahwes mit Israel darstellt.[67] Diese ist vielmehr wie die Wüstenzeit als eine heilsgeschichtliche Periode zu betrachten. Die Gottestat, welche durch κατεκληρονόμησεν ausgedrückt wird, ist zwar eine entscheidende, aber noch nicht die letzte.

Folgende Punkte möchten wir aus unserer Analyse von Apg 13, 17–20a festhalten:

– Das Exordium zeigt ein *bewußtes Eingehen auf die Situation*. In geschickter Weise verbindet der Verfasser von Apg 13,16–41 die Anrede in v. 16b mit dem folgenden heilsgeschichtlichen Aufriß (vgl. bes. den Gebrauch von τούτου in v. 17a); so entsteht für den Leser der Eindruck, die antiochenische Gemeinde stehe repräsentativ für das Volk Israel bzw. es handle sich hier um eine grundsätzliche Auseinandersetzung mit dem Thema „Israel". Einige terminologische und stilistische Eigenheiten (vgl. z. B. ὡς in v. 18) deuten darauf hin, daß der Verfasser der antiochenischen Rede heidenchristliche Leser vor Augen hat.

– Der Redaktor der Rede zeigt eine *große Vertrautheit mit der LXX* und macht von ihr einen sehr differenzierten Gebrauch. Die z. T. seltenen Termini, die er verwendet (vgl. z. B. τροποφορέω in v. 18), verweisen auf verschiedenste Schriftstellen. Mag dieses Exordium auch seiner *Form* nach atl. Parallelen haben, so ist es doch keiner bestimmten Quelle zuzuordnen. Seine Komposition ist originell und offensichtlich im Hinblick auf die spezifische Aussageabsicht der antiochenischen Rede abgefaßt.

– So fällt als erstes das *Ausblenden aller negativen Aspekte* in der Darstellung der Vätergе-

---

62 So bleibt z. B. die Mittlerfunktion eines Moses, Aaron oder Josue in dieser Rede unberücksichtigt.
63 Vgl. hierzu *T. Holtz,* Untersuchungen 132 Anm. 2.
64 Vgl. *ebd.* 132.
65 S. o. Anm. 43.
66 Siehe hierzu Bl-Debr 332,1.
67 Das wird in Apg 7,5 nahegelegt: Die Abrahamsverheißung (vgl. Gen 12,7) müßte sich darnach schon mit der Landnahme erfüllt haben.

schichte auf. Literarisch wirkt diese wie eine captatio benevolentiae. Der Prediger bezieht sich nur auf solche Ereignisse, in denen Gott (ὁ θεός) als Subjekt erscheint; kein Vätername wird genannt. Die Darstellung beginnt mit der Erwählung (gedacht ist hier wohl an die Erwählung der drei Erzväter Abraham, Isaak und Jakob), die den Vorzug Israels deutlich macht, aber hier vor allem deswegen Erwähnung findet, weil sie das Thema der Verheißung (ἐπαγγελία) in sich birgt und vorbereitet.

Josef, Mose und Aaron, deren Geschichte in der Stephanusrede einen breiten Raum einnimmt, bleiben unerwähnt, weil ihr Geschick offensichtlich zu viele negative Erinnerungen assoziiert, wie Apg 7,8–43 zeigen kann. Zwar wird das Stichwort παροικία in v. 17b genannt, doch anscheinend nur deshalb, weil es schon die Vorstellung von der κληρονομία (v. 19) wachruft.

– Diese positive Darstellung der Vätergeschichte muß noch näher spezifiziert werden. Es fällt auf, daß sämtliche Prädikate von vv. 17a–20a eine *soteriologische* Konnotation haben: so ἐξελέξατο (v. 17a), ὕψωσεν (v. 17b), ἐξήγαγεν (v. 17c), ἐτροποφόρησεν (v. 18) und κατεκληρονόμησεν (v. 19). Ihre Auswahl ist darin begründet, daß in ihnen der Heilswille Gottes in seiner sukzessiven Verwirklichung sich artikuliert. Die Prädikate sind um so beachtenswerter, als die Analyse aufweist, daß diese Verbformen für den LXX-Sprachgebrauch z. T. ungewöhnlich sind, andererseits aber sich in Lk-Apg eine gewisse Vorliebe für eben diese Verben zeigt. Diese Tatsache unterstreicht, daß der Autor der antiochenischen Rede diese Prädikate sehr bewußt verwendet.

– Unsere Ausführungen blieben noch zu allgemein, wollten wir nur generell auf die soteriologische Konnotation dieser Verben abheben. Es geht nicht nur um eine Rettung im Sinne von „herausführen". Bei näherem Zusehen zeigt sich, daß dem Heilshandeln Gottes ein bestimmtes Gesetz innewohnt: Der Prediger hat das Bestreben, die Taten Gottes als eine Bevorzugung zu beschreiben (vgl. ἐξελέξατο in v. 17a), die das Sohnesverhältnis Israels zu Jahwe impliziert (in ἐτροποφόρησεν – v. 18 – angedeutet) und der insgesamt die Dynamik zu eigen ist, das Volk *aus Niedrigkeit zu erhöhen* (vgl. v. 17b: ὕψωσεν; v. 17c: μετὰ βραχίονος ὑψηλοῦ). Durch den rettenden und erhöhenden Arm Jahwes wird dem Volk Israel Ruhm und Ehre zuteil.

Diese Dialektik wird auch umgekehrt darin sichtbar, daß Gott die starken Feinde Israels erniedrigt (vgl. v. 19: καθελών).

So können wir zusammenfassend sagen, daß der Abschnitt Apg 13,17–22a auf die entscheidenden Schlüsselworte der Rede hingeordnet ist (vgl. vv. 23.32.33a): Gott macht seine Verheißung (ἐπαγγελία) wahr und bewirkt das Heil (vgl. σωτήρ und σωτηρία in v. 23 bzw. v. 26) in der Erhöhung aus Niedrigkeit (vgl. ἤγειρεν bzw. ἀναστήσας in v. 23 bzw. v. 33a).

c) Die Vorbereitung und Erweckung eines Retters (Apg 13,20b–23)

v. 20b: καὶ μετὰ ταῦτα
       ἔδωκεν κριτὰς ἕως Σαμουὴλ τοῦ προφήτου

In Lk-Apg wird ein neuer Anschluß gern durch μετὰ ταῦτα hergestellt.[68] Als Plural bezieht sich ταῦτα auf den ganzen vorhergehenden Abschnitt v. 17–v. 20a.

Es kommt nun ein neuer Gedanke zum Tragen, welcher direkt zu v. 23 hinführt. E. Lövestam bemerkt zu v. 20b: „This emphasis upon the leaders who served their people by helping and saving (cf. e. g. Judg. 2,16), fits in naturally with an argument which builds up to the message of Jesus Christ as the Saviour of Israel (v. 23)"[69].

Die Richter kamen dem Volk Israel in der Not zu Hilfe.[70] Ihre Erweckung durch Jahwe be-

68 Vgl. Lk 5,27; 10,1; 17,8; 18,4; Apg 7,7; 15,16.
69 *E. Lövestam*, Son and Saviour 6.
70 Vgl. Ri 3,9: καὶ ἐκέκραξαν οἱ υἱοὶ Ἰσραὴλ πρὸς τὸν κύριον... Siehe auch Ri 3,15.

schreibt die LXX mit einer Formel, die offensichtlich in v. 23 nachwirkt. So heißt es in Ri 3,9:
ἤγειρεν καὶ σωτῆρα (= Othniel) τῷ 'Ισραήλ
und in Ri 3,15:
ἤγειρεν αὐτοῖς σωτῆρα,
während der antiochenische Prediger in v. 23 formuliert:
ἤγειρεν τῷ 'Ισραὴλ σωτῆρα 'Ιησοῦν.
Die Parallelität in der Ausdrucksweise ist um so beachtenswerter, als die genannte Formel von der LXX nur in Ri 3,9.15 verwendet wird.[71]
Möglicherweise verweist auch die Formulierung ἤγειρεν … εἰς βασιλέα (v. 22) auf Ri 3,9.15. Daß der Redaktor in v. 20b das Verbum ἐγείρω durch δίδωμι ersetzt, hat seinen Grund wohl darin, daß er durch die erstmalige Verwendung des charakteristischen ἐγείρω in vv. 22.23 die Höhepunkte der historia salutis nuanciert hervorheben will.

Die Zeit Samuels ist unmittelbare Vorbereitung auf die Königszeit und damit auf die Zeit des Messias. Samuel eröffnet die Reihe der Propheten, die unmittelbar auf die Tage des Messias hingewiesen haben (vgl. Apg 3,24: κατήγγειλαν τὰς ἡμέρας ταύτας). Als einziger von den ntl. Schriftstellern spricht Lukas von Samuel als einem Propheten. Insgesamt verrät also auch v. 20b lukanische Redaktion.

v. 21: κἀκεῖθεν ᾐτήσαντο βασιλέα
καὶ ἔδωκεν αὐτοῖς ὁ θεὸς Σαοὺλ υἱὸν Κίς,
ἄνδρα ἐκ φυλῆς Βενιαμείν,
ἔτη τεσσεράκοντα.

Der Anschluß durch κἀκεῖθεν in v. 21 ist typisch für Lk-Apg.[72] T. Zahn bemerkt zu Recht, daß κἀκεῖθεν nicht gleichbedeutend mit μετὰ ταῦτα ist, sondern so viel bedeutet wie ἀπὸ τότε bzw. *exinde*.[73] Lukas bezieht diese zeitliche Bestimmung auf die Tage Samuels, wenngleich schon vorher die Forderung nach einem König laut wurde (vgl. Ri 8,22f; 9,1–57). Unter Samuel wurde allerdings der Ruf nach einem König besonders stark (vgl. 1 Sam 2,10; 8,7f; 12,1–25).

Bei der starken Betonung der Führung durch Jahwe läßt Lukas in seinem geschichtlichen Überblick Negatives nur anklingen. Die Kritik an der Initiative des Volkes, das einen König forderte – in v. 21 erscheint es zum ersten Mal als Subjekt! – wird in dem Verbum αἰτέομαι nur unterschwellig angedeutet: in der LXX hat dieser Terminus einen negativen Unterton.[74] Saul kann darum auch nicht als König nach der Wahl Jahwes erscheinen. Das dem Verbum αἰτέομαι korrespondierende δίδωμι will verstanden sein als „gestatten", als ein Zugeständnis Jahwes auf das Drängen des Volkes hin. All dies mag auch erklären, warum das Subjekt ὁ θεός, das ansonsten in der ganzen Rede mit Bedacht dem Prädikat vorgeordnet wird (vgl. vv. 17a.23.30.33), in v. 21 erst nach Objekt und Prädikat erscheint.

Daß der Name Sauls mit dem seines Vaters verbunden wird, ist dem Verfasser der Apg vom AT her geläufig (vgl. 1 Sam 10,21; 1 Chr 12,1; 26,28; siehe ferner 1 Sam 9,1–3; 14,51; 2 Sam

---

71 In 2 Sam 7,11, worauf *L. Hartmann*, Davids Son 122, offensichtlich hinweisen will, gebraucht der TM das Piel von ṣāwāh (ṣiwwîtî), welches Verbum die LXX mit τάσσω übersetzt! Vgl. auch 1 Chr 17,10; 2 Chr 19,5; Jes 1,26.
72 Siehe Lk 11,53; Apg 7,4; 14,26; 16,12; 20,15; 21,1; 27,4; 28,15. Nur in Apg 13,21b wird κἀκεῖθεν indessen im zeitlichen Sinn verwendet.
73 *T. Zahn*, Apg 434.
74 Vgl. 1 Sam 12,13 A.17.19. Siehe hierzu *Bauer*, Wb 50. Nach Bl-Debr 316,2, steht bei Bitten an Gott gewöhnlich das Aktiv von αἰτέω. Ob Lukas mit der medialen Form andeuten will, daß die Bitte nicht an Jahwe, sondern an Samuel gerichtet war (vgl. 1 Sam 8,5 [LXX])? Unter Hinweis auf Soph. Trach. 632 erwägt G. Delling die Möglichkeit, daß dieser Gedanke durch κἀκεῖθεν (= von jener Seite her) ausgedrückt sein könnte: vgl. *G. Delling*, Israels Geschichte 191 Anm. 33; eine solche Interpretation von κἀκεῖθεν entspräche aber nicht dem lukanischen Sprachgebrauch.

43

21,14; 1 Chr 8,33; 9,39). Die Herkunft Sauls aus dem Stamme Benjamin spielt auch in den Berichten über die Einsetzung zum König eine beträchtliche Rolle (vgl. 1 Sam 9,1–3.16.21; 10,20f).

Die Angabe über die Regierungszeit entspricht der bei Flavius Josephus, Ant 6,378; vielleicht soll sie ein neues Moment der Verzögerung in die Darstellung des vorbereitenden Handelns Gottes hineinbringen.

Bei all den Angaben zur Person Sauls unterbleibt indessen seine Titulierung als βασιλεύς. So tritt um so stärker David in seiner Würde als König (vgl. v. 22) hervor.

v. 22: καὶ μεταστήσας αὐτόν,
    ἤγειρεν τὸν Δαυὶδ αὐτοῖς εἰς βασιλέα,
    ᾧ καὶ εἶπεν μαρτυρήσας,
    εὗρον Δαυὶδ τὸν τοῦ Ἰεσσαί,
    ἄνδρα κατὰ τὴν καρδίαν μου,
    ὃς ποιήσει πάντα τὰ θελήματά μου.

In der Absetzung Sauls und in der Erweckung Davids zum König zeigt sich Jahwe wiederum als der souveräne Herr der Geschichte Israels. Das unglückselige Ende Sauls wird in μεταστήσας (zum Ausdruck vgl. Dan 2,21) nur angedeutet. Auch hier vermeidet es der Prediger, auf dunkle Seiten der israelitischen Geschichte näher einzugehen.

Um so ausführlicher wird die Person Davids gewürdigt. Wenn M. Rese meint, die typologische Deutung Davids auf Christus hin hätte „angesichts der bisher beobachteten Fähigkeit des Lk, durch Wortwahl und -stellung Bezüge anzuzeigen", etwas deutlicher zum Ausdruck gebracht werden müssen,[75] so sind uns seine Bedenken unverständlich.

Was zunächst die Wortwahl betrifft, so hätte ein typologischer Bezug wohl kaum besser angedeutet werden können. Das Verbum ἐγείρω enthält in seiner Bedeutung von „erwecken" eine unmittelbare Anspielung auf die (Auf-)Erweckung Jesu (vgl. vv. 23.30.37). Indem Lukas den Prädikatsakkusativ βασιλέα mit εἰς versieht, wird ἤγειρεν nicht so sehr zu einem Verweis auf die erstmalige Berufung Davids, als vielmehr auf dessen Inthronisation zum König, welche mit einem feierlichen Gotteszeugnis verbunden wird. So ergibt sich eine deutliche Parallele zur Auferweckung des Messias, d. h. zur Einsetzung Jesu als König.[76]

Diese Interpretation darf man nicht exklusiv verstehen. Dem Verbum ἐγείρω ist in diesem Kontext eine gewisse Ambivalenz eigen, welche es gestattet, ihm sowohl den Sinn von „erwecken" wie auch „auferwecken" zu geben. So enthält v. 22 gleichzeitig einen Hinweis auf die „Erweckung" des σωτὴρ Ἰησοῦς (vgl. v. 23) und auf seine „Auferweckung" (vv. 30.37).

Die Einleitung ᾧ καὶ εἶπεν μαρτυρήσας gibt dem folgenden Gottesspruch den Charakter eines öffentlichen Gotteszeugnisses oder auch einer feierlichen Proklamation. Der von μαρτυρήσας abhängige Dativ ist als ein dativus commodi zu interpretieren.[78] Sein ganzes Gewicht erhält das göttliche Testimonium durch die johanneisch anmutende Wortkombination von λέγω und μαρτυρέω.[78a]

Über die Herkunft des Mischzitats gibt es bis heute noch keine Einigung. M. Wilcox hat u. a. versucht, das Zitat aus dem Propheten-Targum (Jonathan) zu erklären, da dessen Version von 1 Sam 13,14 in der griechischen Übersetzung ergäbe: ἄνδρα ποιοῦντα τὸ (τὰ) θέλημα (θελ-

---

75 Vgl. *M. Rese,* Atl. Motive 81.
76 Die Inthronisation des Messiaskönigs geschieht nach der Theologie der Apg in der Auferweckung, wie bes. von J. Dupont im Anschluß an die Interpretation von Ps 110,1 und Ps 2,7 in Lk-Apg herausgearbeitet worden ist: vgl. *J. Dupont,* L'interprétation, in: Études 291–297.
77 Vgl. *J. Dupont,* L'utilisation, in: Études 254 Anm. 13.
78 Siehe Bl-Debr 188,1.
78a Vgl. Joh 1,32; 13,21.

ἤματα) αὐτοῦ;[79] so würde auch der Wechsel von ἄνθρωπον (vgl. 1 Sam 13,14: LXX) in ἄνδρα (Apg 13,22) verständlich.

Doch abgesehen davon, daß es sich bei dem Wechsel von ἄνθρωπον in ἄνδρα um einen gewöhnlichen Lukanismus handeln kann,[80] ist zu berücksichtigen, daß v. 22 aus verschiedenen Stellen gleichzeitig inspiriert wird. So begegnet uns die direkte Rede in Ps 89,21: εὗρον Δαυὶδ τὸν δοῦλόν μου. Offensichtlich hat diese Schriftstelle die Diktion von v. 22 beeinflußt. Andererseits ist die Formel κατὰ τὴν καρδίαν μου im AT und in Qumran so geläufig,[81] daß sie sich nicht unbedingt von 1 Sam 13,14 herzuleiten braucht.

Für die Interpretation am relevantesten ist der Zusatz: ὅς ποιήσει πάντα τα θελήματά μου. Dem Sinn nach steht er genau konträr zu 1 Sam 13,14b: ὅτι οὐκ ἐφύλαξας ὅσα ἐντείλατό σοι κύριος. Wieder liegt ein Hinweis dafür vor, daß Saul und David in vv. 21.22 bewußt zueinander in Gegensatz gebracht werden sollen. Der Relativsatz ὅς ποιήσει etc. bezieht sich ursprünglich allerdings nicht auf David, sondern auf Kyros (vgl. Jes 44,28 LXX). Lukas mißt diesem Gedanken einiges Gewicht bei, da er ihn in v. 36 noch einmal aufgreift, allerdings mit einem charakteristischen Unterschied in der Formulierung. Während θέλημα in v. 22 das „Gewollte" bezeichnet, das, wovon Gott wünscht, daß es geschehen soll,[82] und somit gut zum Redeanfang paßt, entspricht βουλή in seiner Bedeutung von „Ratschluß" (vgl. v. 36) besser dem voraufgehenden ὑπηρετήσας und damit auch dem Redeschluß.[83]

Die Frage über die Herkunft dieses Testimoniums in v. 22b muß offenbleiben. Gesichert ist allerdings, daß sich dieses Gotteszeugnis über David vollkommen in den Redefluß einordnet und unmittelbar zu v. 23 hinführt.[84]

v. 23: τούτου ἀπὸ τοῦ σπέρματος
κατ' ἐπαγγελίαν ἤγειρεν τῷ Ἰσραὴλ
σωτῆρα Ἰησοῦν.

Mit diesem Vers und nicht schon mit v. 22 erreicht der geschichtliche Aufriß seinen eigentlichen Höhepunkt. Das einleitende, eigentlich regelwidrige τούτου[86] ist darum auch nicht anders als emphatisch zu verstehen. Die Ansätze zur anaphorischen Rede, die wir besonders in den Acta-Reden beobachten können, markieren jeweils die Einleitung zu thesenhaften Zusammenfassungen.[87]

Der Ausdruck, der in v. 23 am meisten umstritten ist, dessen Interpretation aber zugleich Licht auf das Verständnis der ganzen Rede wirft, ist die präpositionale Wendung κατ' ἐπαγγελίαν. Daß der Begriff ἐπαγγελία und seine Derivata strukturbildende Bedeutung für die ganze Rede haben, wurde schon aufgezeigt.[88] Nur seine inhaltliche Bestimmung steht noch aus.

Es gilt heute als allgemein erwiesen, daß ἐπαγγελία sich auf die Verheißung an David bezieht. Als stärkstes Argument gilt, daß im unmittelbar vorausgehenden v. 22 schon von David

---

79 Vgl. *M. Wilcox*, The Semitisms of Acts, Oxford 1965, 22. Bzgl. einer evt. Abhängigkeit von 1 Clem 18,1 siehe *T. Holtz*, Untersuchungen 135.
80 Vgl. *J. C. Hawkins*, Horae Synopticae, Oxford ²1909, 16.
81 Vgl. die von *J. Dupont* erstellte Liste in seinem Artikel TA ΌΣΙΑ, in: Études 346 Anm. 38.
82 Vgl. *Bauer*, Wb 700.
83 Vgl. *J. Dupont*, TA ΌΣΙΑ, in: Études 347 Anm. 39.
84 Man sollte darum nicht von einem reichlich unvermittelten Sprung von David zu Jesus sprechen, wie es z. B. bei *H. W. Beyer*, Semitische Syntax 84 geschieht.
85 So legt es J. W. Bowker in seiner Proömiumstheorie nahe: vgl. *J. W. Bowker*, Speeches 102.
86 Vgl. *E. Jacquier*, Actes CLXXVIII.
87 Bes. deutlich in Apg 7,35ff: 2mal τούτου und 3mal οὗτος. Vgl. weiterhin Apg 3,25f: ἡμεῖς ... ὑμῖν; vgl. fernerhin Apg 10,42f; 13,38f. Siehe hierzu Bl-Debr 491.
88 S. o. 1. Kapitel 3b.

45

die Rede ist und somit der heilsgeschichtliche Bezug von ἐπαγγελία auf ihn wie von selbst gegeben ist.[89]

Diese These können wir nur in modifizierter Form übernehmen. Die Bedeutung von v. 32 für die Interpretation von ἐπαγγελία scheint uns im allgemeinen vernachlässigt zu werden. Dort heißt es, daß die ἐπαγγελία an die Väter (πρὸς τοὺς πατέρας!) ergangen sei. Es fällt uns schwer einzusehen, daß damit nur David gemeint sein sollte, da doch in v. 32 ausdrücklich der Plural gebraucht wird. Wir sind darum der Meinung, daß es sich um ein- und dieselbe ἐπαγγελία sowohl in v. 23 als auch in v. 32 handelt; im Laufe der israelitischen Geschichte wurde sie immer wieder neu an die Väter gerichtet.

Der Inhalt des ganzen AT kristallisiert sich für Lukas in der einen ἐπαγγελία, welche letztlich in nichts anderem besteht als in der Botschaft von der (Auf-) Erweckung des Messias (vgl. vv. 23.32).[90]

Es muß aber auch gesehen werden, daß diese ἐπαγγελία an David, von der v. 23 zunächst spricht, für Lukas in einem engen Zusammenhang steht mit dem Eid, den Gott Abraham geschworen hat. Der Bogen spannt sich für ihn von der Auferstehung Jesu jeweils über David bis zu Abraham.[90a]

Darum sind die Kinder der Verheißung υἱοὶ γένους Ἀβραάμ (vgl. v. 26; siehe auch Apg 2,39; 3,25–26). Es ist der Gott unserer Väter, der Gott Abrahams, Isaaks und Jakobs, welcher Jesus auferweckt hat (vgl. Apg 3,13; 5,30). Wenn es dann in Apg 26,6 heißt: καὶ νῦν ἐπ᾽ ἐλπίδι τῆς εἰς τοὺς πατέρας ἡμῶν γενομένης ὑπὸ τοῦ θεοῦ κρινόμενος – eine frappierende Parallele zu v. 32 – so ist es uns nicht möglich, den Begriff ἐπαγγελία auf eine partikuläre Verheißung, nämlich die Nathansprophetie, zu beschränken.

Wir fassen darum auch in Lk 1,55 den Dativ τῷ Ἀβραὰμ καὶ τῷ σπέρματι αὐτοῦ nicht als einen dativus commodi auf,[91] sondern als eine Erklärung zu πατέρας: schon den Vätern, d. h. Abraham und seinem Samen, hatte Gott Erlösung versprochen. Im „Magnificat" wiederholt sich der gleiche Gedanke. Die Aufrichtung eines „Horns des Heiles" im Hause David ist die Einlösung des Eides an Abraham (vgl. Lk 1,69 mit Lk 1,73).

Die Begriffe ἐπαγγελία, σωτηρ(ία) und Ἀβραάμ bzw. υἱοὶ Ἀβραάμ bilden so in Lk-Apg einen Assoziationskomplex. Man sollte darum v. 23 nicht so interpretieren, als bestände die ganze ἐπαγγελία nur darin, daß aus *Davids* Haus ein σωτήρ ersteht. Wichtiger als die genealogische Komponente, d. h. wichtiger als die Verbindungslinie von ἐπαγγελία zu σπέρμα Δαυίδ ist die Verknüpfung von ἐπαγγελία mit dem Begriff σωτήρ: Die Verheißung besagt zunächst, daß Gott einen Retter erwecken wird. Diese Heilsankündigung besteht von Urzeit her (ἀπ᾽ αἰῶνος: vgl. Lk 1,70; Apg 3,21), hat sich nun aber im Hause Davids erfüllt.

Erst wenn wir die ἐπαγγελία als die Summe aller atl. Heilsprophetie verstehen, welche in der Ankündigung des σωτὴρ Ἰησοῦς gipfelt, wird die lange heilsgeschichtliche Einleitung in vv. 17–22 verständlich und sinnvoll.

Aus diesen Darlegungen wird klar, daß die von J. Dupont gewählte Lesart ἤγειρεν weit bes-

---

89 *E. Lövestam*, Son and Saviour 39f.71.84; *B. M. F. van Iersel*, „Der Sohn" in den synoptischen Jesusworten 67; *G. Lohfink*, Die Himmelfahrt Jesu (Stud. z. A. u. N. T. 26) München 1971, 234; *I. Ruggieri*, Il Figlio di Dio Davidico (Analecta Gregoriana 116, Series Facult. Theol. sectio B 54) Rom 1968, 120f.

90 *E. Jacquier*, Actes 398: „Paul fait allusion ici non à une promesse particulière faite à David, mais aux promesses messianiques, en général, faites aux patriarches et spécialement à celles que nous trouvons 2 Sam 7,12 etc." Vgl. hierzu bes. Lk 24,44–47; Apg 26,6–8.

90a Vgl. Lk 1,69f: die Verheißung gilt ἀπ᾽αἰῶνος; vgl. Apg 3,25 (Abraham); 3,22 (Moses).

91 So *M. Zerwick*, Graecitas Biblica 55.

ser dem Kontext gerecht wird als ἤγαγεν.[92] In seiner Doppeldeutigkeit von erwecken bzw. auferwecken ist ἐγείρω geeignet, den Übergang von der in vv. 17–22 skizzierten Vorgeschichte des σωτὴρ 'Ιησοῦς zur folgenden Botschaft von der eigentlichen σωτηρία in Christus (vgl. v. 26) zu bilden. Aus den Versen vv. 24–25 ergibt sich, daß ἤγειρεν auch auf das erste öffentliche Auftreten Jesu hinweist und sich so einstweilen der Sinn von „erwecken" rechtfertigt.

In Verbindung mit dem Titel σωτήρ bezieht sich ἤγειρεν letztlich aber auf die Auferstehung, da Jesus erst durch sie von Gott für immer als σωτήρ konstituiert worden ist (vgl. vv. 32–33). Wir übersetzen darum in v. 23: Gott hat dem Volk Israel als Retter Jesus erweckt, wobei „erweckt" auch für die Interpretation von „auferweckt" offenbleiben muß.

Die Analyse von Apg 13,20b–23 hat uns zu folgendem Ergebnis gebracht:
– Wie in Apg 13,16b–22a, so benutzt der Redaktor auch hier die LXX in einer sehr differenzierten Weise. Auffällig ist bes. die Verbindung von ἐγείρω und σωτήρ, die sich in der LXX nur noch in Ri 3,15 vorfindet und das Testimonium in v. 22, das als Mischzitat vom Redaktor selbst in origineller Weise eingeführt worden ist. Schon dieser *auswählende und selbständige Umgang mit der LXX* verrät die Konzentration auf eine bestimmte Aussage.
– Wie in Apg 13,16b–22a, ist auch hier die Darstellung der Heilsgeschichte *bewußt positiv*. Wenngleich der Redner sich auf Ri 3,9.15 (vgl. Apg 13,22f) bezieht, erwähnt er doch nicht die in diesen Versen angesprochene Notlage. Die Richter werden nur zitiert, weil sie als Rettergestalten eine typologische Bedeutung haben. Die Kritik an der Forderung des Volkes nach einem König klingt in ᾐτήσαντο (v. 21) nur unterschwellig an. Auch die Absetzung Sauls (vgl. μεταστήσας in v. 22) findet offensichtlich nur deshalb Erwähnung, um das im folgenden ἤγειρεν (v. 22) wieder aufgegriffene Thema von der Erhöhung um so stärker zu akzentuieren. David schließlich erscheint in einem ausschließlich positiven Licht.
– Daß in diesem Abschnitt zum ersten Mal *Personen*namen genannt werden, unterscheidet ihn stark von dem vorhergehenden. In der Nennung der Richter, Samuels und Sauls und dem Fortlassen des Themas „Tempelbau" bei der Einführung der Person Davids liegt auch ein entscheidender Unterschied zur Stephanusrede (vgl. Apg 7,45–50 mit Apg 13,22b–23). Das Interesse des Redners aber, das sich jetzt auf Personen richtet, entspricht ganz der aufsteigenden Linie des Exordiums: Das Heil soll sich so mehr und mehr für den Zuhörer bzw. Leser *in einer Rettergestalt konzentrieren*.
– In dieser Hinsicht ist für den antiochenischen Prediger das Thema „Tempelbau" nicht von Bedeutung (diff. Apg 7,45–50). David wird von ihm deshalb herausgehoben, weil er durch seinen gehorsamen Dienst in einzigartiger Weise *der Typos des Retters Jesus* ist. In der Beschreibung seiner Erhöhung oder Inthronisation (vgl. ἤγειρεν in v. 22) und dem folgenden Testimonium treten die typologischen Bezüge zur Gestalt Jesu besonders stark hervor. Die „Erweckung" Davids zum König ist für den Verfasser von Apg 13,16–41 die vorbildhafte Heilstat Gottes schlechthin, so daß er von v. 22 aus unmittelbar zum Thema von der „Erweckung" des Retters Jesus übergehen und dessen Erhöhung analog zur Inthronisation Davids beschreiben kann (vgl. Apg 13,32–36; siehe auch dort das Testimonium in v. 33 = Ps 2,7).

Mit v. 23 erreicht das heilsgeschichtliche Credo seinen ersten Kulminationspunkt. Die Thematik, die die Darstellung des heilsgeschichtlichen Aufrisses von vv. 17a–22 schon immer

---

92 Vgl. *J. Dupont*, L'utilisation, in: Études 254 Anm. 13: „ἤγαγεν serait une correction ,littéraire', de provenance alexandrine, dépourvue de parallèles dans le contexte des Actes." Diff. *B. M. Metzger* (Hrsg.), A Textual Commentary on the Greek New Testament, London – New York 1971, 408; hier wird ἤγαγεν vorgezogen, weil diese Lesart die ungewöhnlichere und darum ursprünglichere sei.

bestimmte, wird nun durch die Stichworte „*Verheißung*", „*Heiland-Retter*" und „*(Auf-)Er-weckung*" zusammengefaßt und ausdrücklich gemacht.

3. APG 13,16b–23 ALS SITUATIONSGERECHTE REKAPITULATION DER GESCHICHTE ISRAELS

Es ist G. Delling zuzustimmen, wenn er nach der Analyse von Apg 13,16b–23 ausführt, daß dieser Abschnitt der Rede einen programmatischen Einblick in die Thematik und Konzeption der antiochenischen Rede gewährt.[93] Der ganze Geschehensablauf führt planmäßig zur Erweckung des σωτὴρ ᾽Ιησοῦς und damit zum Thema der Predigt Pauli; Gottes Handeln in Jesus ist von seinem Handeln in der Geschichte Israels seit dessen Beginn in der Erwählung der Väter nicht zu lösen.

Stilistische und terminologische Eigenheiten in vv. 16b–23 sprechen gegen die These von M. Dibelius, daß dieses Kompendium der Geschichte Israels jede Beziehung auf die besondere Predigtsituation vermissen lasse.[94] Diese Einleitung, welche die Schattenseiten der vergangenen Geschichte Israels nur andeutungsweise erwähnt, ist zunächst als eine *captatio benevolentiae* vor den anwesenden jüdischen Zuhörern zu begreifen. Das gleiche Genus der Einleitung, natürlich der neuen Situation angepaßt, finden wir in der Areopagrede (vgl. Apg 17,22f): Paulus befindet sich in einem missionarischen Neuland, das sich der neuen Botschaft noch öffnen oder verschließen kann. Vor den jerusalemitischen Juden läßt Lukas Stephanus die Geschichte Israels durchaus nicht in diesem wohlwollenden Sinn rekapitulieren (vgl. bes. Apg 7,51f)!

Mögen Lukas auch für diesen Abschnitt Quellen zur Verfügung gestanden haben, so weist doch alles darauf hin, daß er dieses Material ganz in seinem Sinn verarbeitet hat. Die Annahme, daß Lukas Apg 13,17–23 in Anlehnung an 2 Sam 7,6–16 redigiert habe, ist nicht mehr als eine kaum zu beweisende Hypothese.[95]

Ein synoptischer Vergleich von Apg 13,17–23 mit 2 Sam 7,6–16 zeigt,[96] daß sich die Einleitung zur Paulusrede in Thematik und Terminologie erheblich von der Nathansprophetie unterscheidet und somit der Bezug auf eine partikuläre Quelle nicht gerechtfertigt ist.

Was die Thematik betrifft, so gipfelt die Nathansprophetie in der Ankündigung, daß Davids Königtum für immer in seinem Nachkommen gesichert sein werde (vgl. 2 Sam 7,16). Dem antiochenischen Prediger aber geht es nicht so sehr um die Betonung der ewigen Herrschaft des Davidssohnes, sondern vielmehr um das daraus sich ableitende Heil. „La ,promesse' (ἐπαγγελία) mentionnée au v. 23 concerne non le fait isolé de la résurrection, mais l'envoi ,d'un Sauveur pour Israel'."[97] Der entscheidende Begriff σωτήρ begegnet uns aber im Zusammenhang von 2 Sam 7,6–16 nicht!

Die einfache parataktische Anordnung in vv. 17–20a – im Gegensatz zur stilistisch komplizierter gestalteten Nathansprophetie – rückt diesen Abschnitt eher in die Nähe des deutero-

---

93 Vgl. *G. Delling*, Israels Geschichte 195.
94 Vgl. *M. Dibelius*, Die Reden, in: Aufsätze 143: „Aber es fällt schon beim ersten Lesen auf, daß der erste Abschnitt der Rede 13,16–22 jede Beziehung auf den Missionar und vollends auf den Inhalt der Missionspredigt vermissen läßt."
95 Zur Kritik an E. Lövestam vgl. auch *T. Holtz*, Untersuchungen 134 Anm. 1 (kritisiert Überwertung der Nathansprophetie) wie auch die Rezension dieses Autors in: ThLZ 88 (1963) 203: „Dennoch kann die Arbeit von L. als Ganzes schwerlich überzeugen." B. Lindars wirft E. Lövestam ebenfalls Simplifizierung vor, da er den redaktionsgeschichtlichen Aspekt nicht genügend berücksichtigt habe: vgl. seine Rezension in: JThSt 14 (1963) 148.
96 Zu einer solchen Synopse vgl. *L. Hartmann*, Davids Son 121–123.
97 *J. Dupont*, TA ᾽ΟΣΙΑ, in: Études 358.

nomischen Credo (Dtn 26,5–9). Strikte literarische Parallelen lassen sich aber weder im AT noch in der jüdisch-rabbinischen Literatur aufweisen.[98]

Was vv. 20b–22 betrifft, so scheint sich schon eher eine Beeinflussung durch die Nathansprophetie nahezulegen. Von den Richtern wie auch von dem signifikativen Gegensatz zwischen Saul und David ist dort ebenfalls die Rede (vgl. 2 Sam 7,11 bzw. 15). Bezeichnenderweise aber wird Saul nicht im LXX-Text erwähnt.[99] Wenn man aber auf der einen Seite terminologische Abhängigkeit auf Grund des LXX-Textes festzustellen glaubt, sollte man auf der anderen Seite auch dem Faktum mehr Rechnung tragen, daß die LXX, der Lukas im allgemeinen in seinen Schriftzitationen folgt,[100] hier eben Saul nicht erwähnt.[101]

Des weiteren besteht das entscheidende Gotteszeugnis in v. 22b aus Schriftstellen, von denen keine einzige aus 2 Sam 7,6–16 stammt.

Wir betonen dies, um davor zu warnen, die ganze Rede nur auf dem Hintergrund des David-Bundes zu interpretieren, wo doch vielmehr Lukas das ganze AT als eine einzige ἐπαγγελία vor Augen hat.[102]

---

98 Zuletzt hat J. *Heinemann* noch mit aller Schärfe davor gewarnt, den jüdischen Perikopenzyklus der Interpretation ntl. Reden zugrundezulegen: „Such a hypothesis contradicts all available evidence, and belongs clearly to the realm of fiction": JJS 19 (1968) 46. So sind auch die Ausführungen von L. *Hartmann*, Davids Son 120–122 reine Vermutungen.

99 Es heißt in 2 Sam 7,15 einfach: καθὼς ἀπέστησας ἀφ'ὧν ἀπέστησα ἐκ προσώπου μου.

100 Vgl. L. *Cerfaux*, Citations scripturaires et tradition textuelle dans le livre des Actes, in: Au seuil de la tradition chrétienne, Mél. M. Goguel, Neuchâtel 1950, 43–51.

101 Dem tragen E. *Lövestam*, Son and Saviour 7 bzw. J. W. *Doeve*, Jewish Hermeneutics 172 durchaus nicht Rechnung, wenngleich J. W. Doeve, auf den sich E. Lövestam beruft, mit dem TM argumentiert!

102 Richtiger wäre es dann, mit H. *Conzelmann*, Mitte der Zeit 206 in Apg 13,23.32 zunächst von einer „Verheißung an Israel" zu sprechen.

3. Kapitel
Johannes d. T. im Rahmen der Heilsbotschaft (Apg 13,24–26)

1. ZUR FRAGE DES HEILSGESCHICHTLICHEN VERHÄLTNISSES VON JOHANNES D. T. ZU JESUS

Schon J. Bernoulli stellte treffend fest, daß Lukas unter den Synoptikern gewissermaßen der „Spezialist" für die Darstellung des Verhältnisses von Johannes d. T. zu Jesus sei,[1] und in der Tat fällt gerade bei Lukas die sich „überbietende Parallelität der Johannes- und Jesusgeschichten"[2] ins Auge. Spätestens seit R. Morgenthaler[3] wissen wir darum, welch bevorzugter Platz dem Stilelement der sog. Synkrisis in den lukanischen Schriften eingeräumt wird. Diese Erkenntnis ist gerade für die Exegese von Lk 1–2 systematisch ausgewertet worden.[4]

Bis heute aber konnte noch keine Einigung darüber erzielt werden, wie diese Parallelität in der Darstellung der Johannes- und Jesusgeschichten exegetisch-theologisch zu bewerten ist. Darüber, daß die Urgemeinde dem Täufer eine außerordentliche Bedeutung beigemessen hat, kann bei neunmaliger Nennung seines Namens in der Apg kein Zweifel bestehen.[5] War die Autorität des Täufers so groß, daß es immer wieder zu einer Konfrontation mit dem messianischen Anspruch Jesu in der Urgemeinde kommen mußte?[6]

Uns scheint es äußerst wichtig zu sein, hier zwischen einer traditions- und redaktionsgeschichtlichen Fragestellung zu unterscheiden. Daß Lukas auf Traditionsmaterial zurückgreift, dessen ursprünglicher „Sitz im Leben" in einer apologetischen Auseinandersetzung des Täufers mit dem falschen Messiasglauben bzw. -verdacht seiner eigenen Anhänger zu suchen ist, kann nicht bestritten werden.[7]

Auf der anderen Seite aber kann sich die ursprünglich apologetische Funktion des johanneischen Jesuszeugnisses durchaus verändern, wenn die Ausgangslage, aus der es hervorgegangen ist, nicht mehr existiert oder sich gewandelt hat.[8] Mit Recht dürfen wir davon ausgehen, daß es im Kerygma der Apg nicht allein um das Referieren historischer Daten geht, sondern primär um gegenwartsbezogene Verkündigung für Christen bzw. Menschen, welche sich Christus schon zugewandt haben.[9] Die Worte Johannes' d. T. erscheinen hier in einem ganz anderen geschichtlichen und literarischen Kontext.

---

1 Vgl. *C. A. Bernoulli*, Johannes der Täufer und die Urgemeinde, in: *C. A. Bernoulli*, Die Kultur des Evangeliums I, Leipzig 1918, 492 Anm. 2.
2 *H. Flender*, Heil und Geschichte in der Theologie des Lukas (BEvTh 41) München 1965, 25.
3 Vgl. *R. Morgenthaler*, Die lukanische Geschichtsschreibung I–II.
4 Vgl. hierzu die sehr illustrative Synopse bei *W. Wink*, John the Baptist in the Gospel Tradition (NTS Monograph Series 7) Cambridge 1968, 59.
5 Apg 1,5.22; 10,37; 11,16; 13,24.25; 18,25; 19,3.5.
6 So versuchen die meisten Autoren die Einführung des Täufers in das Kerygma der Apg zu erklären; als Schlüsselverse gelten dabei Lk 3,15 und Apg 19,1–7. Siehe u. a. *O. Bauernfeind*, Die Apostelgeschichte (ThHK 5) Leipzig 1939, 174; *C. H. Dodd*, Historical Tradition in the Fourth Gospel, Cambridge 1963, 297 Anm. 1; *H. Schürmann*, Das Lukasevangelium (HThK III 1) Freiburg 1969, 169. Diesen Erklärungsversuch lehnt W. Wink mit überzeugenden Gründen ab: vgl. *W. Wink*, John the Baptist 82–86.
7 Vgl. Lk 3,15f mit Joh 1,19–28; der erste Teil des Täuferwortes in Apg 13,25 erinnert bis in die Diktion hinein an Joh 1,19f: vgl. dazu auch *G. Delling*, Jesusgeschichte 376.
8 W. Wink hat schlüssig nachgewiesen, daß Lukas von den Täufergemeinden nur vom „Hörensagen" wußte und diese für ihn kein Problem mehr bildeten: vgl. *W. Wink*, John the Baptist 85. Zudem ist die Existenz von Täufergemeinden nur für Palästina und Syrien bezeugt: vgl. *E. Käsemann*, Die Johannesjünger in Ephesus: ZThK 49 (1952) 154.
9 Vgl. Lk 1,4 und Apg 1,1. Damit soll nicht ausgeschlossen werden, daß das Traditionsgut ursprünglich vielleicht von einer Täufergemeinde stammt (so *O. Glombitza*, Akta 310), oder die Täuferbewegung in Qumran u. U. ihren Wurzelboden gehabt hat (vgl. zu diesem Fragenkomplex *W. H.*

Welche Absicht verfolgt nun Lukas, wenn er den Täufer in das Kerygma der Acta-Reden einbringt? In der Beantwortung dieser Frage hilft nur der Blick auf den Text weiter. Der kurze Passus über Johannes d. T. (vv. 24–25) findet sich, wie wir im 1. Kapitel ausgeführt haben,[10] zwischen zwei „versets charnières", welche sich nahtlos aneinander anschließen. Die gedankliche und terminologische Verklammerung von v. 23 und v. 26 ist dabei unübersehbar (vgl. v. 23: σωτῆρα ᾿Ιησοῦν; v. 26: ὁ λόγος τῆς σωτηρίας ταύτης).

Diese literarische Gegebenheit hat U. Wilckens zu der Vermutung veranlaßt, es handle sich in vv. 24f lediglich um einen parenthetischen Einschub, dessen Sinn in der heilsgeschichtlichen Distanzierung des Täufers von Jesus liege.[11] So folgert er: „Erst Lukas hat den Täufer in den Zusammenhang des Kerygmas der Actareden eingebracht, und zwar nur zu dem Zweck zu betonen, daß der Täufer in das Jesusgeschehen nicht selbst hineingehöre, sondern als der letzte Prophet seinen Ort noch in der vorchristlichen Epoche des Heilsgeschehens habe."[12] U. Wilckens versteht vv. 24f also wesentlich als einen erklärenden Zusatz im Sinne einer negativen Abgrenzung. Zur Heilsbotschaft selbst, welche sich in v. 23 und v. 26 programmatisch ankündigt, darf der kurze Bericht über die Predigttätigkeit des Täufers nicht gerechnet werden.

Mit einer solchen Exegese von vv. 24f schließt sich U. Wilckens der Drei-Epochen-Theorie von H. Conzelmann an, die, von Lk 16,16 ausgehend, Johannes d. T. der Zeit Israels zuordnen will.[13] H. Conzelmann hat mit seinem Verständnis von Lk 16,16 weithin Anklang gefunden. Im Anschluß an ihn haben neben U. Wilckens auch andere Forscher das lukanische Täuferbild nach dem Schema des sog. Stürmerspruches (Lk 16,16) zu bestimmen versucht.[14]

Dieses Täuferbild glaubt man vor allem durch Apg 13,25 bestätigt zu finden. So ist für S. Schulz dieser Vers, neben Lk 16,16, der eigentliche „Schlüssel für die heilsgeschichtliche Ortsbestimmung" des lukanischen Doppelwerkes.[15]

Wir können uns des Eindrucks nicht erwehren, daß eine solche Exegese von Lk 16,16 und Apg 13,25 durch eine allzu starke schematisierende Tendenz präjudiziert ist. So hat W. G. Kümmel ausführlich dargelegt, daß H. Conzelmanns Verständnis von Lk 16,16 weniger auf einer exakten Analyse beruht, als vielmehr auf einem Vorverständnis der lukanischen Theologie als einer „dreistufigen Heilsgeschichte"[16].

Es ist äußerst bezeichnend, daß H. Conzelmann das Recht zu einer solchen programmatischen Verwendung des sog. Stürmerspruchs exegetisch nicht begründet hat.[17] Aus einer sorgfältigen Analyse von Lk 16,16 ergibt sich nach W. G. Kümmel nämlich zweierlei:

Brownlee, John the Baptist in the New Light of Ancient Scrolls, in: The Scrolls and the New Testament, ed. by K. Stendahl, New York 1957, 33–53). H. Braun äußert sich kritisch zu der These, der Täufer komme aus Qumran: vgl. H. Braun, Qumran und das Neue Testament II, Tübingen 1966, 24.

10 S. o. 1. Kapitel 3b.
11 Vgl. U. Wilckens, Missionsreden³ 102.
12 Vgl. ebd. 106.
13 Vgl. H. Conzelmann, Mitte der Zeit 16–21.
14 Vgl. E. Haenchen, Apg 86; E. Grässer, Das Problem der Parusieverzögerung in den synoptischen Evangelien und in der Apostelgeschichte (BZNW 22) Berlin 1956, 188; W. Marxen, Einleitung in das Neue Testament, Gütersloh ³1964, 139.
15 S. Schulz, Die Stunde der Botschaft, Hamburg 1967, 284.
16 Vgl. W. G. Kümmel, „Das Gesetz und die Propheten gehen bis Johannes" – Lukas 16,16 im Zusammenhang der heilsgeschichtlichen Theologie der Lukasschriften, in: Verborum Veritas, Festschrift G. Stählin, München 1970, 90.
17 Schon vor W. G. Kümmel hatte H. Zimmermann zur Kritik richtig angemerkt: „Bemerkenswert erscheint, daß der Vers, obwohl er so oft vorkommt, nirgendwo genau analysiert und mit der Matthäus-Parallele (Mt 11,12.13) verglichen wird, um dadurch zur Q-Fassung des Spruches zu gelangen und davon die lukanische Redaktion sauber abheben und auswerten zu können": H. Zimmermann, Neutestamentliche Methodenlehre, Stuttgart ²1968, 217.

51

1. Der Sinn dieses Spruchs kann nicht mit einer derartigen Sicherheit erhoben werden, daß er als Schlüsselvers für die heilsgeschichtliche Ortsbestimmung des lukanischen Doppelwerkes dienen kann.
2. Mit ziemlicher Wahrscheinlichkeit darf Lk 16,16 dahingehend verstanden werden, daß Lukas mit der Täuferpredigt die neue Heilszeit schon für angebrochen hält.[18]

W. G. Kümmel entzieht damit der ganzen Theorie von H. Conzelmann das exegetische Fundament. Die Heranziehung der lukanischen Geburtsgeschichten wie auch von Apg 10,37 und Apg 13,24f zeigen nach W. G. Kümmel das gleiche: Der Täufer wird im Zusammenhang des Hinweises auf die Sendung Jesu und nicht außerhalb dieses Heilsgeschehens genannt.[19] Allerdings kommt der Autor nicht dazu, seine These bzgl. der zuletztgenannten Stellen mit einer ausführlichen Analyse zu untermauern.

Unsere Aufgabe wird es im folgenden sein, Apg 13,24f unter dem Gesichtspunkt der genannten Problematik zu exegesieren.

2. ANALYSE VON APG 13,24–26

a) Der Täufer als Herold (Apg 13,24–25)

v. 24: προκηρύξαντος Ἰωάννου πρὸ προσώπου τῆς εἰσόδου
αὐτοῦ βάπτισμα μετανοίας παντὶ τῷ λαῷ Ἰσραήλ.

Lk 16,16 gehört einer Gruppe von drei Logia an (vgl. Lk 16,16–18), die als solche von Lukas offensichtlich übernommen worden ist und deren ursprünglicher Gedankenzusammenhang sich kaum noch ermitteln läßt.[20] Der Passus über Johannes d. T. in Apg 13,24f hingegen ist kein in sich stehendes Logion, sondern ist Teil eines zusammenhängenden geschichtlichen Kompendiums.[21] Es ist darum von vornherein problematisch, Apg 13,24f als einen „Einzelstoff" abzuhandeln; die beiden Verse über Johannes d. T. lassen sich nicht schematisierend von ihrem Kontext abtrennen.[22] Eine solche Betrachtungsweise wird der Redekomposition nicht gerecht.

So bilden v. 23 und v. 24 auf Grund des genitivus absolutus eine syntaktische Einheit; der logisch-zeitliche Anschluß von v. 25 an vv. 23f ist gewahrt durch das einleitende ὡς δέ; schließlich will die erneute Anrede in v. 26 nicht nur auf v. 23 zurückgreifen, sondern gleichzeitig berücksichtigen, daß der vorhergehende v. 25 mit einem Zitat endet; sie ersetzt so das im Griechischen fehlende Anführungszeichen.[23]

Rein grammatikalisch gesehen handelt es sich also in vv. 24f nicht um einen parenthetischen Einschub, von dem man bei der Interpretation von v. 23 und v. 26 absehen könnte, sondern um den integrierenden Bestandteil einer bestimmten Gedankenabfolge. Nach dem Aufbau der Predigt schließt der λόγος σωτηρίας (vgl. v. 23 mit v. 26), die Heilsbotschaft, den Hinweis auf Johannes d. T. ein (vgl. vv. 24f). Diese innere Beziehungseinheit zwischen der historia des Täufers und der historia Jesu erklärt die Hinzufügung des demonstrativen ταύτης in v. 26.

---

18 Vgl. *W. G. Kümmel*, Das Gesetz und die Propheten 101f.
19 Vgl. *ebd.* 100f.
20 Vgl. *W. Grundmann*, Das Evangelium nach Lukas (ThHK 3) Berlin [2]1966, 319f.
21 S. o. 1. Kapitel 3b.
22 Da U. Wilckens Apg 13,24f als einen parenthetischen Einschub betrachtet, zieht er auch keine Verbindungslinien zu den vorhergehenden und nachfolgenden Ausführungen Pauli: vgl. *U. Wilckens*, Missionsreden[3] 100–106.
23 Vgl. *E. Haenchen*, Apg 142.

Noch deutlicher drückt man diesen Sachverhalt aus, wenn man einfach sagt: Johannes d. T. gehört zur historia Jesu.[24]

Exegetisch gesehen bleibt nun doch die Frage, wie innerhalb des antiochenischen Kerygma das heilsgeschichtliche Verhältnis von Johannes d. T. zu Jesus zu definieren ist.[25] Der Lösung dieses wichtigen redaktionsgeschichtlichen Problems wollen wir zunächst durch eine genaue Textanalyse näherzukommen versuchen.

U. Wilckens glaubt, die Präposition προ- werde in v. 24 von Lukas bewußt vorangestellt und anschließend wiederholt und weise so auf eine polemische Auseinandersetzung mit dem Täufer hin. Bestimmend für die heilsgeschichtliche Funktion und Stellung des Täufers sei nach vv. 24f die zeitliche Vorordnung vor Jesus; das Auftreten von Johannes d. T. falle mithin *in die Zeit des AT.*[26] In der Wahl zwischen einer temporalen und lokalen Interpretation der Präposition προ- entscheidet sich U. Wilckens einseitig für die temporale.[27]

Das Verbum προκηρύσσω (v. 24) wird von diesem Autor konsequent im Sinne von „prophetisch vorherverkündigen" interpretiert, wie auch andererseits dem folgenden Semitismus πρὸ προσώπου ein rein temporaler Sinn unterlegt wird.[28] Die ganze Argumentation dieses Forschers läuft darauf hinaus, zu zeigen, daß Lukas, ganz im Gegensatz zu seiner Quelle Markus, Johannes d. T. *nicht als den messianischen Vorläufer begreift, sondern als den letzten atl. Propheten.*[29] Ist aber dieses Täuferverständnis v. 24 zu entnehmen?

Wenn wir uns vor Augen halten, daß auch bei hellenistischem Sprachgebrauch das Kompositum προκηρύσσω an die Stelle des Simplex κηρύσσω treten kann, ohne daß dadurch der Sinn von κηρύσσω verändert wird,[30] so kann die Interpretation, daß bei προκηρύξαντος in v. 24 der Akzent auf der Präposition προ- liegen soll, nicht mehr ohne weiteres überzeugen. προκηρύσσω ist leider im NT und in der LXX ein Hapax-Legomenon, so daß uns Vergleichsmaterial fehlt. Wenn aber Lukas im übrigen für die Predigttätigkeit des Täufers das Simplex κηρύσσω gebraucht,[31] ist dies nicht umgekehrt ein Hinweis darauf, daß Lukas das προ- offensichtlich nicht besonders betont wissen will?

24 Vgl. auch Apg 1,22; 10,37. Hier wird Johannes d. T. gleichfalls im Zusammenhang mit der Sendung Jesu genannt. Schon M. Dibelius stellte fest: „Wie man aber die Taufbewegung ursprünglich als Ausgangspunkt der Evangelien bewertet hat, das zeigen nicht nur die synoptischen Berichte, sondern auch die Erwähnung des Johannes in den Reden der Apostelgeschichte": vgl. *M. Dibelius,* Die urchristliche Überlieferung von Johannes dem Täufer (FRLANT 15) Göttingen 1911, 97.

25 Ansätze dazu finden sich bei *W. C. Robinson,* Der Weg des Herrn. Studien zur Geschichte und Eschatologie im Lukas-Evangelium (Theol. Forsch. 36) Hamburg 1964, 21.28.

26 Vgl. *U. Wilckens,* Missionsreden³ 105: „Lukas versteht diesen Spruch (sc. Lk 16,16) eindeutig im Sinne seiner eigenen Täufertheorie; Gesetz und Propheten gehören der ersten Epoche der Heilsgeschichte an, die mit Johannes ihren Abschluß gefunden hat."

27 Vgl. *ebd.* 102: „In dem betont vorangestellten und wiederholten προ ist eine heilsgeschichtlich wichtige zeitliche Vorordnung des Täufers vor Jesus ausgesprochen."

28 Vgl. *ebd.* 102.

29 Vgl. *ebd.* 103: „In der Sicht des Lukas ist Johannes ein Prophet, der letzte Prophet vor Jesus." Vgl. auch *H. Conzelmann,* Mitte der Zeit 19: „Er (sc. der Täufer) ist *nicht* der ‚Vorläufer', denn das gibt es nicht; er ist der letzte der Propheten."

30 Vgl. *G. Friedrich,* προκηρύσσω, in: ThW III, 717: „προκηρύσσειν heißt nach den Belegen, die wir kennen, recht selten *im voraus etwas verkündigen.* Meistenteils hat es entweder der alten Bedeutung entsprechend oder aber dem hellenistischen Sprachgebrauch folgend, da die Komposita dem Simplex vorzieht, denselben Sinn wie κηρύσσειν." Vgl. z. B. Soph El 683: ὅτ' ἤσθετ' ἀνδρὸς ὀρθίων κηρυγμάτων δρόμον προκηρύξαντος; Philo Gig 39: οἱ ἐν ἀγορᾷ τὰ ὤνια προκηρύττοντες. προκηρύσσειν kann auch „weissagen", „verheißen" bedeuten, doch ist dieser Sinn für Apg 13,24 auszuschließen: vgl. *ebd.;* anders *Bauer,* Wb 1403.

31 Vgl. Lk 3,3 und Apg 10,37. Dies ist um so bemerkenswerter, als Lukas Komposita mit προ- gern gebraucht: vgl. πρόγνωσις in Apg 2,23; προορίζω in Apg 4,28; προχειρίζω in Apg 3,20; 22,14; 26,16. Es steht jedenfalls fest, daß Lukas für die prophetische „Vorherverkündigung" den Terminus προκαταγγέλλω verwendet: vgl. Apg 3,18; 7,52.

Stände προκηρύξαντος in v. 24 absolut, d. h. ohne ein Objekt,[32] ließe sich eine emphatische Bedeutung von προ- schon eher verteidigen. Nun aber regiert προκηρύξαντος ein direkt abhängiges Akkusativobjekt, nämlich βάπτισμα μετανοίας. Logisch aber läßt sich dann προκηρύσσω nur im Sinne von *proclamare* verstehen, da es sich ja hier nicht um die Verkündigung einer futurischen, sondern präsentischen Wirklichkeit handelt: die Bußtaufe wird von Johannes d. T. nicht prophetisch „vorausgesagt", sondern als eine schon gegenwärtige Heilsmöglichkeit proklamiert!

Der Bedeutungsinhalt von προκηρύσσω (βάπτισμα μετανοίας) in v. 24 ist so wesentlich mit der geläufigeren Formel κηρύσσω (βάπτισμα μετανοίας) identisch.

Direkt auf die Verhältnisbestimmung von Johannes d. T. und Jesus bezieht sich indessen die Formulierung πρὸ προσώπου τῆς εἰσόδου αὐτοῦ. U. Wilckens versteht natürlich auch hier, ganz im Sinne seiner Theorie, die Präposition προ- als ein zeitliches „Vorher": die Wiederholung von προ- diene nur dazu, die zeitliche Distanz zwischen Johannes d. T. und Jesus zu unterstreichen.

Auch hier kann uns seine Interpretation nicht überzeugen. Zunächst ist es eine allgemeine Spracherscheinung, daß die Präposition gerade bei einer eigentlich lokalen Bedeutung des Verbums der Ergänzung noch einmal beigegeben wird.[34] Zudem ist im gesprochenen Judengriechisch πρὸ προσώπου vollständig zu einer Präposition verblaßt, so daß es nicht angeht, πρὸ προσώπου im Sinne eines emphatischen προ- zu interpretieren.[35] Warum aber zieht Lukas diese LXX-Wendung dem einfachen προ- vor?[36]

Wir kommen einer Antwort näher, wenn wir vom LXX-Sprachgebrauch ausgehen. Ein Überblick über die Verwendung von πρὸ προσώπου in der LXX zeigt, daß es im Gegensatz zur Interpretation von U. Wilckens bei πρὸ προσώπου primär um die Bezeichnung einer *räumlichen* Vorstellung geht.[37] Dies läßt den Schluß zu, daß Lukas in v. 24 die LXX-Formel u. a. deswegen verwendet, um das Räumliche im Begriff εἴσοδος hervorzuheben.[38]

Dazu ist zu bemerken, daß die Wortkombination von v. 24 durchaus ungewöhnlich ist, insofern in der LXX bei etwa 90 Stellen mit πρὸ προσώπου der Genitiv mit einer einzigen Ausnahme stets eine Person bezeichnet.[39] Die Verknüpfung von πρὸ προσώπου mit εἴσοδος ist äußerst originell und eindeutig lukanischen Ursprungs.[40] Gerade darum gilt es, die hierin liegende Bedeutungsnuance zu erfassen.

---

32 „κηρύσσειν non est verbum, quod ex se requirit cooperationem alterius ad complendam actionem": *B. Brinkmann,* De praedicatione christologica S. Ioannis Baptistae: VD 10 (1930) 312 Anm. 5. Vgl. hierzu die Aussage über Johannes d. T. in Mt 3,1. Lukas gebraucht κηρύσσω allerdings nie absolut.

33 Vgl. *U. Wilckens,* Missionsreden³ 102.

34 Vgl. Bl-Debr 484.

35 Vgl. Bl-Debr 217,1.

36 Vgl. Bl-Debr 4,2: „Für feierlichen und würdevollen Stil erschien die Sprache der LXX als sehr passend; das beste Beispiel dafür bieten die beiden ganz in alttestamentlichem Stil gehaltenen Hymnen Lk 1,46–55 und 68–79; auch Fälle wie καὶ ἰδού ... gehören hierher." Ob nicht schon dies ein Grund für den Gebrauch von πρὸ προσώπου in Apg 13,24 sein kann?

37 Vgl. Ex 23,20; 32,34; 33,2; 34,6; Num 14,42; 27,17; Dtn 1,30; 3,18.28; 31,3; Mal 3,1 u. a. Siehe hierzu *M. Johannessohn,* Der Gebrauch der Präpositionen in der LXX, Berlin 1926, 184f. Im räumlichen Sinn wird πρὸ προσώπου auch im NT verwendet: vgl. Mt 11,10; Mk 1,2; Lk 1,76 (C D Θ pl.); 7,27; 9,52; 10,1. Die einzige Stelle, welche zur Diskussion steht, ist Apg 13,24!

38 So auch *B. Reicke,* προ, in: ThW VI, 685. W. Bauer sieht πρὸ προσώπου in Apg 13,24 auf der Grenze zwischen örtlicher und zeitlicher Bedeutung: vgl. *Bauer,* Wb 1391.

39 Die einzige Ausnahme ist 2 Chr 1,13: vgl. *W. Michaelis,* εἴσοδος, in: ThW V, 111.

40 Für diese Wortkombination haben wir in der gesamten biblischen und klassischen Literatur keine Parallele. Lukas sieht offensichtlich den εἴσοδος Ἰησοῦ kontrapunktisch zum ἔξοδος Ἰησοῦ in Jerusalem (vgl. Apg 13,24 mit Lk 9,31). Vgl. auch Apg 1,21: ἐν παντὶ χρόνῳ ᾧ εἰσῆλθεν καὶ ἐξῆλθεν (!) ἐφ' ἡμᾶς ὁ κύριος Ἰησοῦς.

54

Eine weitere Ausnahme von der Regel ist darin zu suchen, daß der Begriff εἴσοδος, ganz im Gegensatz zu seiner sonstigen Verwendung im NT,[41] weder durch die Angabe des Ziels, noch durch irgendeine Zeitbestimmung näher bestimmt wird. Der Kontext vermag allerdings nähere Hinweise zu geben. Wenn es in v. 23 heißt: ἤγειρεν τῷ Ἰσραὴλ σωτῆρα Ἰησοῦν und anschließend in v. 24: προκηρύξαντος Ἰωάννου βάπτισμα μετανοίας παντὶ τῷ λαῷ Ἰσραήλ, so liegt es nahe, auch εἴσοδος auf Ἰσραήλ zu beziehen: Der σωτὴρ Ἰησοῦς ist von Gott für Ἰσραήλ bestimmt; der Täufer bereitet das ganze Volk in seiner umfassenden volksmissionarischen Tätigkeit auf das Kommen des Heilandes vor,[42] damit Jesus seinen Einzug (εἴσοδος) in Ἰσραήλ halten kann.

Natürlich enthalten solche universal geprägten lukanischen Formulierungen schon theologische Reflexionen, welche, von partikulären Ereignissen ausgehend, diese in ihrer universalen Bedeutung einsichtig zu machen versuchen. Woher, von welchem besonderen Ereignis, mag sich diese Vorstellung vom εἴσοδος Ἰησοῦ in Israel herleiten?

Eine starke Beeinflussung durch den bekannten Malachiastext (Mal 3,1) darf man für Apg 13,24 für erwiesen halten.[43] Inhaltliche und terminologische Übereinstimmungen lassen mit einiger Sicherheit darauf schließen.[44] Auch in Mal 3,2 wird z. B. der Begriff εἴσοδος absolut gebraucht (ἡμέρα τῆς εἰσόδου αὐτοῦ), doch aus dem Kontext ergibt sich eindeutig, daß hier der εἴσοδος (κυρίου) εἰς τὸν ναόν gemeint ist (ἐξαφνὴς ἥξει εἰς τὸν ναὸν ἑαυτοῦ κύριος). Uns scheint, daß Lukas durch den Begriff εἴσοδος in v. 24 ähnliche Zusammenhänge andeuten will:

Die ἀρχὴ Ἰησοῦ ist nach Lukas mit dem Beginn seiner Verkündigung identisch.[45] Die Salbung mit dem hl. Geist ist hierfür nur die Voraussetzung (vgl. Lk 4,18).[45a] Seinen feierlichen und offiziellen Anfang aber nimmt das κηρύσσειν Ἰησοῦ in der Synagoge seiner Vaterstadt Nazareth.[46]

41 In 1 Thess 1,9; 2,1; Hebr 10,19; 2 Petr 1,11 wird εἴσοδος jeweils mit einer Zielangabe verbunden: vgl. W. Michaelis, εἴσοδος, in: ThW V, 111.

42 Vgl. H. Schürmann, Luk 35: „Luk hat freilich diese Bereitung des Volkes wohl nicht mehr als eschatologische Zurüstung Israels vor dem nahen Endgericht gelesen, sondern als ‚volksmissionarische‘ Erneuerung – durch die Bußtaufe (3,3; vgl. Apg 13,24) – vor dem Auftreten Jesu, wie man Apg 13,24 erkennen kann."

43 So schon Beg. IV, 152. Vgl. auch H. Schürmann, Luk 185: „Sehr betont wird Apg 13,24 gesagt, daß die Verkündigung der Bußtaufe πρὸ προσώπου τῆς εἰσόδου geschah. Damit ist Lk 7,27 (= Mal 3,1) lukanisch gültig interpretiert."

44 Hier ist vor allen Dingen auch der Kontext von Mal 3,1 zu berücksichtigen. Im folgenden bringen wir eine kurze Synopse:

πολλοὺς ἐπέτρεψεν ἀπὸ	προκηρύξαντος βάπτισμα
ἀδικίας (Mal 2,4)	μετανοίας (Apg 13,24)
ἐπιβλέψεται ὁδὸν	
πρὸ προσώπου μου (Mal 3,1)	πρὸ προσώπου (Apg 13,24)
ἰδοῦ ἔρχεται	ἀλλ' ἰδοῦ ἔρχεται μετ' ἐμέ
(Mal 3,1)	(Apg 13,25)
καὶ τὶς ὑπομένει ἡμέραν	πρὸ προσώπου τῆς
εἰσόδου αὐτοῦ (Mal 3,2)	εἰσόδου αὐτοῦ (Apg 13,24)

Ausführlicher hierzu R. Laurentin, Structure et théologie de Luc I–II, Paris 1957, 56–60.

45 Darum heißt es in Apg 13,26 auch mit Bezug auf Jesus: λόγος σωτηρίας ἐξαπεστάλη. Jesus ist für Lukas im Kerygma wesentlich λόγος σωτηρίας; εἴσοδος meint also in Apg 13,25 nicht den Eintritt Jesu in die Welt (κόσμος), wie in Joh 1,9.11; Hebr 10,5, sondern, so wie in 1 Thess 1,9; 2,1: Eingang – Zugang (Jesu) in der Verkündigung.

45a Vgl. Lk 4,18 (= Jes 61,1): Πνεῦμα κυρίου ἐπ' ἐμέ, οὗ εἵνεκεν ἔχρισέν με εὐαγγελίσασθαι πτωχοῖς.

46 Vgl. Lk 4,16: Καὶ ἦλθεν εἰς Ναζαρά, οὗ ἦν τεθραμμένος καὶ εἰσῆλθεν κατὰ τὸ εἰωθὸς αὐτῷ ἐν τῇ ἡμέρᾳ τῶν σαββάτων εἰς τὴν συναγωγήν... So wird von Lukas der εἴσοδος Jesu umschrieben. In diesem Sinn wird auch von H. Schürmann die Nazarethperikope exegesiert: vgl. H. Schürmann, Luk 225–244 (über Lk 4,16–30). Siehe hierzu auch Lk 4,21: ἤρξατο λέγειν.

Dann aber bedeutet εἴσοδος Ἰησοῦ für Lukas, daß seine Verkündigung „ankommt". Der ureigenste Ort dieser Verkündigung Jesu ist bei den Jüngern wie bei Paulus[47] der Tempel bzw. außerhalb Jerusalems die Synagoge.[48] Damit ist die räumliche Vorstellung, welche im Begriff εἴσοδος mitschwingt, lokalisiert.

Von diesem Verständnis des Begriffs εἴσοδος her fällt auch neues Licht auf das johanneische Pro-Kerygma. Die räumliche Komponente in προκηρύξαντος wird durch die Formulierung πρὸ προσώπου τῆς εἰσόδου deutlich unterstrichen; das Verbum προκηρύσσειν erhält so eine starke Affinität zum προέρχεσθαι bzw. προπορεύεσθαι des Täufers in der lukanischen Vorgeschichte (vgl. Lk 1,17.76).[49] Hier aber ist der Vorläufergedanke fest im Kontext verankert. Beide Verben werden an den genannten Stellen mit der bei Lukas beliebten Präposition ἐνώπιον konstruiert, welche schon im LXX-Sprachgebrauch das *örtlich-zeitliche* „Vorher" eines Herolds bezeichnet.[50]

Im Sinne vor ἐνώπιον in Lk 1,17.76 sind auch die Präpositionen προ- und προσώπου in Apg 13,24 zu verstehen; unübersehbar kommt in ihnen das *Vorläufermotiv* zum Ausdruck. Wenn wir bisher so sehr den lokalen Aspekt dieser Präposition betonten, so wollten wir uns damit nur gegen die Auslegung von U. Wilckens wehren, der προ- und πρὸ προσώπου ausschließlich temporal versteht.

Auf der anderen Seite wäre es ein Extrem, προ- bzw. πρὸ προσώπου exklusiv lokal aufzufassen. Die Stellung eines Vorläufers schließt notwendigerweise ein örtliches und folgerichtig auch ein zeitliches „Vorher" ein. In dieser Doppelfunktion wollen wir die Präposition belassen, da nur so die differenzierte Beziehungseinheit zwischen dem Vorläufer und Jesus erfaßbar ist.

Daß die Verkündigungstätigkeit Johannes' d. T. *auch* zeitlich vom Beginn des öffentlichen Lebens Jesu in Lk-Apg abgehoben wird, ist nicht zu bezweifeln.[51] Die Frage ist nur, ob man deshalb Johannes d. T. der Zeit des AT zuordnen muß. Die Darstellung Johannes' d. T. als eines κῆρυξ bzw. πρόκηρυξ in Apg 13,24 weist in eine andere Richtung.

Aufschlußreich ist in diesem Zusammenhang ein Vergleich mit Apg 19,4. Hier finden wir noch die wahrscheinlich ursprünglichere Formulierung βαπτίζειν βάπτισμα μετανοίας anstelle von (προ)-κηρύσσειν βάπτισμα μετανοίας (Apg 13,24). Daß es sich hier um eine von Lukas übernommene traditionelle Ausdrucksweise handelt, schließen wir vor allem daraus, daß Lukas sonst Hinweise auf die Tauftätigkeit des Johannes zugunsten einer stärkeren Akzentuierung seiner Verkündigungstätigkeit zu tilgen pflegt.[52] Es spricht viel für die Interpretation von H. Thyen, der in der Formel κηρύσσειν βάπτισμα μετανοίας den Einfluß einer späte-

47 Vgl. Apg 3,1.11; 5,20.42; 9,20; 13,5.14; 14,1; 17,17; 18,4.19.26; 19,8. Siehe hierzu *A. Menzies, The Jewish Synagogue and Missions*: Interpr 6 (1909/10) 254–263.
48 Lk 4,15.16.33.44; 6,6; 13,10; 19,47 (ἦν διδάσκων τὸ καθ᾽ ἡμέραν ἐν τῷ ἱερῷ); 20,1; 21,37; 22,53.
49 H. Schürmann interpretiert umgekehrt Lk 1,17.76 von Apg 13,24 her: „Das προπορεύεσθαι, das προέρχεσθαι von 1,17 wieder aufnehmend, muß im Sinne des προκηρύσσειν βάπτισμα μετανοίας πρὸ προσώπου τῆς εἰσόδου αὐτοῦ von Apg 13,24 verstanden werden, welche die γνῶσις σωτηρίας (v. 77) vermittelt." Vgl. *H. Schürmann*, Luk 90.
50 Vgl. 2 Chr 1,10 und 1 Kön 12,2a.
51 Dies geschieht durch die Präposition μετά (c. acc.), welche in Lk-Apg nur im zeitlichen Sinn verwendet wird; vgl. neben Apg 13,25 auch Apg 10,37 und 19,4. Übrigens ist diese korrekte Verwendung von μετά kein specificum lucanum (gegen *K. Grobel*, He that cometh after me: JBL 60 [1941] 398). Auch der LXX kennt nur diesen Gebrauch von μετά (c. acc.). Im NT ist die einzige Ausnahme Hebr 9,3.
52 So besonders augenfällig in Lk 3. Lukas unterläßt hier, im Gegensatz zu Mt 3,5f und Mk 1,5, den Hinweis auf die Tauftätigkeit und bringt in Lk 3,7–18 nur die Taufansprache des Johannes: vgl. dazu *U. Wilckens*, Missionsreden[3] 101f. Die wichtigste Funktion des Johannes ist seine Verkündigung; vgl. auch Apg 10,37 und 19,4.

ren christlich-theologischen Fachsprache zu erkennen glaubt.[53] Dieser verrät sich nicht nur in der Abänderung von βαπτίζω in κηρύσσω, sondern auch in der artikellosen Wendung βάπτισμα μετανοίας; steht ein solcher substantivischer Ausdruck ohne Artikel, so handelt es sich in der Regel um technisch-theologischen Sprachgebrauch.[54]

Auf eine spezifisch-christliche Missionssprache weisen auch noch andere Fakten hin. So ist es bemerkenswert, daß nicht nur hier, sondern in der ganzen Apg der Zusatz εἰς ἄφεσιν ἁμαρτιῶν unterbleibt.[55] In der Urkirche geschieht eben Sündenvergebung nur durch die christliche Taufe.[56] Als eine unabdingbare Voraussetzung für die ἄφεσις ἁμαρτιῶν, welche in Lk-Apg inhaltlich auch gleichbedeutend mit dem Begriff σωτηρία sein kann,[57] gilt die μετάνοια.[58]

In der Bewirkung der μετάνοια liegt nach Apg 13,24 der Sinn der johanneischen Taufpredigt.[59] In grammatikalisch gleicher Fügung spricht die LXX von der θυσία σωτηρίου oder von der θυσία αἰνέσεως; immer meinen solche Wendungen einen Tatbestand, in dem zwei Faktoren unlöslich miteinander verbunden sind.[60]

Aus der Verbindung von βάπτισμα μετανοίας mit προκηρύξαντος geht nun hervor, daß Johannes d. T. mehr ist als ein atl. Bußprediger, denn κηρύσσειν bedeutet bei den Synoptikern und in der Apg immer „Heilsankündigung".[61] Darum darf man auch Lk 3,18 in seiner Bedeutung nicht minimalisieren.[62] Hier heißt es von Johannes d. T.: εὐηγγελίζετο τὸν λαόν. Johannes d. T. hat die Aufgabe, das Volk auf den Weg des Heiles zu weisen,[63] und darum ist seine Verkündigung schon „Frohe Botschaft".[64] Das ist auch der Grund, warum Lukas in Apg

---

53 Vgl. *H. Thyen*, ΒΑΠΤΙΣΜΑ ΜΕΤΑΝΟΙΑΣ 'ΕΙΣ ΑΦΕΣΙΝ 'ΑΜΑΡΤΙΩΝ, in: Zeit und Geschichte, Festschrift R. Bultmann, Tübingen 1964, 97 Anm. 3.

54 Zu diesem technisch-theologischen Sprachgebrauch vgl. *L. Köhler,* Kleine Lichter, Zürich 1945, 84f.

55 Lk 3,3 übernimmt den Zusatz εἰς ἄφεσιν ἁμαρτιῶν von Mk 1,4. Man wird aber Lk 3,3 im Sinn der sonstigen lukanischen Taufaussagen deuten müssen: Die Johannestaufe bringt nicht das Heil selbst, sondern nur die Verheißung des Heils (vgl. Lk 1,77). Zur Diskussion über die Bedeutung der Johannestaufe vgl. *H. Thyen,* ΒΑΠΤΙΣΜΑ ΜΕΤΑΝΟΙΑΣ 97 Anm. 2.

56 Vgl. Lk 24,47; Apg 2,38; 22,16.

57 Vgl. Apg 13,26 mit Apg 13,38 und Lk 1,77 mit Apg 5,31.

58 Siehe Lk 24,47; Apg 2,38; 3,19; 8,22. Zum Zusammenhang zwischen σωτηρία und μετάνοια vgl. auch *J. Dupont,* Repentir, in: Études, 451.453, und *H. Schürmann,* Luk 159 Anm. 92.

59 Die Johannestaufe verleiht also nicht die Sündenvergebung (gegen *A. Oepke,* βάπτισμα, in: ThW I, 543). Wenn Johannes eine Bußtaufe „zur Sündenvergebung" verkündigt, ruft er damit zur Buße auf, ohne die es keine Vergebung gibt (vgl. Lk 3,3). Buße, in der Übernahme der Johannestaufe, bringt nicht das Heil, sondern die Kenntnis vom Heil (vgl. Lk 1,77).

60 Vgl. *E. Lohmeyer,* Das Urchristentum, 1. Buch: Johannes der Täufer, Göttingen 1932, 68.

61 Vgl. Mk 1,4 par; Mk 1,7; Lk 3,3; 24,47; Mt 4,23; 9,35; 24,14; 26,13. Eine unklare Stelle ist Apg 15,21; hier bezeichnet Lukas die jüdischen Synagogenprediger als κηρύσσοντες. E. Lohmeyer versteht auch hier κηρύσσειν in dem üblichen synoptischen Sinn: vgl. *E. Lohmeyer,* Johannes der Täufer 44 Anm. 4. Wird auch hier, wie schon in Apg 13,24, eine Christianisierungstendenz sichtbar? Im Joh-Evgl. steht für κηρύσσειν: μαρτυρεῖν; bzgl. Johannes d. T. vgl. Joh 1,7.8.15.32.

62 So geschieht es bei *H. Conzelmann,* Mitte der Zeit 17 Anm. 1, der auch das εὐαγγελίζεσθαι der lukanischen Kindheitsgeschichte unberücksichtigt läßt (vgl. Lk 1,19; 2,10). Zur Kritik siehe *H. Zimmermann,* Methodenlehre 217.

63 Vgl. Lk 1,76–77.

64 Johannes d. T. ist mehr als ein Bußprediger, mehr als ein Prophet (vgl. Lk 7,26); er ist der „Freudenbote", ein „Evangelist": so interpretiert auch G. Friedrich Lk 3,18: vgl. *G. Friedrich,* εὐαγγελίζομαι, in: ThW II, 716; siehe gleichfalls *R. Schütz,* Johannes der Täufer (AThANT 50) Zürich 1967, 70f; *H. Schürmann,* Luk 160. Darum auch die starke Parallelisierung zwischen dem Täufer und den Aposteln in Lk-Apg:

13,24 παντὶ τῷ λαῷ 'Ισραήλ hinzufügt. Heilsverkündigung ist in Lk-Apg immer universal,[65] so auch das Prokerygma Johannes' d. T.[66]

Daß Lukas Johannes ohne den erklärenden Beinamen βαπτιστής in Apg 13,24 anführt, zeigt noch etwas anderes: Der Leser weiß schon über Johannes Bescheid. Seine Einführung in das Kerygma der Apg verfolgt keinen apologetischen, sondern katechetischen Zweck: Im ordo salutis wird nach Lukas die σωτηρία immer durch die vorausgehende μετάνοια bedingt bleiben. Das lehrt den Leser der Anfang der Geschichte Jesu, der untrennbar mit der von Johannes d. T. hervorgerufenen Bußbewegung verbunden ist.

So bleibt der Aufruf des Täufers zur Buße aktuell: „Weit entfernt davon, daß sie (sc. = die christliche Gemeinde) ihm nur einen zeitgebundenen, nun erledigten Auftrag zuwies, erkannte sie in ihm den, der für immer der Wegbereiter Christi und gleichsam der Grenzwächter der Äonen ist. Der Weg zu Christus und in die Herrschaft Gottes führte nicht einst – in einer vergangenen geschichtlichen Stunde – über den Täufer, sondern ein für allemal nur auf dem von ihm gewiesenen Pfad der Umkehr."[67] Die Bekehrungspredigt des Täufers ist Teil der umfassenden Heilsbotschaft. Die einmalige geschichtliche ἀρχή 'Ιησοῦ hat für Lukas eine exemplarische Bedeutung; darum erscheint der Täufer im Kerygma der Apg.

In der Cäsarearede (vgl. Apg 10,37) wird die Zusammengehörigkeit von Johannes d. T. und Jesus dadurch deutlich, „daß die durch Johannes (als Handeln Gottes) proklamierte Taufe mit unter die Überschrift gestellt wird ‚die Sache, die geschehen ist durch ganz Judäa' "[68].

Unsere Interpretation von v. 24 wird schließlich durch den folgenden v. 25 vollauf bestätigt.

v. 25: ὡς δὲ ἐπλήρου 'Ιωάννης τὸν δρόμον, ἔλεγεν,

Τί ἐμὲ ὑπονοεῖτε εἶναι, οὐκ εἰμὶ ἐγώ·

ἀλλ' ἰδοὺ ἔρχεται μετ' ἐμὲ

οὗ οὐκ εἰμὶ ἄξιος τὸ ὑπόδημα τῶν ποδῶν λῦσαι.

Das einleitende ὡς δέ, welches für den Erzählungsstil der Apg so charakteristisch ist,[69] schafft zwischen v. 24 und v. 25 einen glatten Übergang. Die beiden Aussagen über den Täu-

Johannes d. T.	Apostel
προκηρύξαντος παντὶ	κηρύξαι
τῷ λαῷ (Apg 13,24; vgl. Apg 10,37)	(Apg 10,42)
τοῦ δοῦναι γνῶσιν σωτηρίας	γιγνωσκέτω
τῷ λαῷ αὐτοῦ (Lk 1,77; vgl.	πᾶς οἶκος 'Ισραήλ
auch Apg 19,4).	(Apg 2,36).
ἐν ἀφέσει ἁμαρτιῶν	ἄφεσις ἁμαρτιῶν
αὐτῶν (Lk 1,77)	καταγγέλλεται (Apg 13,38)
προκηρύξαντος βάπτισμα	κηρυχθῆναι μετάνοιαν
μετανοίας παντὶ τῷ λαῷ	εἰς πάντα ἔθνη
'Ισραήλ (Apg 13,24)	(Lk 24,47)

Johannes d. T. ist darum nicht nur der Vorläufer Jesu, sondern auch in gewissem Sinn der Vorläufer der Apostel: vgl. hierzu P. Benoit, L'Enfance de Jean-Baptiste selon Luc I: NTS 3 (1956/57) 188. Der μάρτυς des Joh-Evgl. (vgl. Joh 1,7f.15.19.32.34; 3,26; 5,33–36) kommt sachlich bei Lukas bereits in Sicht: so H. Schürmann, Luk 187.

65 Nach Lk 24,47 und Apg 1,8 ist die universale Heilsverkündigung die Aufgabe der Apostel: vgl. hierzu J. Dupont, Le salut des gentils et la signification théologique du Livre des Actes: NTS 6 (1959/60) 132–155, in: Études, 393–419.

66 Vgl. Lk 1,80; 3,6.15.21; 7,29. Darum verlängert auch Lukas im Unterschied zu seiner Quelle (Mk 1,2f) das Isaiazitat bis hin zu Jes 40,5: καὶ ὄψεται πᾶσα σάρξ τὸν σωτήριον τοῦ θεοῦ (vgl. Lk 3,6). Im Unterschied zu Qumran wollte Johannes d. T. keine Sekte gründen; darin bestand seine große Originalität: vgl. hierzu W. H. Brownlee, John the Baptist 37.

67 G. Bornkamm, Jesus von Nazareth (Urban-Bücher 19) Stuttgart [6]1963, 46.

68 G. Delling, Jesusgeschichte 376.

69 ὡς δέ mit einer finiten Form begegnet uns in Apg 29mal, davon 11mal mit einer finiten Form des Imperfekts; ὡς δέ in Lk 1; Mt /; Mk; Joh 6.

fer, die wir in den Synoptikern nur getrennt vorfinden, werden in Apg 13,24f zu einem fortlaufenden Erzählungsstück verschmolzen.[70] Es entsteht so eine Kurzbiographie des Täufers, welche durch die Vorstellung von Johannes als dem Vorläufer Jesu ihr einheitliches Gepräge erhält.

Mit der eigenartigen Wendung ἐπλήρου τὸν δρόμον[71] bleibt Lukas sozusagen im Bilde: Er knüpft damit an προκηρύξαντος an, welche Verbform schon auf Grund ihrer Affinität zu Lk 1,17.76 die Idee des (Voraus-)Laufens implizierte.

κῆρυξ ist Johannes d. T. nach lukanischem Verständnis für ganz Israel (vgl. παντὶ τῷ λαῷ Ἰσραήλ in v. 24). Auch diese lukanische Lieblingsidee scheint in ἐπλήρου τὸν δρόμον durch. In v. 25 wird Johannes d. T. nicht als ein Standortprophet gezeichnet, dem die Volksscharen zuströmen, sondern als ein „Wanderprediger", der nicht ortsgebunden war und darum alle Volksgruppen zu erfassen vermochte.[72]

Doch geht es in ἐπλήρου τὸν δρόμον zunächst um einen bildhaften Ausdruck. Es ist E. Haenchen zuzustimmen, der in der Wendung ἐπλήρου τὸν δρόμον den ersten Einfluß einer christlich-hellenistischen Erbauungssprache vermutet.[73] δρόμος wird hier zu einem Synonym für διακονία.[74] Dieses Substantiv ist nicht so sehr eine bildliche Bezeichnung für den Lebenslauf, als vielmehr für die Amtswirksamkeit Johannes' d. T. Der Täufer ruft nicht aus eigener Initiative zur Buße, sondern handelt in einem „höheren Auftrag": ein Aspekt, der nicht nur in προκηρύξαντος (v. 24), sondern auch im folgenden Logion mit aller Deutlichkeit zum Ausdruck kommt.

Von der Interpretation des imperfektischen ἐπλήρου hängt es nun ab, ob der in diesem Logion enthaltene Verweis auf den „Kommenden" von Lukas als ständiger Inhalt der johanneischen Predigt beschrieben wird, oder ob Lukas diesem Johanneswort die beachtliche Bedeutung einer „ultima vox" geben will.[75] Als letztes Wort des Täufers verdiente es dann die besondere Beachtung der Nachwelt.

Von vornherein verbietet es sich, die Nuancierung, welche im Gebrauch des Imperfekts zum Ausdruck kommt, zu vernachlässigen; Lukas weiß nämlich sehr wohl zwischen der Bedeutung des Imperfekts und Aorists zu unterscheiden.[76] Offensichtlich geht es hier um den Verweis auf eine bestimmte Lebenssituation des Täufers; das einleitende ὡς rechtfertigt diese Vermutung.[77] Das Ingangsetzen einer großen Bußbewegung (v. 24) und die Ankündigung des unmittelbar bevorstehenden Heils (v. 25) sind zwei aufeinanderfolgenden, aber doch verschiedenen Stadien der johanneischen Missionstätigkeit zuzuordnen. Lukas zählt in dem hi-

---

70 Vgl. damit Mt 3,2 / 3,11; Mk 1,4 / 1,7; Lk 3,3 / 3,16.

71 Die Wortverbindung πληρόω τὸν δρόμον ist nicht nur ein Hapax-Legomenon im NT und in der LXX, sondern auch in der gesamten klassischen und patristischen Literatur: vgl. *B. Brinkmann,* De praedicatione 339.

72 Lukas unterscheidet offenbar zwischen der Bußaufforderung, die Johannes vom Jordan wegtrieb (Lk 3,3), und der nachfolgenden Tauftätigkeit am Jordan (vgl. Lk 4,1). In der Apg wird jedoch nirgends der Jordan in Verbindung mit Johannes d. T. genannt! Siehe hierzu *H. Schürmann,* Luk 155.

73 Vgl. *E. Haenchen,* Apg 351; siehe dazu 2 Tim 4,7.

74 Vgl. Apg 20,24. „δρόμος (vgl. 13,25) ist bildliche Bezeichnung nicht sowohl für den Lebenslauf, als vielmehr für die auf eine bestimmte Aufgabe gerichtete Lebensarbeit (vgl. 1 Kor 9,24; Gal 2,2; Phil 2,16; 2 Tim 4,7)": *H. H. Wendt,* Apg 332.

75 Nach *H. Schürmann,* Luk 184 gibt Apg 13,25 der Taufunterweisung in Lk 3,7b–17 die Bedeutung einer „ultima vox".

76 Zum Gebrauch von Imperfekt und Aorist bei Lukas siehe *S. Antoniadis,* L'évangile de Luc. Esquisse de grammaire et de style, Paris 1930, 248–250.

77 Vgl. als Parallelen zu Apg 13,25: Apg 7,23; 9,23 und 19,21. Immer geht es um eine bestimmte Zeitangabe. Darum kann sich auch Apg 13,25 nicht auf die gesamte Dauer der johanneischen Amtswirksamkeit beziehen (gegen *B. Brinkmann,* De praedicatione 339).

storischen Resümee die Ereignisse in einer bestimmten chronologischen Reihenfolge auf.[78] Das Auftreten des Täufers als Bußprediger war offensichtlich so beeindruckend, daß das Volk sich mehr und mehr zu fragen begann, ob er nicht selbst der Messias sei.[79] Diese Situation ergab sich für den Täufer folgerichtig gegen Ende seines δρόμος.[80] Wenn in der Nachfolgezeit Bußaufruf und Heilsankündigung so eng zusammenrücken, so ist das nicht nur aus dem Bemühen zu erklären, die Bedeutung und das Wesen der johanneischen Wirksamkeit schematisch und gerafft zur Darstellung zu bringen.[81] Auf diese Weise will sich auch eine christliche Geschichtsinterpretation Ausdruck verschaffen, welche im Lichte des Jesusereignisses die Bußpredigt des Täufers als eine Vorankündigung des Heils deutet.[82]

Das Imperfectum ἐπλήρου kann sich nicht auf ein punktuelles Ereignis beziehen; in diesem Fall hätte Lukas den Aorist gewählt. Darum geht es auch nicht an, das Johanneszeugnis auf den letzten Augenblick vor seinem Tod zu datieren.[83] Auch nach Lukas war ja Johannes d. T. noch am Leben, als Christus mit seiner Verkündigungstätigkeit begann.[84] Dem grammatikalischen und historischen Tatbestand entspricht es vielmehr, wenn wir übersetzen: „Als Johannes im Begriff war, seinen Lauf zu vollenden."[85] Das folgende ἔλεγεν kann dabei durchaus in einem frequentativen Sinn interpretiert werden, etwa so: „Johannes pflegte zu sagen".[86] Charakteristisch für die letzte Periode seiner Wirksamkeit ist eben der wiederholte Hinweis auf den „nach ihm Kommenden".[87]

Nach Mt und Mk ist übrigens die Messiasfrage gar nicht an Johannes d. T. herangetreten; nur Joh und Lk nehmen in der Einleitung zum Täuferbekenntnis auf die allgemeine Unsicherheit des Volkes Bezug.[88] Ein redaktioneller Vergleich von Joh 1,19 und Lk 3,15 wie Apg

---

78 Lukas ist bemüht, alles „in der richtigen Reihenfolge" (vgl. Lk 1,3: καθεξῆς) zu berichten. Vgl. dazu die Aufzählung der Heilstaten Gottes in Apg 13,17–23 in einer bestimmten chronologischen Reihenfolge.

79 Vgl. Lk 3,15.

80 Darum hat T. Zahn recht, wenn er schreibt, daß Apg 13,25 sich auf eine spätere Zeit beziehen müsse als Apg 13,24: vgl. *T. Zahn,* Apg 437.

81 Zur Verkoppelung von Bußaufforderung und Christusverkündigung bei Johannes d. T. vgl. *H. Schürmann,* Luk 186.

82 Am deutlichsten wird diese Verbindung und gegenseitige Durchdringung in Apg 19,4 sichtbar. – Vgl. das zusammenfassende Urteil bei *H. Schürmann,* Luk 187: „Schärfer als die Überlieferung vor ihm hat Luk also die Gestalt und Aufgabe des Täufers auf Christus hin ausgerichtet … Der Motor der Entwicklung war die Entwicklung der Christologie: Der εἴσοδος Jesu (Apg 13,24), sein ‚Kommen' (3,15) wurde immer vertiefter verstanden; von dieser Mitte her bekommen alle Umweltpersonen Farbe und charakteristische Züge – auch die des Täufers."

83 So *U. Wilckens,* Missionsreden[3] 103.

84 Vgl. Lk 3,20f; 7,18–30. *H. Conzelmann* sieht zwar diese zeitliche Überschneidung zwischen dem Wirken des Täufers und Jesu, doch verschwindet nach ihm diese Tatsache „vor dem Moment der Epocheneinteilung": vgl. *H. Conzelmann,* Mitte der Zeit 20. Wir möchten indessen aus der genannten Tatsache die Schlußfolgerung ziehen, daß es Lukas nicht um eine scharfe zeitliche Abgrenzung zu tun ist; diese gibt es nicht in einem lebendigen geschichtlichen Prozeß. Die Ablösung des Täufers geschieht vielmehr in einem „gleitenden Übergang": siehe zur Kritik auch *R. Schütz,* Johannes der Täufer 71.

85 So auch *H. H. Wendt,* Apg 237; *T. Zahn,* Apg 437; *F. F. Bruce,* The Acts of the Apostels, London, [2]1956, 266. Stände hier ὡς δέ mit dem Aorist, dann müßte man übersetzen: als (nachdem) er seinen Lauf vollendet hatte (vgl. Lk 1,57; 2,21.22; Apg 19,21). Doch soll ja die Christusverkündigung gerade als der bedeutsamste Abschnitt seines δρόμος beschrieben werden! Die Vollendung ist also noch nicht abgeschlossen! Vgl. hierzu den Gebrauch des Imperfekts in Lk 2,38; 5,26; 18,15: an diesen Stellen muß das Imperfekt im Sinne eines imperfectum inchoationis interpretiert werden; Parallelen zu Apg 13,25a in Apg 7,23; 9,23. Siehe hierzu Beg. IV 16 Anm. 1; 152 Anm. 25.

86 Vgl. Lk 3,7 (ἔλεγεν οὖν τοῖς ἐκπορευομένοις); 3,10; 3,18 (εὐηγγελίζετο τὸν λαόν). So übersetzt auch F. F. Bruce Apg 13,25: „He used to say…": vgl. *F. F. Bruce,* Acts 266.

87 Vgl. Lk 7,19f. Zum Titel ὁ ἐρχόμενος vgl. *H. Schürmann,* Luk 408f.

88 Vgl. Lk 3,15 mit Joh 1,19–28.

13,25b zeigt allerdings, daß die drei Textstellen sich in Vokabular und Inhalt erheblich voneinander unterscheiden. Nach Joh 1,19 lautet die Frage an den Täufer unvoreingenommen: Σὺ τίς εἶ; nach Lk 3,15 macht sich das Volk schon darüber Gedanken, ob Johannes d. T. nicht selbst der Christus sei (προσδοκῶντος δὲ τοῦ λαοῦ καὶ διαλογιζομένων πάντων ἐν ταῖς καρδίαις αὐτῶν περὶ τοῦ Ἰωάννου, μήποτε αὐτὸς εἴη ὁ Χριστός); in Apg 13,25b aber läßt Lukas den Täufer geradeheraus sagen: Τί ἐμὲ ὑπονοεῖτε εἶναι, οὐκ εἰμὶ ἐγώ.[89] Apg 13,25b bringt die messianische Erwartung des Volkes am klarsten zum Ausdruck. Der eigentümlich geformte Relativsatz[90] mit dem seltenen Verbum ὑπονοέω[91] findet weder in Joh 1,9ff noch in Lk 3,15 eine direkte Parallele; irgendeine literarische Abhängigkeit ist darum auszuschließen.[92]

Der Hauptsatz indessen (οὐκ ἐγὼ εἰμί) weist starke Ähnlichkeit auf zu der dreifach gestuften Antwort des Täufers, so wie sie in Joh 1,20f beschrieben wird:

Ἐγὼ οὐκ εἰμὶ ὁ Χριστός (v. 20);
οὐκ εἰμὶ (Ἠλίας) (v. 21a);
οὐ (προφήτης) (v. 21b).

Eine stark geprägte Eigenart besitzt auch der Hinweis des Täufers auf den „nach ihm Kommenden" in Apg 13,25c: ἀλλ' ἔρχεται μετ' ἐμὲ οὗ οὐκ εἰμὶ ἄξιος τὸ ὑπόδημα τῶν ποδῶν λῦσαι. Wir wissen um die beachtliche Variationsbreite dieses Täufer-Testimoniums: es ist uns nicht weniger als in achtfacher Form überliefert.[93] Die vielfache Tradierung dieses Logions schmälert indessen nicht seinen historischen Wert; vielmehr wird so seine kerygmatische Bedeutung offenkundig: Die verschiedenen Redaktoren haben sich bemüht, das eindrucksvolle Johannes-Wort in eine jeweils neue Situation „hineinzusprechen".

Das einleitende ἀλλ' ἰδοῦ in v. 25c können wir ohne weiteres dem Redaktor der paulinischen Predigt zuschreiben, dem an einer flüssigen Redeweise sehr gelegen ist.[94] Es findet sich auch ansonsten in keiner der überlieferten Formen.[95] Die Kontrastierung zwischen einer negativen und positiven Aussage, verschärft an dieser Stelle noch durch das eingeschobene ἀλλ' ἰδοῦ, entbehrt nicht eines gewissen rhetorisch-dramatischen Effekts. Der Autor von Apg 13,16–41 hat für dieses Stilmittel eine besondere Vorliebe.[96]

Von allen tradierten Formen des Täuferlogions ist die Variante in v. 25c ἀλλ' ἰδοῦ ἔρχεται μετ' ἐμέ die klarste und glatteste; auch darin verrät sich der Schriftsteller Lukas.[97] Dennoch bleibt die Aussage des Täufers geheimnisvoll-unbestimmt. Jede nähere Bezeichnung des

---

89 Siehe *U. Wilckens*, Missionsreden³ 103.
90 M. Black vesucht das einleitende τί (Sinaiticus, A B; τίνα = P⁴⁵, C D al.) als Aramaismus zu erklären: vgl. *M. Black*, An Aramaic Approach 124 Anm. 1. Nach Bl-Debr 298,4.299,2 handelt es sich hingegen um eine durchaus hellenistische Konstruktion; vgl. z. B. Mk 14,36; Lk 17,8; Jak 3,13.
91 Im NT findet sich ὑπονοέω nur in Apg 13,25; 25,18; 27,27!
92 C. H. Dodd (vgl. *C. H. Dodd*, Historical Tradition 256) vermutet, daß Lukas für seinen Bericht über Johannes in Lk-Apg eine eigene Quelle zur Verfügung gehabt hat; das vierte Evangelium hatte mit dieser Sondertradition Kontakt: (vgl. *ebd.* 258).
93 Vgl. Mt 3,11; Mk 1,7; Lk 3,16; Joh 1,15.27.30; Apg 13,25; 19,4. Zum Problem dieser achtfachen Überlieferung vgl. *E. Lohmeyer*, Johannes der Täufer 311–316.
94 Vgl. dazu den häufigen Gebrauch der Übergangspartikel μέν-δέ (Apg 13,25.29.30.34.36.37).
95 Die Wendung ἀλλ' ἰδοῦ kommt überhaupt nur hier im NT vor (vgl. Lk 22,21: πλὴν ἰδοῦ). Das einleitende ἰδοῦ verleiht dem folgenden Ausspruch des Johannes Nachdruck und Feierlichkeit: vgl. dazu *P. Fiedler*, Die Formel „Und Siehe" im Neuen Testament (Stud. z. A. u. N. T. 20) München 1969, 34.64.
96 Vgl. dazu die folgenden Gegenüberstellungen in Apg 13,16–41:

Saul (v. 21)	– David (v. 22)
Johannes (v. 25b)	– Jesus (v. 25c)
Handeln der Juden (vv. 27–29)	– Handeln Gottes (v. 30)
Tod Davids (v. 36)	– Tod Jesu (v. 37)
Gesetz des Moses (v. 38a)	– Glaube an Jesus (v. 38b)

97 Vgl. *E. Lohmeyer*, Johannes der Täufer 313.

Messias unterbleibt. Weiß Johannes d. T. nach Lukas nichts näheres über den, der nach ihm kommen soll?

Gegen diese Annahme spricht, daß der Täufer den Messias in Lk 3,16 als den ἰσχυρότερος und in Lk 7,19 und Apg 19,4 als ὁ ἐρχόμενος (beachte den Artikel ὁ!) bezeichnet.[98] Wie könnte Lukas auch sonst dem Täufer die Forderung in den Mund legen, an „den Kommenden" zu glauben (vgl. Apg 19,4: ἵνα πιστεύσωσιν...)?

Wenn Lukas den Täufer in v. 25c in so verhüllter Weise von dem, der „nach ihm kommen" soll, sprechen läßt, so hat das einen doppelten Grund:

1. Den Namen des σωτὴρ Ἰησοῦς – das entscheidende Stichwort dieses Abschnitts (vgl. vv. 23.26) – zu verkündigen ist nach Lukas ein Privileg des christlichen Predigers.[99]
2. Der folgende v. 26 mit der Botschaft vom λόγος σωτηρίας soll auf den Leser wie eine schließliche Enthüllung und Offenbarung wirken; v. 25 ist wie ein großer Auftakt zum schließlichen verbum salutis; Spannung und Erwartung sollen so geweckt werden. Die Anordnung und Wahl der Verse beweisen wiederum das schriftstellerische Geschick des Autors.

Die Eigenheiten des Relativsatzes οὗ οὐκ εἰμὶ ἄξιος τὸ ὑπόδημα τῶν ποδῶν λῦσαι sind in diesem Zusammenhang unbedeutsam. U. Wilckens sieht in dem Ersatz der Präposition ὀπίσω durch μετά eine apologetische Spitze; dadurch solle nachdrücklich unterstrichen werden, daß der Täufer keineswegs im markinischen Sinne als messianischer Vorläufer mit Jesus zusammenzudenken sei.[100] Unserer Ansicht nach aber geht es *allein* um die Beseitigung eines anderen Mißverständnisses. ἔρχεσθαι ὀπίσω war inzwischen zu einem terminus technicus für die Nachfolge geworden.[101] Der σωτήρ folgte aber seinem κῆρυξ nicht als Jünger, sondern als Herr! Nach v. 24 versteht sich dann der Wechsel von ὀπίσω zu μετά als eine reine Selbstverständlichkeit. Das Verhältnis zwischen dem Täufer und Jesus war nicht das der Nachfolgeschaft, sondern das des *Vorboten zu seinem Herrn.*

Die Verwendung des Adjektivs ἄξιος anstelle des synoptischen ἱκανός (vgl. Lk 3,16 par) erinnert wiederum stark an Joh 1,27. Ein Bedeutungsunterschied zwischen ἄξιος und ἱκανός ist allerdings nicht festzustellen.[102] Offensichtlich möchte Lukas zwischen den beiden Übersetzungsmöglichkeiten für das zugrunde liegende aramäische šwj variieren.[103]

Um eine Übersetzungsvariante scheint es sich auch bei dem Akkusativobjekt τὸ ὑπόδημα

---

98 Der bestimmte Artikel weist auf den bekannten „Mächtigeren". ἰσχυρότερος bezieht sich in Lk 13,16b auf die Geisttaufe (im Unterschied zur Feuertaufe). Weil dieser Unterschied im Zusammenhang von Apg 13,25 unberücksichtigt bleibt, fällt hier konsequent dann auch die Bezeichnung ὁ ἰσχυρότερος aus: vgl. *H. Schürmann,* Luk 177.

99 Der Täufer nennt nach Lk-Apg nie den Namen Jesu! In Apg 19,4 handelt es sich nicht um eine direkte Aussage des Täufers, sondern um eine erklärende Beifügung Pauli!

100 Siehe auch Apg 10,37 und 19,4: vgl. dazu *U. Wilckens,* Missionsreden[3] 103f. Auch H. Conzelmann (vgl. *H. Conzelmann,* Mitte der Zeit 19) versucht so die Streichung von ὀπίσω μου (Mk 1,7) in Lk 3,16 zu erklären. Doch wenn Lukas hier nur die zeitliche Bedeutung von ὀπίσω hätte vermeiden wollen, hätte er ja auch in Lk 3,16 ὀπίσω in μετά abändern können. Lukas läßt in Lk 3,16 das tradierte ὀπίσω μου fort, weil Jesus nach Lk 3,21 schon unter den Taufwilligen zu denken war; vgl. dazu *H. Schürmann,* Luk 173.

101 Vgl. Lk 9,23; 14,27. Siehe hierzu *W. C. Robinson,* Der Weg des Herrn 20; *C. H. Dodd,* Historical Tradition 273; *W. Wink,* John the Baptist 55 Anm. 55: „Luke does not mind saying that Jesus ʻcame afterʼ John in a temporal sense...; it is only the suggestion of discipleship to John which he avoids." Daß Johannes d. T. Jesus zeitlich voranging, konnte kaum ein gewichtiges Argument für die untergeordnete Stellung des Täufers sein; die Täufersekten versuchten ja gerade dadurch zu beweisen, daß Johannes der πρῶτος war: vgl. *O. Cullmann,* ʻΟ ὀπίσω μου ἐρχόμενος, in: Coniect. Neotest. 11, Lund 1947, 26.28–30.

102 So *H. Schürmann,* Luk 173.

103 Vgl. *E. Lohmeyer,* Johannes der Täufer 317. *M. Jastrow,* Dictionary II, 1533, übersetzt šāwēj mit „valued, worth".

zu handeln. Lukas kennt nämlich auch die Wendung τὸν ἱμάντα (vgl. Lk 3,16).[104] Die Konstruktion bleibt allerdings ein grammatikalisches Kuriosum, da das nomen regens ὑπόδημα eigentlich im Plural stehen müßte.[105]

Nicht nur die verschiedenen Redaktionen des Hauptsatzes, sondern auch die des Nebensatzes sind ein überdeutlicher Beweis dafür, wie wenig sklavisch die Überlieferung die Tradierung des Johannes-Wortes handhabte. Sachliche Differenzen entstehen dadurch nicht. Das Knecht-Herr-Verhältnis bringen alle Varianten pointiert zum Ausdruck.[106] Im übrigen verdeutlicht der Relativsatz noch einmal, warum Lukas im Hauptsatz ὀπίσω durch μετά ersetzt hat.[107]

b) Das Eintreffen des Heilswortes nach Apg 13,26

v. 26: Ἄνδρες ἀδελφοί,
   υἱοὶ γένους Ἀβραὰμ καὶ οἱ ἐν ὑμῖν φοβούμενοι
   τὸν θεόν,
   ἡμῖν ὁ λόγος τῆς σωτηρίας ταύτης ἐξαπεστάλη.

Die direkte Anrede von v. 25 wird in v. 26 zu einem beschwörenden Appell. Es ist, als ließe Lukas den Apostel Paulus in v. 26 die Rolle des Täufers übernehmen und weiterführen. Der Leser von Lk wird sich erinnern, daß auch der Täufer seine Zuhörerschaft als Abrahamskinder anzureden pflegte (vgl. Lk 3,8).[108] Mit Vehemenz hatte Johannes d. T. darauf insistiert, daß die Zugehörigkeit zum Geschlechte Abrahams keineswegs das Heil garantiere (vgl. Lk 3,8). So ist υἱοὶ γένους Ἀβραάμ in v. 26 nicht nur eine auszeichnende, sondern auch eine warnende Anrede.[109] Gott kann auch aus Steinen dem Abraham Kinder erwecken (Lk 3,8); Gott kann auch Heiden zum Heil berufen (vgl. Apg 13,47).

Die universale Ausrichtung der Heilsbotschaft, welche bei Johannes dem Täufer schon anklang, wird in Apg 13,26 ausdrücklich gemacht durch die Einbeziehung der φοβούμενοι τὸν θεόν.[110] Die vertrauliche Anrede ἄνδρες ἀδελφοί gilt also auch für sie!

In einer emphatischen Weise greift Paulus diese persönliche Anrede in dem folgenden ἡμῖν noch einmal auf. Die Betonung dieser Anrede ist ein Charakteristikum der ganzen Paulus-Rede.[111]

Die Freudenbotschaft (v. 25) des Täufers ist Wirklichkeit geworden. Der Ausdruck ὁ λόγος τῆς σωτηρίας ταύτης, welcher sich nicht nur auf v. 23, sondern auch auf vv. 24f bezieht, meint hier nicht einfach die christliche Heilsbotschaft,[111a] sondern bezieht sich primär auf das Ereig-

104 Vgl. E. Lohmeyer, Johannes der Täufer 317.
105 Vgl. ebd. 317.
106 Vgl. hierzu Bill. I, 121.
107 Der Täufer ist nicht nur nicht διδάσκαλος Jesu (darum μετά anstelle von ὀπίσω); er ist nicht einmal würdig, für Jesus niedrigste Sklavendienste zu leisten.
108 Zu der auffallenden Parallelität zwischen dem Schema der Täuferpredigt und dem Schema der Predigt vor Judenchristen in der Apg vgl. die traditionsgeschichtlichen Ausführungen von H. Schürmann, Luk 182.
109 Die Bezeichnung υἱοὶ γένους Ἀβραάμ ist singulär im NT; eine gewisse Parallele findet sich in Phil 3,5; zum LXX-Sprachgebrauch vgl. G. Delling, Israels Geschichte 187 Anm. 5. Der Ausdruck υἱοὶ γένους Ἀβραάμ weist auf die durch Geburt begründete Zugehörigkeit zur Volksgemeinschaft hin (vgl. Apg 4,6; 7,13.19), während die Bezeichnung υἱοί oder τέκνα Ἀβραάμ der Idee nach auch auf Nichtisraeliten ausgedehnt werden kann (vgl. Lk 3,8; Joh 8,33–40; Röm 4,16; 9,6–8; Gal 4,21–31; 6,16): vgl. dazu T. Zahn, Apg 437 Anm. 4.
110 Zur Anrede οἱ φοβούμενοι τὸν θεόν vgl. unsere obigen Ausführungen.
111 Vgl. Apg 13,26.32.33.34.38 (bis). 41 (bis). Die Lesart ἡμῖν haben P⁷⁴ Sinaiticus, A B D al.; ὑμῖν wird bezeugt von P⁴⁵ C E P al. E. Haenchen (vgl. E. Haenchen, Apg 351) meint, daß ὑμῖν aus ἡμῖν entstanden sei, da beide Formen damals lautlich nicht mehr unterschieden wurden.
111a So E. Haenchen, Apg 297.

nis der Ankunft (εἴσοδος: v. 24) Christi selbst. Die Verwendung des Aorists sowohl in v. 26 (ἐξαπεστάλη) wie auch in v. 23 (ἤγειρεν) läßt keine andere Deutung zu. ἐξαπεστάλη ist dabei als ein theologisches Passiv zu interpretieren: Gott ist es, der das Wort des Heils gesandt hat (vgl. Apg 10,36: ἀπέστειλεν). Stärker noch als ἀποστέλλω verweist ἐξαποστέλλω auf die himmlische Herkunft des Wortes und auf seine universale Mission.[112] Eine Abhängigkeit von Ps 107,20 bzw. Jes 55,11 ist unverkennbar.

Adressaten dieses Wortes sind für Lukas von Anfang an alle Menschen gewesen. Die universalistische Anrede von v. 26 entspricht der Verheißung des Freudenboten: καὶ ὄψεται πᾶσα σὰρξ τὸ σωτήριον τοῦ θεοῦ (Lk 3,6 = Jes 40,5).

Die privilegierte Stellung Johannes' d. T. kommt in der antiochenischen Rede nicht zuletzt darin zum Ausdruck, daß die Aussagen über ihn eingerahmt werden von der Ankündigung des σωτὴρ 'Ιησοῦς (vgl. v. 23) bzw. des λόγος σωτηρίας (vgl. v. 26). Die Täufergeschichte wird so Teil der historia Jesu. Darum auch kann die Replik von U. Wilckens auf die kritischen Anmerkungen von W. G. Kümmel letztlich nicht überzeugen,[113] denn wenn die Jesusgeschichte nach Lukas der Sache nach mit dem Täufer beginnt,[114] kann man die These von H. Conzelmann, daß der Täufer heilsgeschichtlich dem AT zuzuordnen sei, nicht mehr aufrechterhalten. Als *Vorläufer* ist Johannes mehr als ein Prophet (vgl. Lk 7,28); er ist nicht der Messias, doch bleibt er unlöslich mit der Person Jesu verbunden.

3. DIE TÄUFERGESCHICHTE ALS TEIL DER HISTORIA JESU

Nach der Exegese von vv. 24–26 bleibt zunächst festzuhalten, daß die heilsgeschichtliche Stellung des Täufers in der Tat nicht leicht zu bestimmen ist. Dies hängt wohl damit zusammen, daß dem antiochenischen Prediger an scharfen zeitlichen Abgrenzungen und Zäsuren nicht gelegen ist, da er ja die Heilsgeschichte als eine lebendige Einheit darstellen will.

So ist es nicht erstaunlich, wenn auf den ersten Blick die Stellung des Täufers etwas unklar und schillernd bleibt und selbst nach einer detaillierten Anlayse nicht alle diesbezüglichen Fragen beantwortet sind. Im folgenden soll versucht werden, ausgehend von sicheren Ergebnissen, schließlich auch zu Fragen vorzustoßen, deren Beantwortung einen gewissen hypothetischen Charakter behält.

– Sicher ist, daß Terminologie und Stil dieser Verse lukanisches Gepräge haben. Dabei begegnen uns ungewöhnliche und sogar einmalige Wortkombinationen (πρὸ προσώπου τῆς εἰσόδου bzw. πληροῦν τὸν δρόμον in v. 24 bzw. v. 25) und seltene Verben (v. 24: προκηρύσσειν; v. 25: ὑπονοεῖν). Diese Beobachtung entspricht unseren vorhergehenden Analysen und verrät wieder einmal die literarische Originalität des Verfassers. Es zeigen sich dabei Ansätze zu einer christlich-hellenistischen Missions- und Erbauungssprache, die die Tradition der Täuferworte nicht sklavisch handhabte, sondern sie je und je auf die Situation abstimmte. Zu der Zeit, als diese Sprache entstand, war die apologetische Abgrenzung Jesu vom Täufer nicht mehr aktuell.

– Schon von daher verbietet es sich, den Abschnitt über den Täufer als einen fremden Einzelstoff innerhalb der Rede zu betrachten. Es kommt hinzu, daß die Aussagen über ihn durch einen genitivus absolutus mit v. 23 verbunden sind und v. 26 inhaltliche und terminologische Verweise auf vv. 24f enthält (so υἱοὶ γένους 'Αβραάμ und ταύτης u. a.). Die Verse

---

112 ἐξαποστέλλω bedeutet: zwecks Erfüllung einer besonderen Aufgabe an einen anderen Ort fortschicken (vgl. u. a. Apg 7,12; 11,22; 22,21); zu ergänzen ist häufig ἐξ οὐρανοῦ (vgl. Weish 9,10; Gen 24,40; Ps 57,4; Gal 4,4; 2 Kl 20,5: Vgl. *Bauer*, Wb 541).
113 Vgl. *U. Wilckens*, Missionsreden[3] 229f.
114 So auch *G. Delling*, Die Jesusgeschichte 374.

über den Täufer lassen sich, zwischen zwei „versets charnières" stehend, nicht schematisierend von ihrem Kontext trennen.

– Bei genauer Untersuchung wird ein Bild vom Täufer sichtbar, das ihm deutlich eine andere und höhere Qualifikation zuweist als die eines atl. Propheten. Dem Prediger steht offensichtlich das Bild eines Vorläufers im Sinne eines *Herolds* vor Augen, wie es in Mal 3,1 beschrieben wird. Als Herold geht Johannes d. T. dem Herrn voran und bereitet ihm den Weg. Daraus ergibt sich, daß nicht seine Tauftätigkeit betont wird, sondern sein Verkündigungsauftrag.

– Nachdem schon in v. 23 von der Erweckung des σωτήρ die Rede gewesen ist, verwundert es nicht mehr, daß der Täufer in vv. 24f seinen Ort *innerhalb der historia Jesu* zugewiesen bekommt. In der Beschreibung seines δρόμος wird eine dramatische Steigerung sichtbar: War es zunächst seine Aufgabe, durch seine Predigt eine große Bußbewegung in Gang zu setzen (v. 24), so wird gegen Ende seines (Voraus)-Laufes und angesichts des bevorstehenden εἴσοδος seines Herrn die Bußpredigt immer mehr zur Heilsankündigung und zum großen Auftakt für das verbum salutis (vgl. v. 25 mit v. 26). Von daher erklärt sich auch die Nähe zum Zeugen- und Apostelbegriff der Apg, die in der Kennzeichnung des Täufers sichtbar wird. Wenngleich ihm der Name σωτήρ nicht in den Mund gelegt wird, wird doch seine Christus-Ankündigung immer mehr zu einer Christus-Verkündigung.

– Auch daraus erhellt, daß der Prediger mit der Einführung des Täufers keine apologetischen Zwecke verfolgt im Sinne einer heilsgeschichtlichen Distanzierung von der Person Jesu. Die Ausführlichkeit, mit der der Täufer in vv. 24f zur Sprache kommt, steht für das intensive Bemühen des Predigers, das Heilswort (v. 26) beim ganzen Volk Israel ankommen zu lassen; der εἴσοδος des σωτήρ soll ja jetzt in der Verkündigung geschehen (vgl. παντὶ τῷ λαῷ Ἰσραήλ in v. 24 mit der Erwähnung Israels in vv. 16b.17a.23 und der Anrede in v. 26!). Die Feierlichkeit, mit der so dieser εἴσοδος in Erinnerung an Mal 3,1 umgeben wird, entspricht der Bedeutung, die dieses Heilswort für das Volk Israel hat. Der Täufer weiß, daß die atl. ἐπαγγελία sich erfüllt hat, ja, daß der Retter schon da ist. Er wird so zum Freudenboten, der die „Erweckung" des σωτήρ (v. 23) verkündigt, nach dem ja das Volk sich sehnt und verlangt (vgl. Mal 3,1 mit Apg 13,25).

– Die einzigartige Bedeutung des Täufers begründet, daß seine Person für immer mit dem εὐαγγέλιον verbunden bleibt. Dem Leser der Apg wird so verdeutlicht, daß der Weg zu Christus auch für ihn *über den Täufer* führt, d. h. daß die Botschaft des Täufers der Schlüssel zur Erschließung des Heilswortes bleibt. Umkehr und freudiges Erwarten, von Johannes d. T. immer wieder verkündigt, sind die bleibenden Voraussetzungen, ohne die der λόγος σωτηρίας beim Hörer nicht ankommen kann.

4. Kapitel
Apg 13,27–31: Das Passions- und Auferweckungskerygma

1. ZUR BEDEUTUNG DER PREDIGTSITUATION FÜR DIE DARSTELLUNG DER JESUS-GESCHICHTE

Während die heilsgeschichtliche Hinführung zum Thema in Apg 13,16b–23 eine Besonderheit der antiochenischen Predigt darstellt und der Abschnitt über Johannes d. T. nur noch eine Parallele in Apg 10,37 findet, ist ein summarischer Bericht über das Leiden und die Auferweckung Jesu allen Missionsreden gemeinsam. Das Jesusgeschehen mit diesen seinen Höhepunkten ist das Urereignis, auf das die apostolische Verkündigung zurückgeht.

So liegt allen Summarien stets das gleiche Schema zugrunde: der Aussage über die Tötung Jesu durch die Menschen wird jeweils mit Nachdruck die über seine Auferweckung durch Gott unmittelbar entgegengesetzt (vgl. Apg 2,23f; 3,15; 4,10; 5,30; 10,39f; 13,29f). Bei aller schematischen Übereinstimmung aber lassen sich Unterschiede nicht übersehen. Die verschiedene Länge und Terminologie der Summarien läßt eine beachtliche Variationsbreite erkennen. „They (sc. the speeches) could not be allowed flatly to repeat each other"[1]. Lukas mußte deshalb daran gelegen sein, auch materialiter im Rahmen des sachlich Möglichen zu variieren.[2] So hat er manche Inhalte der Jesusgeschichte auf verschiedene Reden verteilt.

Doch gilt es nun weiter zu fragen: Warum sind bestimmte Aussagen in einer Predigt betonter als in einer anderen oder fehlen in der einen und werden in die andere aufgenommen? Wir wollen versuchen, die spezifischen Eigenarten des Passions- bzw. Auferweckungssummariums in Apg 13,27–31 aus der gegebenen Predigtsituation zu erklären.

2. EXEGESE VON APG 13,27–31 – DIE EINHEIT VON JESU LEIDEN UND AUFERSTEHUNG

v. 27: οἱ γὰρ κατοικοῦντες 'Ιερουσαλὴμ καὶ οἱ
ἄρχοντες αὐτῶν τοῦτον ἀγνοήσαντες καὶ τὰς
φωνὰς τῶν προφητῶν τὰς κατὰ πᾶν σάββατον
ἀναγιγνωσκομένας κρίναντες ἐπλήρωσαν.

Die Konstruktion von v. 27, mit dem das Passionssummarium beginnt, ist außerordentlich kompliziert und undurchsichtig.[3] Es bleibt unklar, worauf κρίναντες und ἐπλήρωσαν sich beziehen. Oder sollten diese Verben, was aber für Lukas ganz ungewöhnlich wäre, absolut stehen?[4] Weiter ist hier die Frage zu klären, ob das καί nach ἀγνοήσαντες kopulativ oder epexegetisch zu verstehen ist. Und worauf soll sich das Demonstrativpronomen τοῦτον beziehen: auf ὁ λόγος τῆς σωτηρίας ταύτης (v. 26) oder auf σωτῆρα 'Ιησοῦν (v. 23)? Schließlich bleibt der Zusammenhang von v. 27 mit dem vorhergehenden v. 26 unklar: Welche Funktion hat hier die Partikel γάρ?

Die vielen Unklarheiten glaubt M. Dibelius aus einer verderbten Texttradition erklären zu

---

1 *G. W. H. Lampe,* The Lucan Portrait of Christ: NTS 2 (1955/56) 166.
2 Vgl. *G. Delling,* Die Jesusgeschichte 389.
3 Vgl. Beg. III 261–263. Hier wird der Abschnitt Apg 13,27–29 ausführlich von J. H. Ropes unter textkritischer Hinsicht diskutiert.
4 Wir beziehen uns auf den aktiven Gebrauch von κρίνω in Lk-Apg. Lk 6,37 und Lk 7,43 sind nur scheinbare Ausnahmen. In Lk 6,37 ist die absolute Form μὴ κρίνετε durch das folgende Passiv (οὐ μὴ) κριθῆτε bedingt; das Objekt von κρίνετε versteht sich von selbst und braucht nicht ausdrücklich genannt zu werden; vgl. auch den scheinbar absoluten Gebrauch der übrigen Verben in diesem Logion (Lk 6,37f). In Lk 7,43 qualifiziert das Prädikat (ὀρθῶς ἔκρινας) eine unmittelbar vorhergehende Aussage. πληρόω wird in Lk-Apg schlechterdings nie absolut gebraucht.

können. Er hält sich in seiner Interpretation an den von J. H. Ropes revidierten D-Text. Die wichtigste Korrektur besteht darin, daß M. Dibelius τοῦτον streicht und so τὰς φωνὰς τῶν προφητῶν zum alleinigen Objekt von ἀγνοήσαντες macht.[5] Hiermit wird die Konstruktion von v. 27 zwar durchsichtiger, doch gibt es von der Textkritik her keinen stichhaltigen Grund, ἀγνοήσαντες ohne τοῦτον zu lesen. Es ist doch offensichtlich, daß der D-Text den schwierigen B-Text glätten will. Im Zuge der Vereinfachung ersetzt der Redaktor von D konsequent ἀγνοήσαντες durch μὴ συνιέντες.

Wie immer man auch den D-Text revidieren mag, wir haben in unserer Interpretation von dem besser bezeugten B-Text auszugehen. Immerhin gesteht selbst J. H. Ropes, daß die Konstruktion von v. 27 nach dem B-Text zwar schwierig, aber nicht unmöglich ist.[6]

Die Aufmerksamkeit des Lesers richtet sich zunächst auf das lange Subjekt von v. 27: οἱ κατοικοῦντες ἐν Ἱερουσαλὴμ καὶ οἱ ἄρχοντες αὐτῶν. Die Terminologie ist eindeutig lukanisch. κατοικέω, besonders in seiner partizipialen Verwendung, ist ein Vorzugswort der Apg.[7] In der Wahl von ἄρχοντες anstelle von ἀρχιερεῖς ist Lukas möglicherweise durch Ps 2,2 (LXX) – vgl. Apg 4,25 – inspiriert worden; zudem ist der Terminus ἄρχοντες einem heidenchristlichen Leser vertrauter als der eher biblisch-jüdische Ausdruck ἀρχιερεῖς.

Im Zusammenhang mit οἱ κατοικοῦντες darf der Begriff ἄρχοντες nicht auf die Vertretung der Priesterschaft eingeschränkt werden, sondern ist auf die gesamte Obrigkeit der Jerusalemiten zu beziehen. Lukas will sagen, daß die gesamte Einwohnerschaft Jerusalems, *a minimo usque ad maximum,* für das Geschick Jesu Verantwortung trägt, wobei freilich den Mitgliedern des Hohen Rates eine besondere Rolle zufällt.[8]

Die Kopula καί nach κατοικοῦντες hat darum den Sinn von „und besonders".[9] Lukas weiß sehr wohl, daß u. a. Joseph von Arimathäa der Verurteilung Jesu nicht zugestimmt hat (vgl. Lk 23,51), doch bleibt dennoch wahr, daß Jerusalem als Stadt den Heiland abgelehnt hat (vgl. Lk 13,33f). Gerade in diesem kurzen Passionsbericht von Apg 13,27–29 betont Lukas den Gedanken, daß Jerusalem nicht nur der Ort ist, an dem sich das Schicksal des Messias erfüllt, sondern den Jerusalemiten selbst dabei eine entscheidende Rolle zukommt. Sie sind in vv. 27–29 die Akteure, welche den Plan Gottes, wenn auch unwissentlich, zur Erfüllung bringen.

Aus der Tatsache, daß die Jerusalemiten durchgehend Subjekt in diesem Passionssummarium sind, darf man nicht schließen, daß dieser Abschnitt von einer antijüdischen Polemik beherrscht sei; es ist hier ja nicht von den Juden allgemein die Rede, sondern nur von den Einwohnern Jerusalems.[10] Petrus klagt in seinen Reden die Jerusalemiten an, um sie zur Reue zu bewegen. Die Bewohner der Diaspora werden hingegen für den Tod Jesu nicht verantwortlich gemacht; sie wissen aber als Angehörige des jüdischen Volkes sehr wohl, daß Jerusalem die Stadt des Messias ist. Wenn Paulus seinen Zuhörern in Antiochien aufzeigt, daß sich *in und durch Jerusalem* das Geschick Jesu erfüllt hat, so will er sie zum Glauben an Jesus als den wah-

---

5 Vgl. *M. Dibelius,* Der Text der Apostelgeschichte, in: Aufsätze 83: „Daß der Vers 13,27 entstellt ist, werden mit mir viele glauben. Am einfachsten erscheint es mir immer noch, das Wort ἀγνοήσαντες nicht auf Jesus, sondern auf die Stimme des Propheten zu beziehen." Der von H. J. Ropes revidierte D-Text findet sich in Beg. III 261.

6 Vgl. Beg. IV 153: „It is not absolutely impossible to construe." Nach F. F. Bruce ist der B-Text zwar schwierig, aber verständlich: vgl. *F. F. Bruce,* Acts 267.

7 Siehe zum Vergleich: κατοικέω Mt 4; Mk /; Lk 2; Joh /; Apg 20. Partizipiale Verwendung von κατοικέω findet sich in Apg 1,19.20; 2,5.9.14; 4,16; 9,22.32.35; 11,29; 13,27; 19,10.17; 22,12.

8 Lukas unterstreicht stärker als Matthäus und Markus die Verantwortlichkeit der jerusalemitischen Obrigkeit: vgl. Lk 22,66; 23,2.5.10.14.18.21.23.25.51 mit den entsprechenden Parallelen.

9 Zu diesem Gebrauch von καί, wodurch zum Ganzen der besonders wichtige Teil hinzugefügt wird, vgl. *Bauer,* Wb 774. Weitere Beispiele in 2 Chr 35,24; 1 Makk 2,6; Mk 16,7; Apg 1,14. Siehe hierzu auch Bl-Debr 442,10.

10 Das wird z.B. von J. Schmitt nicht klar gesehen: vgl. *J. Schmitt,* Jésus ressuscité dans la prédication apostolique, Paris 1949, 17.

ren Messias bewegen.[11] Der Partikel γάϱ, die in v. 27 zum Jerusalemgeschehen überleitet, kommt darum eine kausale Bedeutung zu.[12]

Schwieriger ist die Frage zu beantworten, worauf τοῦτον zu beziehen ist: auf ὁ λόγος τῆς σωτηρίας ταύτης (v. 26) oder auf σωτῆρα Ἰησοῦν (v. 23)? Wenn man ὁ λόγος τῆς σωτηρίας ταύτης als abstractum pro concreto versteht (vgl. z. B. Lk 1,69), kann man die Frage durchaus im Sinne eines „sowohl – als auch" beantworten. Jesus ist zunächst der Überbringer des Heilswortes, er ist derjenige, der den Frieden verkündet (vgl. Apg 10,36), ein zweiter Moses, der als Prophet von Gott erweckt, dem Volk Worte des Lebens gibt (vgl. Apg 7,38).

In der apostolischen Verkündigung wird aus dem εὐαγγέλιον Christi die Botschaft über Jesus Christus; τῆς σωτηρίας ταύτης v. 26 ist darum ein genitivus objectivus. Die Apostel verkünden das Heil, indem sie von Jesus dem Heiland berichten; für τῆς σωτηρίας ταύτης könnten wir auch τοῦ σωτῆρος τούτου einsetzen.

Da nun ὁ λόγος τῆς σωτηρίας ταύτης ein variierender Rückverweis auf σωτῆρα Ἰησοῦν (v. 23) ist, kann auch τοῦτον in v. 27 nur personal interpretiert werden, so wie τοῦτον in Apg 2,23.32.36 und 5,31. Darin liegt ja die besondere Situation Jerusalems begründet, daß sich nämlich die Unkenntnis der Jerusalemiten nicht nur auf das verheißende Wort der Propheten bezieht, sondern auch auf die Erscheinung des Verheißenen selbst.

Die Parallele zu Apg 3,17 ist unverkennbar. Dort soll die ἄγνοια das Tun der Jerusalemiten entschuldigen. Man kann nun nicht sagen, daß im Gegensatz dazu ἀγνοήσαντες in Apg 13,27 auf eine moralische Verurteilung der Jerusalemiten abziele;[13] diese ist in v. 27 impliziert, insofern die Einwohner Jerusalems einen Unschuldigen zum Tode verurteilten. Das Unwissenheitsmotiv selbst hat aber hier zunächst nicht eine moralische, sondern eine heilsgeschichtliche Dimension, da Jerusalem in Jesus nicht den von den Propheten verheißenen Heiland erkannt hat.[14]

Schon in Lk ist immer wieder von der Unkenntnis der Schrift und damit vom Heilsplan Gottes die Rede. Das Nicht-Kennen der Schrift und das Nicht-Erkennen des Messias hängen eng zusammen;[15] von beidem ist auch in Apg 13,27 die Rede.

Das καί nach ἀγνοήσαντες ist darum kopulativ zu verstehen. Rein grammatikalisch wäre es durchaus möglich, dieses καί epexegetisch oder adversativ zu interpretieren. Da nun aber τοῦτον sich auf die Person Jesu bezieht, ist eine epexegetische Erklärung hinfällig. Verständen wir καί adversativ, so müßten wir etwa übersetzen: Die Jerusalemiten haben diesen nicht erkannt, aber so die Worte der Propheten erfüllt. Damit aber würden wir den Sinn von v. 27 verkürzen, denn dann wäre τὰς φωνὰς τῶν προφητῶν das alleinige Objekt von ἐπλήρωσαν. Das Paradox aber, das in dem Geschick Jesu zum Ausdruck kommt, bleibt nur gewahrt, wenn τὰς φωνὰς τῶν προφητῶν als Objekt sowohl auf ἀγνοήσαντες wie auf ἐπλήρωσαν bezogen wird: Die Jerusalemiten haben die Worte der Propheten erfüllt, obgleich sie diese nicht verstanden haben.

Zweifellos liegt eine situationsbedingte Anpassung der Rede vor, wenn ergänzend hinzugefügt wird: πᾶν σάββατον ἀναγιγνωσκομένας. Paulus hält ja seine Rede während eines Synagogengottesdienstes, in dem die Worte der Propheten laut verkündigt werden. Die Botschaft

---

11 Vgl. hierzu J. *Dupont*, Les Discours Missionnaires, in: Études 140f.
12 Die Partikel γάϱ ist in der Apg sehr beliebt; nach E. *Jacquier*, Actes CLXVIII begegnet sie uns 85 mal und dient hier normalerweise als Übergangspartikel zur Vermeidung eines Asyndetons. In Apg 13,27 indessen hat γάϱ kausale Bedeutung.
13 So bei H. *Conzelmann*, Mitte der Zeit 83 und bei B. *Weiss*, Apg 173.
14 Vgl. U. *Wilckens*, Missionsreden³ 134. Zum Motiv der ἄγνοια in der Apg siehe auch M. *Dibelius*, Paulus auf dem Areopag, in: Aufsätze 52f und E. J. *Epp*, The "Ignorance Motiv" in Acts and Antijudaic Tendencies in Codex Bezae: HThR 55 (1962) 57–59.
15 Vgl. Lk 9,43–45; 18,34; 24,25. Markus bezieht die ἄγνοια zunächst auf die Blindheit gegenüber den Worten und Taten Jesu: vgl. Mk 4,13; 6,52; 7,18; 8,17–18.21.33; 9,10.32; 10,38.

der Propheten wird als ein lebendiges Wort verstanden, das wie ein lauter Ruf an die Ohren der Zuhörer dringen will. Sinnvollerweise steht darum auch anstelle des gewöhnlichen γραφαὶ τῶν προφητῶν die aktualisierende Wendung φωναὶ τῶν προφητῶν.[16] Unter οἱ προφῆται ist hier die Gesamtheit der Hl. Schrift zu verstehen, wie übrigens auch in Lk 24,25.[17] Das ganze AT hat für Lukas einen prophetischen Charakter, da es das Geschick des Messias nicht nur voraussagt, sondern auch vorausbildet. So ist schon das Schicksal Josephs und Moses' Gleichnis für die Passion Christi.[18] Das Schema von der Verwerfung des Gerechten durch die Menschen und seiner Rechtfertigung und Erhöhung durch Gott prägt auch die Passions- und Auferstehungsberichte der Acta-Reden.[19]

Wenn vom Leiden- und Sterbenmüssen des Messias die Rede ist, dann treten für Lukas zunächst Texte aus Deutero- und Trito-Jesaja ins Blickfeld, besonders aus Jes 52–53. Jesaja ist der Prophet, der weitaus am häufigsten in der Apg zitiert wird.[20] Auch implizit wird auf ihn verwiesen; so ruft κρίναντες, das ebenfalls τοῦτον als Objekt hat, dem Leser Jes 53,8 in Erinnerung, wo es nach der LXX heißt: ἐν τῇ ταπεινώσει ἡ κρίσις αὐτοῦ ἤρθη.

Ein Prophet darf nur in und durch Jerusalem umkommen. Aus der Verbindung von Lk 13,33 mit Lk 13,34 ergibt sich dieses heilsgeschichtliche δεῖ. So sind auch in Apg 13,27 die Einwohner Jerusalems Subjekt von πληρόω. Für den Leser aber hat dies einen sehr hintergründigen Sinn. Nur dem äußeren Schein nach bestimmen die Menschen die Geschichte Jesu, in Wirklichkeit aber bleibt Gott Herr der Geschichte und damit auch Subjekt von πληρόω: ὁ δὲ θεὸς ἃ προκατήγγειλεν διὰ στόματος πάντων τῶν προφητῶν παθεῖν τὸν Χριστὸν αὐτοῦ ἐπλήρωσεν οὕτως (Apg 3,18). Gott bedient sich der Jerusalemiten nur als seiner Werkzeuge.

Das Partizip κρίναντες legt es freilich nahe, in v. 27 zunächst eine Anspielung auf das Verhör vor dem Hohen Rat zu sehen (vgl. Lk 22,66–71) und damit auf die besondere Rolle der ἄρχοντες in dem ganzen Prozeßgeschehen; κρίναντες möchten wir also an dieser Stelle im juristischen Sinn auffassen und nicht in dem allgemeinen Sinn einer Entscheidung gegen Jesus und die Prophetenaussagen.[21] Nach Apg 3,13b hingegen wird wiederum die gesamte Jerusalemer Judenschaft für die Auslieferung an Pilatus verantwortlich gemacht (vgl. dagegen Lk 23,1).

v. 28: καὶ μηδεμίαν αἰτίαν θανάτου εὑρόντες
ᾐτήσαντο Πιλᾶτον ἀναιρεθῆναι αὐτόν

Durch das einleitende καί wird v. 28 mit v. 27 zu einem Satz verbunden. Damit aber sollen nicht, wie in den Passionsankündigungen von Lk 9,22 und 18,31–33, verschiedene Leidensstationen in chronologischer Abfolge aneinandergereiht werden;[22] hingegen verschmelzen in v. 26–v. 28 ursprünglich getrennte Szenen, nämlich das Verhör vor dem Hohen Rat (vgl.

---

16 Vgl. *T. Zahn,* Apg 438f: „Das im Gedanken an die laute Recitation in der Synagoge gut gewählte φωνάς haben D E sy[1] durch das weniger Ansprüche an die Phantasie machende γραφάς ersetzt." Eine ähnlich situationsbedingte Anpassung finden wir in Lk 4,21. Jesus sagt nach der Verlesung von Jes 61,1f: Σήμερον πεπλήρωται ἡ γραφὴ ἐν τοῖς ὠσὶν(!) ὑμῶν. Siehe gleichfalls Apg 8,30: auch bei der privaten Lektüre war ja das Wort Gottes immer ein laut gesprochenes Wort; darum die Ausdrucksweise: ἤκουσεν αὐτοῦ ἀναγινώσκοντος Ἡσαΐαν τὸν προφήτην...
17 Zu dieser lukanischen Eigentümlichkeit vgl. *Bauer,* Wb 1435.
18 Vgl. Apg 7,9–16 bzw. Apg 7,17–42. Siehe hierzu *J. Dupont,* L'utilisation, in: Études 248–253.
19 Vgl. Apg 2,23–24.36; 3,13–17; 4,10; 5,30–31; 7,52; 10,39–40; 13,27–30.
20 Vgl. die Aufstellung der Schriftstellen bei *J. Dupont,* L'utilisation, in: Études 281.
21 So *G. Schneider,* Verleugnung, Verspottung und Verhör Jesu nach Lukas 22,54–71 (Stud. z. A. u. N. T. 22) München 1969, 214. Nach *Bauer,* Wb 893, ist κρίναντες in Apg 13,27 jedoch im juristischen Sinne zu deuten. Siehe auch *F. Blass,* Acta Apostolorum sive Lucae ad Theophilum liber alter, Göttingen 1895, 151: „κρίναντες ut Rom 2,1 al. non multum abest a κατακρίναντες."
22 Im Passionsbericht des Lk-Ev finden wir häufiger das anreihende καί (vgl. Lk 22.2.6.8.58a.59a), welches Lk sonst zu meiden sucht: vgl. *G. Schneider,* Verleugnung 106. Dieses καί ist auch charakteristisch für die Leidensvoraussagen: vgl. Lk 9,22; 18,31–33.

Lk 22,66–71) und die Verhandlung vor Pilatus (vgl. Lk 23,1–7.13–25), gleichsam zu einer einzigen.

Eine solche vereinfachende und geraffte Darstellung beruht nicht auf einer Unkenntnis des Prozeßgeschehens. Die Apg weiß sehr wohl um die Einzelheiten des Prozesses, so auch um die Rolle des Herodes (vgl. Apg 4,27) und des Barabbas (vgl. Apg 3,14). So ergänzen sich die Passionssummarien der Missionsreden zu einem detaillierten Leidensbericht. Auswahl und Darstellung der Leidensszenen werden von der jeweiligen Predigtsituation bestimmt. In Antiochien, vor Nicht-Jerusalemiten, konzentriert sich der Aussagewille Pauli auf einen Gedanken: In und durch Jerusalem hat sich das Geschick Jesu erfüllt, so wie es schon im AT über den Messias geschrieben steht (vgl. Lk 13,33f mit Lk 24,25f.44–46).

Folgerichtig unterbleibt der Hinweis auf die Herodesepisode, welche sich nach Lk an das Verhör Jesu vor dem Hohen Rat anschließt und zur Pilatusszene überleitet (Lk 23,6–12). Herodes ist für die Apg ja nicht ein Repräsentant Jerusalems, sondern steht auf römischer Seite und findet darum in der Apg dort Erwähnung, wo der Anteil der Heiden am Geschick Jesu herausgestellt werden soll (vgl. die Formulierung in Apg 4,27: συνήχθησαν... Ἡρῴδης τε καὶ Πόντιος Πιλᾶτος σὺν ἔθνεσιν καὶ λαοῖς Ἰσραήλ.

Auch das Barabbasmotiv wird von Paulus nicht angeführt. In Apg 3,14 ist seine Hervorhebung lokalbedingt, um die Anklage gegen die Jerusalemiten zu verschärfen und sie zur μετάνοια zu bewegen (vgl. Apg 3,19). In Antiochien aber wird das Passionsgeschehen nicht unter dem Aspekt der Anklage, sondern der Schrifterfüllung dargestellt. Bei dieser Ausrichtung der Predigt ist der Verweis auf Barabbas von sekundärer Bedeutung.

Während es im Passionsbericht des Lk-Ev (vgl. Lk 23,4.14.22) und in Apg 3,13 Pilatus ist, der die Unschuld Jesu feststellt, sind es hier die Jerusalemiten selbst, die keinen Grund für ein Todesurteil finden können.[23] Die Formulierungen stammen unzweifelhaft von Lukas. Dreimal läßt er im Leidensbericht seines Ev Pilatus die Feststellung treffen: οὐδὲν εὑρίσκω αἰτίαν (θανάτου):[24] so in Lk 23,4.14.22, und dreimal ist im gleichen Zusammenhang von der Forderung der Juden die Rede, Jesus zum Tode zu verurteilen: Lk 23,23.24.25. An all diesen Stellen hat Lukas seine Mk-Vorlage ergänzt; wir haben es also mit spezifisch-lukanischem Gedankengut zu tun.[25]

Sicherlich waren es auch apologetische Tendenzen, die Lukas dazu bewegten, in seinem Doppelwerk immer wieder die Unschuld Jesu zu betonen, wie auch umgekehrt die *aequitas romana* hervorzuheben. Das Christentum sollte von jedem Verdacht der Staatsfeindlichkeit freigesprochen werden (vgl. bes. Lk 23,47).[26]

In Apg 13,28 aber geht es primär nicht um apologetische, sondern um christologische Moti-

---

23 Man darf für diese Veränderung nicht, wie es bei Beg. IV, 153, geschieht, eine abweichende Überlieferung verantwortlich machen: vgl. *E. Haenchen,* Apg 352: Lukas geht es hier um „Verdichtung des Ausdrucks".

24 Nur Lk hat die Unschuldserklärung des Pilatus (Lk 23,13–16) zu einer eigenen Szene ausgestaltet! So wie κρίναντες in Apg 13,27, so hat auch der Begriff αἰτία in Apg 13,28 einen juristisch-technischen Sinn (vgl. auch Apg 23,28; 25,18.27; 28,18); Lukas beherrscht die juristische Terminologie und formuliert sehr sorgfältig, wenn es sich um juristische Angelegenheit handelt: vgl. *J. Dupont,* Aequitas Romana: RSR 49 (1961) 354–385, in: Études 527–552, hier: 540. Zum Motiv der Unschuld Jesu in Lk-Apg vgl. *H. J. Cadbury,* The Making of Luke-Acts, London ²1958, 308ff; *G. D. Kilpatrick,* A Theme of the Lucan Passion Story and Luke 23,47: JThSt 43 (1942) 34–36. Zum Terminus εὑρίσκω in diesem Kontext vgl. auch Lk 23,2.

25 Vgl. *U. Wilckens,* Missionsreden³ 128: „Zweimal wird hier von dem αἰτεῖν der Juden gesprochen (Lk 23,23.24), und schließlich entscheidet sich Pilatus dazu, ‚Jesus ihrem θέλημα zu übergeben' (Lk 23,25). Bei Markus dagegen verlautet nichts von diesem θέλημα der Juden; es handelt sich wiederum um einen spezifisch lukanischen Zug."

26 Vgl. hierzu *H. Conzelmann,* Mitte der Zeit 128–135; *G. Delling,* Der Kreuzestod Jesu in der urchristlichen Verkündigung, Göttingen 1972, 83–97. Auch von den Aposteln soll jeder Verdacht der Staatsfeindlichkeit abgewehrt werden; darum wird in Apg immer wieder ihre Unschuld hervorgeho-

ve. Lukas sieht das Schicksal Jesu auf dem Hintergrund des AT. Die Unschuld Jesu ist nicht eine politische, sondern die des atl. Frommen und Gerechten, der der Verfolgung der impii ausgesetzt ist (vgl. Weish 2,10–20). Lukas stellt das Paradox, daß der „Heilige und Gerechte" den Verbrechern zugezählt wird, besonders scharf heraus.[27]

Die Einwohner Jerusalems handeln wider besseres Wissen. Die Aussage μηδεμίαν αἰτίαν θανάτου εὑρόντες tritt dabei nur in eine scheinbare Spannung zu τοῦτον ἀγνοήσαντες (v. 27). Die Jerusalemiten sind „Verräter und Mörder",[28] auf der anderen Seite aber sind sie in ἄγνοια befangen, da eben ihre moralische Verschuldung sie von der Erkenntnis der Wahrheit abhält. Die Parallele zu Röm 1,18ff ist unübersehbar. Es kann hier nicht die Rede sein von einer Unausgeglichenheit zwischen Tradition und Redaktion; die genannte Spannung ist von Lukas durchaus angestrebt.

Besondere Beachtung verdient in diesem Zusammenhang die Infinitivform ἀναιρεθῆναι.[29] ἀναιρέω bedeutet hier so viel wie „beseitigen", „aus dem Wege räumen" und schließlich „hinrichten". Lukas gebraucht dieses Verbum sehr viel häufiger als z. B. σταυρόω.[30] Ob vielleicht eine Anspielung auf Jes 53,8 vorliegt (αἴρεται ἀπὸ τῆς γῆς ἡ ζωὴ αὐτοῦ)? ἀναιρέω wird in der LXX besonders dann verwendet, wenn es um die Vernichtung von Feinden geht, seien es Feinde von außen oder von innen.[31] Ein Feind ist wie ein Verbrecher ganz und gar „auszurotten". So sehen die Bewohner Jerusalems Jesus als einen Volksfeind an, der aus dem Weg geräumt werden muß.[32]

v. 29: ὡς δὲ ἐτέλεσαν πάντα τὰ περὶ αὐτοῦ γεγραμμένα,
καθελόντες ἀπὸ τοῦ ξύλου
ἔθηκαν εἰς μνημεῖον.

Wenn Lukas Paulus in v. 29 fortfahren läßt: ὡς δὲ ἐτέλεσαν πάντα τὰ περὶ αὐτοῦ γεγραμμένα, so liegt in dieser Ausdrucksweise eine gewisse Hintergründigkeit. Die Jerusalemiten erfüllen an Christus all das, was die Schrift über ihn geschrieben hat.[33] τελέω bedeutet hier mehr als nur „vollbringen", „ausführen". ἐτέλεσαν ist in v. 29 als Hinweis auf die Kreuzigung zu

ben: vgl. Apg 16,37; 18,14–16; 19,37; 22,29; 25,18f; 26,31–32. Wie Jesus wird auch Paulus von jeder αἰτία θανάτου freigesprochen: vgl. Apg 28,18. Zum Begriff der aequitas romana in der Apg vgl. J. Dupont, Aequitas Romana, in: Études 527–552.

27 Vgl. Apg 3,14 (τὸν ἅγιον καὶ δίκαιον ἠρνήσασθε) mit Lk 22,37 (καὶ μετὰ ἀνόμων ἐλογίσθη = Jes 53,12).

28 Vgl. Apg 7,52: ὑμεῖς προδόται καὶ φονεῖς ἐγένεσθε.

29 Eine parallele Konstruktion findet sich in Apg 3,14. Vgl. Bl-Debr 409,5: „Bei ἐρωτᾶν, παρακαλεῖν usw. ist der Inf. noch selbständiger als beim eigentlichen Acc. c. inf., und kann somit trotz des Objektakkusativs einen weiteren Akk. als Subjekt zu sich nehmen, namentlich bei Passivkonstruktionen". Vgl. auch 1 Thess 5,27. Die Rückführung des finalen Infinitivs auf eine ursprünglich aramäische Redewendung ist unwahrscheinlich, da eine solche Konstruktion für das Targum-Aramäisch nicht bezeugt ist: vgl. M. Black, An Aramaic Approach 74f, gegen M. Wilcox, Semitismus 118f. H. J. Ropes hält es für wahrscheinlich, daß der ursprüngliche Text ἵνα ἀναίρωσιν gewesen ist: vgl. Beg. IV 154.

30 Vgl. die statistische Übersicht: ἀναιρέω: Mt 1; Mk /; Lk 2; Joh /; Apg 19; σταυρόω: Mt 10; Mk 8; Lk 6; Joh 11; Apg 2. In Lk 23,18 heißt es bezeichnenderweise: αἶρε τοῦτον vgl. auch Lk 23,32: ἤγοντο δὲ καὶ ἕτεροι κακοῦργοι δύο σὺν αὐτῷ ἀναιρεθῆναι. Vgl. auch Apg 2,23; 10,39.

31 Vgl. Bauer, Wb 109: „Meist von der gewaltsamen Beseitigung durch Tötung im Kampf, durch Hinrichtung, offenen Mord oder Meuchelmord." Siehe hierzu Lk 22,2; Apg 2,23; 5,33; 7,28 (vgl. Ex 2,14); 9,23f.29; 22,20; 23,15.21; 25,3.

32 Codex Bezae liest in v. 28: παρέδωκαν Πειλάτῳ εἰς ἀναίρεσιν. Hier wird wieder die Tendenz des westlichen Textes offensichtlich, die Anklage gegen die Jerusalemiten wie überhaupt gegen die Juden zu verschärfen: vgl. E. J. Epp, The Theological Tendency of Codex Bezae Cantabrigiensis in Acts (NTS Monograph Series 3) Cambridge 1966, 58.

33 Vgl. Lk 18,31: τελεσθήσεται πάντα τὰ γεγραμμένα διὰ τῶν προφητῶν; 22,37: τοῦτο τὸ γεγραμμένον δεῖ τελεσθῆναι ἐν ἐμοί.

verstehen, worin das Leiden des Messias seinen Höhepunkt und gleichzeitig seinen Abschluß findet.[34] Lukas, der schon in seinem Ev die grausamen Szenen der Verspottung und Geißelung Jesu zu mildern versucht,[35] vermeidet auch hier eine ausführliche und detaillierte Beschreibung des Leidens Jesu. Der Leser weiß ja, was er im einzelnen unter πάντα zu verstehen hat. In Lk 18,31f wurden die einzelnen Leidensstationen schon aufgezählt.

In Apg 13,27–29 bietet Lukas einen stark vereinfachten Passionsbericht, damit um so klarer zwei Aspekte hervortreten:

1. Leiden und Sterben des Messias sind von der Schrift vorausgesagt.
2. Die Schrift ist erfüllt worden in und durch Jerusalem.

Gerade das zweite Motiv ist in Apg 13,27–29 so beherrschend, daß die geschichtliche Wahrheit darunter zu leiden scheint. So vernachlässigt Lukas in v. 29 die Einzeltradition über Joseph von Arimathäa, die ihm doch, wie sein Ev zeigt, durchaus bekannt ist (vgl. Lk 23,50–53). In Apg 13,29 sind es die Jerusalemiten selbst, die Jesus vom Kreuz herabnehmen und begraben. Die Terminologie ist so eindeutig lukanisch, daß kein anderer Verfasser als Lukas selbst in Frage kommt. Die gleiche Ausdrucksweise verwandte Lukas in Lk 23,53 im Hinblick auf Joseph von Arimathäa.

Es wäre zu wenig, den Subjekt*wechsel* allein mit dem Wunsch nach Verkürzung und Verdichtung des Ausdrucks erklären zu wollen.[36] So ist es ja auch nicht einfach das Streben nach Vereinfachung, das Lukas dazu veranlaßt, das ganze Erscheinungsgeschehen auf Jerusalem zu konzentrieren.[37] Die Grablegung erscheint im Vergleich zu Lk 23,53 hier in einem ganz anderen Licht. Sie wird in v. 29 nicht mehr gesehen als ein Werk der Barmherzigkeit, sondern als die Vollstreckung des Todesurteils in letzter Konsequenz.[38] Apg 13,29 enthält einen deutlichen Verweis auf Dtn 21,22f: Ἐὰν δὲ γένηται ἔν τινι ἁμαρτία κρίμα θανάτου καὶ ἀποθάνῃ καὶ κρεμάσητε αὐτὸν ἐπὶ ξύλου, οὐκ ἐπικοιμηθήσεται τὸ σῶμα αὐτοῦ ἐπὶ τοῦ ξύλου, ἀλλὰ ταφῇ θάψετε αὐτὸν ἐν τῇ ἡμέρᾳ ἐκείνῃ, ὅτι κεκατηραμένος ὑπὸ θεοῦ πᾶς κρεμάμενος ἐπὶ ξύλου. Da ein Verbrecher nicht nach Vollstreckung des Todesurteils auf Erden verbleiben darf, ist sein Leichnam noch am gleichen Tag zu begraben. In Gal 3,13 bezieht sich Paulus ausdrücklich auf Dtn 21,23, wenn er schreibt: „Verflucht ist jeder, der am Kreuze hängt."

Eine mögliche Erklärung für die *plurale* Form ἐτέλεσαν *könnte* sylleptische bzw. generalisierende Redeweise sein. Ein Beispiel hierfür wäre Mt 27,44. Dort wird gesagt, daß beide Schächer Jesus verspotteten, während doch nach Lk 23,39ff einer der Schächer ausdrücklich davon ausgenommen wird.

---

34 Vgl. auch Joh 19,28: πάντα τετέλεσθαι; 19,30: Ἰησοῦς εἶπεν, Τετέλεσθαι.
35 Vgl. Lk 22,63f. Es entfällt der in Mt 26,67 und Mk 14,65 erkennbare Bezug auf Jes 50,5f; Lukas spricht nicht von den Grausamkeiten der „Ecce homo"-Szene: vgl. hingegen Mt 27,26–29; Mk 15,15.17f; auch die Verse Mt 27,27–31a par Mk 15,16–20a (= Verspottung Jesu) entfallen in Lk; ebenfalls werden die Lästerung und der Tod des Gekreuzigten weniger grausam und ausführlich beschrieben: vgl. Mt 27,39–43 und Mk 15,29–32 mit Lk 23,35; Mt 27,45f und Mk 15,33f mit Lk 23,44f.
36 So u. a. bei *H. Conzelmann*, Apg 84 und *E. Haenchen*, Apg 352. Auch die Erklärung, es handle sich um eine Sondertradition, nach der die Juden Jesus bestattet hätten (so *M. Goguel*, Jésus et les origines du Christianisme, Paris 1946, 43ff), übersieht die besondere Erzählungsform.
37 Vgl. hierzu *E. Lohse*, Die Auferstehung Jesu Christi im Zeugnis des Lukasevangeliums (BSt 37) Neukirchen 1961, 8.
38 Vgl. *H. H. Wendt*, Apg 239: „Das Begräbnis kommt hier nur in Betracht als Abschluss der Tödtung (vgl. Lk 11,47f) und insofern als Werk der Feinde Jesu, wenn auch ihre Ausführung unmittelbar durch seine Freunde besorgt wurde." Hier wie in Apg 2,23; 3,13–15; 4,10; 5,30; 10,39f und Lk 24,20 soll das Tun der Menschen an Jesus dem Handeln Gottes gegenübergestellt werden: vgl. hierzu die Anmerkung von J. Dupont zu den Ausführungen von J. Blinzler über Apg 13,29, in: *J. Blinzler*, Die Grablegung Christi, in: *E. Dhanis* (Hrsg.), Resurrexit. Actes du Symposium International sur la Résurrection de Jésus (Rome 1970), Rom 1974, 56–107, hier: 107.

Sylleptische Redeweise könnte auch Mk 3,21 erklären. Dort heißt es, daß Jesu eigene Angehörige über ihn äußerten: Er ist außer Sinnen. Einen solchen Verdacht wird doch seine Mutter, die sich nach Mk 3,31 auch unter der Volksmenge befand, sicherlich nicht geäußert haben![39]

Man könnte die Form ἐτέλεσαν natürlich auch so rechtfertigen, daß man sagt: Auch Joseph von Arimathäa war Ratsherr (vgl. Lk 23,50) und ist somit in dem Subjekt von v. 27 miteinbegriffen.[40] Da Lukas bei kerygmatischen Formulierungen ohnehin nicht an historischen Details gelegen ist, hat er nach dieser Erklärungsweise eine eigene Erwähnung Josephs von Arimathäa nicht für notwendig gehalten.

All diese Erklärungen scheinen uns aber nicht ausreichend zu sein. Nach unserer Meinung kommt in der Pluralform ἐτέλεσαν eine bestimmte geschichtstheologische Sicht zum Ausdruck. Wie Lukas das Erscheinungsgeschehen auf Jerusalem konzentriert, eben weil Jerusalem die Stadt der Erfüllung ist, so erscheinen auch aus dieser Sicht die Einwohner Jerusalems als die alleinigen Akteure bei der Passion Jesu bis hin zu seinem Begräbnis.[41]

In der Apg sind die Formulierungen des Lukas freier und zugleich theologisch konzentrierter als im Lk-Ev, in dem die Abhängigkeit von seinen Quellen notwendigerweise stärker zum Ausdruck kommen muß. So orientiert sich Lukas in Apg 13,29 zunächst nicht am historischen Detail, sondern an den Prophezeiungen des AT. Zwar wird in Apg 13,29 die Grablegung nicht ausdrücklich als Erfüllung der Hl. Schrift bezeichnet, doch ist der implizite Verweis auf Dtn 21,21ff als Ausdruck für das Bemühen des Lukas zu werten, auch nicht ausdrücklich prophezeite Ereignisse der Passion Jesu in Beziehung zum AT zu setzen.[42] Schließlich ist auch eine Beeinflussung durch Jes 53,9 nicht zu leugnen.[43]

Indem der antiochenische Prediger auf das Begräbnis Jesu verweist, betont er auch gegen jede doketistische Tendenz die Realität des Todes Jesu,[44] damit um so mehr das Wunder der Auferweckung Jesu hervortritt. Zweifellos hebt v. 29 gleichfalls schon auf den später folgenden Vergleich mit David ab (vgl. vv. 36f; siehe auch Apg 2,29): David wurde wie Jesus begraben, wurde aber nicht wie Jesus auferweckt, sondern schaute die Verwesung.

v. 30: ὁ δὲ θεὸς ἤγειρεν αὐτὸν ἐκ νεκρῶν.

Antithetisch schließt sich an das Passionssummarium das Auferweckungskerygma an. Ohne auf Zeit und nähere Umstände einzugehen, konstatiert Paulus zunächst das Faktum: Gott aber hat ihn von den Toten auferweckt.[45]

---

39 Vgl. *M. Zerwick*, Graecitas Biblica 4.

40 So in Beg. IV 154.

41 Treffend bemerkt O. Glombitza: „Freund und Feind, Schuldige und Unschuldige, alles fließt ineinander zu dem Bilde Jerusalems, der Stätte der Vollendung des priesterlichen Messias": vgl. *O. Glombitza*, Akta 311; ebenso *A. Loisy*, Les Actes des Apôtres, Paris 1920, 530. Diese heilsgeschichtliche Sicht ist der Situation angemessener als eine Interpretation, die hier lediglich antijüdische Polemik vermutet, welche Lukas angeblich mit Johannes gemeinsam haben soll: gegen *T. Zahn*, Apg 440.

42 So ist auch der Gebrauch von ξύλον in Apg 5,30 und 10,39 offensichtlich durch Dtn 21,22f inspiriert. In der Bedeutung von Kreuz-Schandpfahl begegnet uns der Begriff ξύλον im NT außer in den Reden der Apg nur noch in Gal 3,13 und 1 Petr 2,24; zum Gebrauch von ξύλον in der LXX vgl. Gen 40,19; Est 5,14; 6,4.

43 Vgl. Jes 53,9: καὶ δώσω τοὺς πονηροὺς ἀντὶ τῆς ταφῆς αὐτοῦ; ein Bezug von Apg 13,29 auf Jes 53,9 ist um so eher anzunehmen, als ja Jes 53,8 möglicherweise auch Apg 13,28 beeinflußt hat; in der Formulierung ἔθηκαν εἰς μνημεῖον lehnt sich der Verfasser der antiochenischen Rede an Lk 23,55 an.

44 Vgl. Beg. IV, 154: „The atmosphere of the docetic controversy is very perceptible."

45 Wie in Apg 13,30, so wird ebenfalls in Apg 5,30 und 10,40 die Auferweckungsaussage in einem Hauptsatz formuliert.

Diese Formel ist uns nicht nur aus der Apg, sondern auch aus den Paulusbriefen geläufig;[46] das Verbum ἀνίστημι erscheint dabei als synonym mit ἐγείρω. Lukas aber hat offensichtlich eine unverkennbare Vorliebe für ἐγείρω,[47] vielleicht deshalb, weil sich in der LXX dieses Verbum vornehmlich auf die Erweckung einer Heilsgestalt durch Gott bezieht.[48] So ist ἐγείρω (v. 30) in einer Reihe mit den soteriologischen Termini von vv 16b–23 zu sehen und auch von daher zu interpretieren.[49]

Die Vermutung mancher Autoren, daß in v. 30 der subordinatianische Charakter der lukanischen Christologie zum Ausdruck komme,[50] halten wir für nicht gerechtfertigt. In der Formulierung des Auferweckungskerygmas greift Lukas bewußt auf eine traditionelle, archaische Ausdrucksweise zurück, die spätere christologische Fragestellungen noch nicht reflektiert.

Auch sollte man nicht versuchen, die aktive Form ὁ δὲ θεὸς ἤγειρεν inhaltlich von der passiven Form ἠγέρθη abzuheben. Der Jude meidet die Erwähnung Gottes; als Umschreibung seines Namens dient ihm das sog. theologische Passiv. Wenn Lukas in der Apg durchgehend die aktive Form gebraucht, so deshalb, weil er nicht für Judenchristen, sondern für Heidenchristen schreibt.[51]

v. 31a: ὃς ὤφθη ἐπὶ ἡμέρας πλείους τοῖς συναναβᾶσιν
αὐτῷ ἀπὸ τῆς Γαλιλαίας εἰς Ἰερουσαλήμ.

„Relativsätze dieser Art dienen gern als Einführung religiöser Prädikationen (vgl. 1 Tim 3,16, aber auch Apg 4,10)"[52]. Diese Erkenntnis von E. Norden, die dieser aus seiner Beschäftigung mit der religiösen Rede in der griechischen Literatur gewann, ist auch hilfreich für die Analyse von v. 31a. Es handelt sich hier um einen jener scheinbaren Relativsätze, welche in Wirklichkeit relativisch angeschlossene Hauptsätze sind. In der Apg finden sich hierfür genügend Beispiele, besonders in den kerygmatischen Abschnitten; das Relativpronomen übernimmt in solchen Sätzen die Funktion eines Demonstrativpronomens.[53]

Der ganze Abschnitt vv. 27–31 hat den Charakter eines einfachen, sich auf die entscheidenden Ereignisse konzentrierenden Berichtes und wirkt auf den Leser wie eine bekenntnisartige Aneinanderreihung von Glaubenssätzen, wie sie uns ähnlich in 1 Kor 15,3–5 begegnet. Dort werden die Erscheinungen der Auferweckung Jesu durch ein verbindendes καί parataktisch zugeordnet. Die semitisierende Parataxe, welche auf einen archaischen Ursprung dieser Formel hinweist, ist auf Grund des Subjektwechsels in Apg 13,30f nicht möglich. Lukas koordiniert, indem er in v. 31a das einleitende demonstrative ὅς verwendet.

---

46 Diese Wendung entstammt kerygmatischer Tradition; vgl. auch Apg 2,24.32; 3,15.22.26; 4,10; 5,30; 10,40; 13,33.34.37; 17,31; 26,8; bei Paulus: Röm 4,24; 8,11; 10,9; 2 Kor 4,14; Gal 1,1; Eph 1,20; Kol 2,12; 1 Thess 1,10.

47 ἀνιστάναι findet sich in Apg 2,24.32; 13,33f; 17,31; ἐγείρειν wird verwendet in Apg 3,15; 4,10; 5,30; 10,40; 13,30.37. Vgl. hierzu auch U. *Wilckens*, Missionsreden[3] 137.

48 Vgl. Ri 3,9.15: ἤγειρεν σωτῆρα; 2,16: ἤγειρεν κριτάς. ἐγείρειν im Sinne von „auferwecken" in Sir 48,5; Jes 26,19.

49 Vgl. Apg 13,22. Zur soteriologischen Terminologie von Apg 13,16b–23 s. o. 41f. 47. R. Laurentin vermutet übrigens das gleiche hebr. Verbum rûm hinter ὑψόω (vgl. Lk 1,52 mit Apg 13,28) und ἐγείρω (vgl. Lk 1,69 mit Apg 13,22f): vgl. *R. Laurentin*, Traces d'allusions éthymologiques en Luc 1–2: Bibl 38 (1957) 5–9.

50 So U. *Wilckens*, Missionsreden[3] 137–140.

51 Siehe, dazu J. *Dupont*, Les Discours Missionnaires, in: Études 142.

52 So E. *Haenchen* Apg 352, unter Berufung auf E. *Norden*, Agnostos Theos. Untersuchungen zur Formengeschichte religiöser Rede, Darmstadt [4]1956, 166–176. 201–207.

53 Vgl. Apg 2,24; 3,3.21; 4,10; 5,36; 6,6; 7,20.39.46; 9,39; 10,39; 11,14.23; 14,9.16; 15,29; 16,24; 18,27; 22,4; 23,29. Siehe *Bauer*, Wb 1156: „Im Relativpron. ist häufig ein Demonstrativpron. verborgen."

Das Ostergeschehen hat seine eigene innere Kohärenz; kontinuierlich und bruchlos reihen sich die einzelnen Etappen der Heilsgeschichte aneinander. Die Dramatik des Geschehensablaufes liegt darin, daß die Linie des Heilsgeschehens bis in die Gegenwart verlängert wird. So ist auch die Erwähnung der Erscheinungen nicht der Auferweckungsformel untergeordnet, sondern nachgeordnet. Mit der Verwendung der Verbform ὤφθη ist ein neuer Höhepunkt im Ablauf des Ostergeschehens bezeichnet, welcher zugleich Ausgangspunkt für das letzte noch zu vollendende messianische Werk ist: die Evangelisation in der Gegenwart (v. 32).

Mit dem besonderen Sinngehalt von ὤφθη hinsichtlich der Begegnungen mit dem Auferstandenen haben sich gerade neuere Arbeiten intensiv befaßt.[54] Wir brauchen an dieser Stelle die dort gemachten umfassenden Erörterungen nicht zu wiederholen, sondern können uns beschränken auf Bemerkungen, die speziell das Vorkommen von ὤφθη in v. 31a betreffen.

In Apg 13,31a begegnet uns zum ersten Mal in der Apg der Terminus ὤφθη als Bezeichnung für die Erscheinungen des Auferstandenen. Nun sind die Erscheinungen durchaus nicht ein feststehender Topos in den vorhergehenden Missionsreden; Erwähnung finden sie dort nur in der Cäsarearede (vgl. Apg 10,40f). Es zeigt sich auch hierin, daß die Predigt gerade vor Nicht-Jerusalemiten eine größere materiale Vollkommenheit anstrebt als vor den Einwohnern Jerusalems selbst.[55]

Es ist allerdings nicht zu übersehen, daß schon der einleitende summarische Bericht der Apg (vgl. Apg 1,3) gleich zwei Hinweise auf die Erscheinungen enthält. Ein Vergleich zeigt indessen, daß an allen vier genannten Stellen sich verschiedene Formulierungen finden, die Erscheinungs-Terminologie also eine beachtliche Variationsbreite aufweist.[56]

Während aber die Ausdrucksweise in Apg 1,3 und 10,40 eindeutig hellenistischen bzw. lukanischen Ursprungs ist,[57] entstammt der Terminus ὤφθη auch seiner Form nach dem LXX-Vokabular.[58] Ein Blick auf 1 Kor 15,3–5 zeigt zudem, daß ὤφθη schon sehr früh zu einem „Motivwort"[59] in der Urgemeinde wurde. Wir können daraus allerdings nicht einfach schließen, daß Apg 13,31 und 1 Kor 15,3–5 eine gemeinsame Quelle zugrundeliegt, denn

---

54 Vgl. zur Frage der Erscheinungen Jesu allgemein die von G. Ghiberti zusammengestellte Bibliographie in E. Dhanis (Hrsg.), Resurrexit. Actes du Symposium International sur la Résurrection de Jésus (Rome 1970), Rom 1974, 684–686; bzgl. des Erscheinungsberichtes in Lk 24,36–43 und seiner Bedeutung in Lk-Apg vgl. C. M. Martini, L'apparizione agli Apostoli in Lc 24,36–43 nel complesso dell'opera lucana, ebd. 230–245.

55 So ist auch die Erwähnung der Erscheinungen in Apg 10,40 zu erklären. Die Tatsache, daß die Erscheinungen in den Missionspredigten fern von Jerusalem hervorgehoben werden (in Cäsarea: vgl. Apg 10,40; im pisidischen Antiochien: vgl. Apg 13,31) läßt C. M. Martini vermuten, daß die Perikope Lk 24,36–43 oder ihre Quelle gerade im Hinblick auf die Missionierung außerhalb Palästinas konzipiert sein könnte: vgl. C. M. Martini, ebd., 241 Anm. 15. Als indirekte Verweise auf das in Lk 24,36–43 beschriebene Erscheinungsgeschehen haben freilich auch die Stellen Apg 2,32; 3,15; 4,33; 5,32 zu gelten, da sie sich auf die Berufung zur apostolischen Zeugenschaft (Lk 24,48) und folgerichtig auch auf die damit verbundene Episode (Lk 24,36–43) beziehen: vgl. C. M. Martini, ebd., 240.

56 Vgl. Apg 1,3: οἷς καὶ παρέστησεν ἑαυτὸν ζῶντα.. δι' ἡμερῶν τεσσεράκοντα ὀπτανόμενος αὐτοῖς; 10,40: ἔδωκεν αὐτὸν ἐμφανῆ γενέσθαι; 13,31: ὃς ὤφθη.

57 Zum hellenistischen Ursprung von ὀπτανόμενος in Apg 1,3 vgl. H. Conzelmann, Apg 25, und E. Haenchen, Apg 109. Die Formulierung von Apg 10,40 (ἔδωκεν αὐτὸν ἐμφανῆ γενέσθαι) ist einmalig in der griechischen Literatur, einschließlich der LXX, und scheint von Lukas gebildet worden zu sein; eine ähnliche Konstruktion findet sich in Apg 14,3.

58 Vgl. A. Pelletier, Les apparitions du Ressuscité en termes de la Septante: Bibl 51 (1970) 76–79. Die Konstruktion ὡφθῆναι τινί im Sinne von „jemandem erscheinen" finden wir übrigens auch in Eurip. Bacch. 914, und Thuk. I, 51,2; vgl. Bl-Debr 191,1.

59 So H. Conzelmann, Apg 85.

diese Verbform von ὁϱάω begegnet uns in Lk-Apg – im Unterschied zu ihrem Gebrauch bei Paulus – nicht nur in den Berichten über die Erscheinungen des Auferstandenen.[60] Aus dem Vorkommen des LXX-Wortes ὤφθη in v. 31a legt sich vielmehr eine andere Schlußfolgerung nahe: Lukas gibt an dieser Stelle ὤφθη den Vorzug, weil gerade die antiochenische Synagogenpredigt einen biblisch-traditionellen Charakter haben soll. Beweis dafür sind nicht nur die vielen Schriftzitate, sondern auch die einzelnen Begriffe dieser Predigt, die immer wieder Anklänge an die LXX verraten.[61] Der Redner paßt sich so der Situation an; dementsprechend ist auch die Ausdrucksweise vor einem heidnischen Publikum hellenistisch (vgl. Apg 10,40).

In der LXX ist ὤφθη die Übersetzung der entsprechenden Nifalform von rā'āh und kann darum vom rein grammatikalischen Gesichtspunkt her sowohl medial wie passiv interpretiert werden.[62] Ein Vergleich von Apg 1,3 mit Apg 10,40 ergibt nun, daß Lukas die Erscheinungen einmal medial, dann wieder passiv versteht. Darum läßt sich auch bezüglich ὤφθη in v. 31a die Frage nicht im Sinne eines „Entweder-Oder" endgültig beantworten. Da aber ansonsten in dieser Rede θεός durchgehend das handelnde Subjekt ist, nicht aber 'Ιησοῦς, empfiehlt sich auch an dieser Stelle eher eine passive Interpretation.[63]

Eines aber ist durch ὤφθη mit aller Deutlichkeit ausgesagt: Es handelt sich hier um ein Offenbarungsgeschehen, welches das Schauen des einzelnen sicherlich nicht ausschließt, aber in dem Sehen des Zeugen allein nicht seinen Ursprung haben kann. Das fehlende ὑπό weist ja gerade darauf hin, daß der Erscheinende aktiv, der Zeuge hingegen passiv vorgestellt werden soll. Die sog. Visionstheorie, welche den Osterglauben der ältesten Christen auf seelische Vorgänge in den Jüngern Jesu zurückführt, findet jedenfalls in ὤφθη keine Stütze.[64]

Daß durch ὤφθη ein reales und objektives Geschehen zum Ausdruck gebracht werden soll, wird vollends klar aus dem folgenden ἐπὶ ἡμέρας πλείους. In ihrer Konstruktion typisch lukanisch,[65] enthält diese Wendung ein Motiv, das gerade von Lukas betont wird: die reale Ge-

---

60 ὤφθη für das Erscheinen von Engeln wird in Lk 1,11; 22,43; Apg 7,30.35 verwendet; für das Erscheinen von Feuerzungen in Apg 2,3: von Traumgesichten in Apg 16,9; des verklärten Moses und des Elija in Lk 9,31; für die Epiphanie Gottes in Apg 7,2; für das Auftreten des Moses in Apg 7,26. Meistens bezieht sich ὤφθη also auch auf das Erscheinen übernatürlicher Wesen und wird fast stets mit dem Dativ konstruiert: vgl. *Bauer*, Wb 1146. Als Bezeichnung für das Erscheinen des Auferstandenen findet sich ὤφθη in Lk 24,34; Apg 9,17; 13,31; 26,16; 1 Kor 15,5–8; vgl. auch: 1 Tim 3,16; Hebr 9,28.

61 Eine kurze und gute Übersicht über die Septuagintanachahmung in Apg 13,16b–41 bringt E. *Plümmacher* in seiner Untersuchung: Lukas als hellenistischer Schriftsteller (Studien zur Umwelt des Neuen Testaments 9) Göttingen 1972, 44f.

62 Vgl. *L. Koehler – W. Baumgartner*, Lexicon in Veteris Testamenti Libros, Leiden 1958, 865 (nif. von rā'āh). Siehe hierzu die Diskussion bei *K. Lehmann*, Auferweckt am dritten Tag nach der Schrift (Quaest. disp. 38) Freiburg 1968, 100.

63 Damit entspräche ὤφθη auch der Formulierung von Apg 10,40: ἔδωκεν αὐτὸν ἐμφανῆ γενέσθαι. *J. Dupont* weist in diesem Zusammenhang auf die Verbform παρεδόθη hin, die wohl aus Jes 53 stammt: in Jes 53,12 heißt es: παρεδόθη εἰς θάνατον, in Jes 53,6 hingegen: κύριος παρέδωκεν αὐτόν: vgl. *J. Dupont*, Ressuscité „Le Troisieme Jour": Bibl 40 (1959) 742–761 in: Études 321–336 hier: 327 Anm. 19. Passiv wird ὤφθη auch von G. Delling interpretiert: vgl. *G. Delling*, Die Jesusgeschichte 383.

64 So auch *H. Grass*, Ostergeschehen und Osterberichte, Göttingen [4]1970, 189, wie auch *F. Hahn*, Christologische Hoheitstitel (FRLANT 83) Göttingen [3]1966, 207.

65 Die Wendung ἐπί mit dem Akkusativ zur Angabe eines bestimmten Zeitabschnitts findet sich bei Mt /; Mk /; Lk 3; Joh /; Apg 13; Pl 3; Hebr 1. πλείους, ohne jede komparative Bedeutung (vgl. Apg 2,40), ist die kontrahierte Form von πλείονας und wird von der Apg bevorzugt verwendet: vgl. Apg 13,31; 19,32; 21,10; 23,13.21; 24,11; 25,14. In Verbindung mit ἡμέρας begegnet uns πλείους nur in der Apg: vgl. Apg 13,31; 21,10; 25,14. Hier nimmt πλείους die Bedeutung von τίνας (= einige) an.

schichtlichkeit der Erscheinungen.[66] Nur bei Lukas wird auch auf die Dauer die Erscheinungen Wert gelegt (vgl. Apg 1,3).[67]
Die Erscheinungen selbst werden nur global erwähnt. Der Redner beruft sich nicht auf das ὁρᾶν von einzelnen, sondern auf das Zeugnis eines ganzen Personenkreises.[68] Dies ist in Apg 10,40f nicht anders; auch dort finden wir die in diesem Zusammenhang wichtige plurale Form. Wenn diese Redeweise auch in der ersten Paulusrede beibehalten wird, dann deshalb, weil die Wahrheit des apostolischen Zeugnisses als objektiv und absolut gesichert erscheinen soll.
Der Wortwahl nach ist die Umschreibung dieser Gruppe von Augenzeugen durchaus nicht spezifisch lukanisch, die Formulierung aber hat bei Lukas eine größere Bedeutungsfülle. συναναβαίνω kommt außer in Apg 13,31a nur noch in Mk 15,41 vor und zwar auch dort in der Partizipialform und in gleicher Konstruktion; bezogen wird das Partizip hier allerdings auf die vielen Frauen im Gefolge Jesu.[69] Das Verbum ἀναβαίνω hingegen als Bezeichnung für das Hinaufziehen nach Jerusalem ist allen Evangelisten vom AT her sehr geläufig.[70] Auch der geographische Aufriß Galiläa – Jerusalem ist allen Synoptikern gemein.[71]
Mehr aber als von Markus und Matthäus wird der Reisebericht von Lukas ausgestaltet. Hervorgehoben wird dabei vor allem die Schicksalsgemeinschaft der Jünger mit Jesus.[72] Von allem Anfang an wissen die Jünger, was Jesus in Jerusalem erwartet, und sie bleiben bei ihm bis zum Ende. Nach der Passionserzählung des Lk-Ev gibt es keine allgemeine Jüngerflucht.[73] Im Unterschied zu Mk 16,7 und Mt 28,10 werden die Jünger auch nach der Auferstehung nicht nach Galiläa verwiesen, sondern erfahren in Jerusalem ihre Begegnungen mit dem Auferstandenen (vgl. Lk 24,13–31.34.36–52).
Das geographische Schema Galiläa – Jerusalem wird also in Lk konsequenter durchgehalten als in Mk und Mt. Dies geschieht vor allem im Hinblick auf die Verkündigung, welche die

---

66 Den gleichen Zweck, nämlich die unbezweifelbare Realität der Erscheinungen zu unterstreichen, erfüllt die lukanische Insistenz auf die Leibhaftigkeit des Erscheinenden: vgl. dazu *C. M. Martini,* L'apparizione 241: „Visto in questa luce il brano (= Lk 24,36–43) non ha come scopo primario di affermare qualcosa sul modo di corporeità del Risorto; essendo in funzione della testimonianza apostolica seguente, esso va interpretato alla luce di tale testimonianza." „Non è il tipo di corporeità del Risorto quello su cui cade l'accento, ma l'i r r e f r a g a b i l i t à dell' esperienza degli undici, che fu di tale intensità che su di essa non può cadere dubbio alcuno": ebd. 242.

67 Die Form ὤφθη ist darum auch als komplexiver Aorist aufzufassen: vgl. Bl-Debr 332. Nach *H. Conzelmann,* Apg 25, besteht dabei zwischen den vierzig Tagen in Apg 1,3 und den ἡμέρας πλείους in Apg 13,31 kein wirklicher Unterschied. Bzgl. Apg 13,31 liegt das lukanische Interesse darin, einen nicht zu geringen Zeitraum anzugeben, „um darin die reale Geschichtlichkeit der Zeit der Erscheinungen als letztirdischer Zeit Jesu zum Ausdruck zu bringen": vgl. *U. Wilckens,* Missionsreden³ 151 Anm. 1.

68 Vgl. *H. Braun,* Zur Terminologie der Acta von der Auferstehung Jesu: ThLZ 77 (1952) 534: „Das ὁρᾶν des einzelnen gegenüber der Auferstehung Jesu kann in den Acta so fast völlig fehlen, weil hier die Gesamtheit der Apostel als der μάρτυρες im Zentrum steht."

69 Vgl. Mk 15,41: ἄλλαι πολλαὶ αἱ συναναβᾶσαι αὐτῷ εἰς Ἱερουσόλυμα.

70 Vgl. Mt 20,17; Mk 10,32; Lk 18,31; 19,28; Joh 2,13; 5,1; 11,55. Siehe weiterhin Apg 11,2; 21,12.15; 24,11; 25,1.9; Gal 2,1. Vgl. hierzu *J. Schneider,* ἀναβαίνω, ThW I, 517.

71 So berichten auch alle Synoptiker nur von einer einzigen jerusalemitischen Wirkungszeit Jesu: vgl. Mk 11,1ff; Mt 21,1ff; Lk 19,28ff.

72 Vgl. Lk 22,28. Der häufige Gebrauch der Präposition σύν und der mit σύν zusammengesetzten Verben in Lk-Apg ist als Indiz dafür zu werten, wie sehr Lukas die Gemeinschaft der Jünger mit Jesus und untereinander betont wissen will: vgl. dazu *W. Grundmann,* Luk 27, und *ders.,* σύν, ThW VII, 795.

73 Siehe hierzu *G. Schneider,* Die Passion Jesu nach den drei ältesten Evangelien (Bibl. Handbibliothek 11) München 1973, 168. Die persönliche Beziehung zum leidenden Christus in Lk und deren paränetische Bedeutung wird besonders von *A. Vanhohoye* in seiner Arbeit über die Passion Jesu herausgestellt: vgl. *A. Vanhoye,* De narrationibus passionis Christi in evangeliis synopticis, P.I.B. Rom 1970, 37.40.

Apg beschreibt. Nur die können Zeugen Jesu sein, die ununterbrochen, bis hin zur Himmelfahrt, bei Jesus waren (vgl. Apg 1,21f).

Ähnlich wird der Apostelkreis in Apg 13,31a umschrieben. Die Formulierung kann relativ ungenau bleiben, da ja der Leser im Rückblick auf Lk 24 und Apg 1 weiß, um welchen Personenkreis es sich genauer handelt. Im Gefolge Jesu befanden sich zwar auch fromme Frauen und viele andere Jünger, denen der Herr ebenfalls erschien. Doch werden allein die Apostel als seine Zeugen autorisiert, und darum konzentriert sich das ganze Erscheinungsgeschehen in Lk 24 gerade auf sie.[74] Nicht die Kunde einiger frommer Frauen vom leeren Grab, sondern die Begegnung mit dem Auferstandenen selbst hat die Apostel zum Glauben gebracht.[75]

Durch ἐπὶ ἡμέρας πλείους ist v. 31a schließlich als ein variierender Rückverweis auf Apg 1,3 erwiesen. Da es sich in Apg 1,3 um ein mehrfaches Erscheinen handelt, das nur die Apostel betrifft, kann auch συναναβᾶσιν in v. 31a allein auf die Apostel bezogen werden. Bestätigt wird diese Schlußfolgerung durch den nun folgenden Relativsatz.[76]

v. 31b: οἵτινες νῦν εἰσιν μάρτυρες αὐτοῦ πρὸς τὸν λαόν

So wie es für den lukanischen Sprachstil charakteristisch ist, daß ein Relativpronomen die Funktion eines Demonstrativpronomens übernehmen kann,[77] so tritt auch häufig in Lk-Apg an die Stelle des bestimmten das unbestimmte Relativpronomen, besonders im Nominativ.[78] Dabei aber kann nicht ausgeschlossen werden, daß sich das pronomen indeterminatum gelegentlich seine ursprüngliche, klassische Bedeutung in der Apg bewahrt hat;[79] dies scheint uns auch für die Bedeutung von οἵτινες in v. 31b zuzutreffen.

Es geht in v. 31a ja nicht um die namentliche Bezeichnung einzelner Personen, sondern um die Angabe ihrer Qualifikation: Da die Apostel mit Jesus von Galiläa nach Jerusalem gezogen sind und Jesus ihnen nach seiner Auferweckung erschien, konnten sie seine Zeugen werden. Der enge relativische Anschluß von v. 31b an v. 31a bringt zum Ausdruck, daß die Erscheinungen ihren Sinn nicht in sich selbst haben, sondern zur Bezeugung und Verkündigung des Auferstandenen führen sollen.[80] Dem durch οἵτινες eingeleiteten Relativsatz eignet also ein konsekutiver Sinn.

In v. 31 spannt sich der Bogen von der Vergangenheit bis zur Gegenwart. In diesen Gedankengang fügt sich sehr gut das nun folgende νῦν ein. Fehlt es auch in beachtlichen Mss., so ist es textkritisch doch gut bezeugt.[81] Vielleicht wurde es von einigen Mss. fortgelassen, weil es an parallelen Stellen fehlt, doch ist gerade dies umgekehrt ein Argument für seine Ursprünglichkeit.

Die Lesart ἄχρι νῦν hingegen ist auf Grund der Texttradition fraglich und paßt auch nicht in den Kontext. Beim Zuhörer bzw. Leser soll ja nicht der Eindruck entstehen, als wolle Paulus

---

74 Lk 24,33 nennt außer den Elf noch diejenigen, die mit ihnen waren (τοὺς σὺν αὐτοῖς). Doch ist von diesen in Apg 1,3 nicht mehr die Rede. So ist mit dem Kreis der Zeugen in Apg 13,31 nur der Kreis der Apostel gemeint (gegen *H. Conzelmann*, Apg 85).

75 Vgl. hierzu *H. D. Betz*, Ursprung und Wesen christlichen Glaubens nach der Emmauslegende (Lk 24,13–32): ZThK 66 (1969) 14.

76 Auch der doppelte Relativsatz ist charakteristisch für den kerygmatischen Stil der Apg-Reden: vgl. Apg 3,15.21; 4,10; 7,38f.45f; 10,41.

77 S. o. Anm. 53.

78 Vgl. Lk 7,39; 8,43; 23,19; Apg 8,15; 11,20.28; 12,10; 13,43; 17,10; 21,4; 23,14.21.33; 24,1; 28,18; siehe hierzu *Bauer*, Wb 1163f.

79 Vgl. *M. Zerwick*, Graecitas Biblica 217; siehe auch die Bedeutung von ὅπου (anstelle von ποὔ) in Apg 17,1!

80 Vgl. hierzu *B. Weiss*, Apg 174: „Das οἵτινες (10,41) motiviert die ihnen zu Theil gewordenen Erscheinungen aus ihrer Zeugenaufgabe."

81 Vgl. Beg. III 124: „The unconventional (cf. 2,32; 3,15; 5,32; 10,39) and broadly attested νῦν is to be retained in spite of its omission in B Antiochian."

die Apostel ablösen, vielmehr predigen ja Paulus und die Apostel gleichzeitig, wenn auch je vor einer verschiedenen Zuhörerschaft.[82] Offensichtlich soll νῦν den Gegensatz der Apostel zu ihrer eigenen Vergangenheit insinuieren: Waren sie auch auf dem ganzen Weg von Galiläa bis hin nach Jerusalem ἀγνοήσαντες, so sind sie jetzt μάρτυρες. Gleichzeitig hebt νῦν die Aktualität und die Dringlichkeit der apostolischen Botschaft hervor. Auch diese Funktion von νῦν ist uns aus Lk-Apg geläufig.[83]

Nach v. 31b sind die Apostel μάρτυρες[84] in einem ganz qualifizierten und zugleich umfassenden Sinn. Die genitivische Wendung μάρτυρες αὐτοῦ greift den programmatischen Vers Apg 1,8 wieder auf; nur an diesen beiden Stellen in Lk-Apg finden wir den Begriff μάρτυς mit einem abhängigen Genitiv der Person.

Das Verständnis dieses Genitivs sollten wir nicht einengen auf die Bedeutung eines genitivus subjectivus oder objectivus, sondern ihn von dem übergreifenden und zugleich ursprünglichen Sinn des Genitivs her interpretieren. Der erste und fundamentale Sinn einer genitivischen Wendung ist es ja, die Zugehörigkeit zweier Begriffe zueinander zum Ausdruck zu bringen.[85] μάρτυρες αὐτοῦ will infolgedessen besagen: Einst hineingenommen in die engste Lebensgemeinschaft mit dem irdischen Jesus, bleiben die Apostel ihm auch nach seiner Auferstehung in einer ganz besonderen Weise zugehörig. Die Ausdrucksweise μάρτυρες αὐτοῦ korrespondiert dem vorhergehenden συναναβᾶσιν αὐτῷ.

Die Apostel treten nicht an die Stelle Jesu, sondern sind μάρτυρες dafür, daß Jesus lebt. Auf Grund ihres Zusammenseins mit dem irdischen Jesus und ihrer Begabung mit seinem Geist erhält ihr Zeugnis eine horizontale und zugleich vertikale Dimension: sie bezeugen den irdischen Jesus als den jetzt erhöhten Herrn.

Der Ausdruck μάρτυρες αὐτοῦ ist seiner Form und seinem Inhalt nach so umfassend, daß er in v. 31b gleichzeitig auf die beschränkt werden muß, die von allem Anfang an Jesus begleitet haben.[86]

Das allgemein in v. 31b umschriebene und definierte Zeugnis der Apostel erhält im Rückblick auf das vorhergehende Passionssummarium eine ganz bestimmte Stoßrichtung und inhaltliche Ausfüllung wie Aktualisierung. Die Apostel bezeugen Christus vor demselben Volk, das ihn in seiner Unwissenheit verurteilt hat (vgl. vv. 27f). Der Kontext von v. 31b legt es nahe, den beiden Begriffen μάρτυς und λαός eine juristisch-forensische bzw. lokale Konnotation zu geben: Vor dem Volk der Jerusalemiten (= πρὸς τὸν λαόν)[87] bezeugen die Apostel öffentlich die Unschuld Jesu.[88] Vor einer solchen Zuhörerschaft ist ihr μαρτύριον zugleich Beweis und Anklage; darum ist in Jerusalem die Auferweckung Jesu, verstanden als seine Rechtfertigung durch Gott, durchgehend Ansatzpunkt für die Mahnung zur μετάνοια.[89]

---

82 So mit *H. H. Wendt,* Apg 239, gegen *T. Zahn,* Apg 441.

83 Vgl. das häufige Vorkommen von νῦν in Lk-Apg: Mt 4; Mk 3; Lk 14; Joh 28; Apg 25. In Lk ist dieses νῦν häufig lukanischer Redaktion zuzuschreiben, bezeichnet aber hier eher die „Jetztzeit" unter dem Aspekt der noch nicht zu ertragenden irdischen Not: vgl. Lk 6,21–25; siehe dazu *J. Dupont,* Les Béatitudes III, Paris 1973, 100–112.

84 Zum μάρτυς-Begriff der Apg vgl. *L. Cerfaux,* Témoins du Christ d'après le Livre des Actes: Angelicum 20 (1943) 166–183 = Bibl. Ephem. Theol. Lov. 6–7 II (Recueil L. Cerfaux), Gembloux 1954, 157–174, wie auch *N. Brox,* Zeuge und Märtyrer (Stud. z. A. u. N.T. 5) München 1961, 43–55.

85 Vgl. hierzu *M. Zerwick,* Graecitas Biblica 36.

86 Vgl. *G. Lohfink,* Paulus vor Damaskus 47: „Die eigentlichen Zeugen Jesu sind die zwölf Apostel, denn sie sind von Jesus selbst im heiligen Geist ausgewählt (Apg 1,21f) und waren von Anfang an bei allem, was Jesus tat und lehrte, mit dabei (Apg 1,21f). So sichern sie durch ihre Verkündigung und ihr Wirken die Kontinuität zu der sich entfaltenden Kirche."

87 Die gleiche lokal beschränkte Bedeutung hat λαός in Apg 2,47–6,12; Ausnahmen: Apg 3,23 (vgl. Dtn 18,19); 4,25 (vgl. Ps 2,1).

88 In diesem Sinn ist auch διαμαρτύρασθαι in Apg 10,42 zu interpretieren!

89 Vgl. Apg 2,36–40; 3,18f; 5,31.

Im Zusammenhang mit v. 31 wird immer wieder die Frage erhoben, warum Paulus sich *an dieser Stelle* nicht auf die ihm selbst zuteilgewordene Erscheinung des Auferstandenen beruft. Nach dem Gesagten ist die Frage nicht so schwer zu beantworten. Wie die ganze Rede, so ist auch der Abschnitt vv. 27–31 bzw. vv. 26–32 beherrscht von dem Grundgedanken der Kontinuität. Paulus versucht die Linie aufzuzeigen, die von der Verheißung des Heils bis hin zur Verkündigung dieses Heils in der Gegenwart führt. Gestützt auf das Zeugnis der Apostel kann Paulus in v. 32 unmittelbar fortfahren: καὶ ἡμεῖς ὑμᾶς εὐαγγελιζόμεθα.

Konzeption und Thematik dieser Predigt sind situationsbedingt. Wie Paulus vor den Heiden bei der Schöpfungswirklichkeit und der Allgegenwart Gottes ansetzt (vgl. Apg 17,24–31), so betont er vor einer jüdischen Zuhörerschaft den geschichtlichen Charakter der Offenbarungsreligion. Sein Anliegen ist es, den heilsgeschichtlichen Zusammenhang zwischen der Vergangenheit und der Gegenwart Israels aufzuzeigen.

Wie Johannes d. T. das Bindeglied zwischen dem Alten und dem Neuen Bund ist, so sind die zwölf Apostel die Garanten für die Kontinuität zwischen der Zeit Jesu und der nachösterlichen Zeit. Wegen dieser ihrer unersetzbaren Funktion werden beide in der antiochenischen Predigt von Verkündigern zu Verkündigten.[90] In den so gefaßten Aufriß der apostolischen Paradosis kann die Paulus zuteil gewordene Erscheinung keinen Eingang finden. Paulus läßt sie an dieser Stelle unerwähnt, um den großen Zusammenhang seiner Predigt um so klarer und pointierter hervortreten zu lassen.[91]

3. DAS SICH IN JERUSALEM ERFÜLLENDE HEILSWORT

Schon der Anschluß von v. 27 an v. 26 durch das demonstrative τοῦτον und das kausale γάρ lassen den ganzen Abschnitt vv. 27–31 als eine Entfaltung des λόγος σωτηρίας (vgl. v. 26) erscheinen. Die wichtigsten Ergebnisse unserer Analyse möchten wir wie folgt zusammenfassen:

– Die Darstellung des jerusalemitischen Geschehens ist stark geprägt von *lukanischem Sprachstil* und ist gleichzeitig reich an *Verweisen und Anspielungen auf das AT*. Gerade in diesem Abschnitt zeigt sich die Vorliebe des Verfassers von Apg 13,16–41 für biblisch gebundene Redeweise, die selbst in der Beschreibung eines nicht ausdrücklich prophezeiten Geschehens wie der Grablegung (vgl. v. 29 mit Dtn 21,22f) anklingt.

Doch ist es nicht nur das verwendete LXX-Vokabular, das den Bezug zum AT verrät. In seiner ganzen Komposition, die einer bekenntnismäßigen Aufreihung von Glaubenssätzen gleicht, zeigt dieser Abschnitt das Bemühen des Predigers, das gesamte Jesusgeschehen in den Verlauf der atl. Heilsgeschichte einzubetten, so wie sie in vv. 17–23 gesehen wird. Für jüdische Ohren mußte ja die Botschaft vom Fluchtod des Messias unerhört klingen. Dem konnte der Prediger nur dadurch begegnen, daß er die atl. Texte, von denen vielleicht einige gerade in der Synagoge erklungen waren (vgl. φωνάς in v. 27!), „als Zeugnis für Christus beschlagnahmte"[92].

– Das geschickte Eingehen auf die spezifische antiochenische Situation zeigt sich besonders darin, daß durch das *Leitmotiv „Jerusalem"* das Passions- und Auferstehungsgeschehen engstens mit der Geschichte des Volkes Israel (vgl. vv. 17–23) verknüpft wird. Es ist unübersehbar, daß das Stichwort „Jerusalem" den Abschnitt einleitet (v. 27) und abschließt (v. 31).

90 Vgl. auch Apg 2,32; 3,15; 5,32; 10,39.41. Siehe hierzu E. *Kränkl*, Jesus der Knecht Gottes 167.
91 Es ist darum U. Wilckens (vgl. *U. Wilckens*, Missionsreden³ 147) zuzustimmen, wenn er gegen H. Conzelmann (vgl. *H. Conzelmann*, Mitte der Zeit 32) betont, daß es sich bei der Beschränkung des Begriffs μάρτυς in Apg 13,31 keineswegs um Polemik handelt, da ja keine andere Zeugenvorstellung in der Apg sichtbar wird, von der es sich abzugrenzen gilt.
92 Vgl. dazu E. *Lohse*, Die Auferstehung 8.11.

Diese literarische Methode dient der Hervorhebung des theologischen Gedankens, daß die Heilswege Gottes nach Jerusalem führen und sich dort vollenden. Die Jünger werden darum auch als solche beschrieben, „die mit Jesus von Galiläa nach Jerusalem hinaufgezogen sind" (vgl. v. 31).

Um den Gedanken zu betonen, daß sich in der Stadt des Volkes Israel alles erfüllt und vollendet hat (vgl. Lk 9,31.51 mit Apg 13,28: ἐπλήρωσαν; 13,29: ἐτέλεσαν und 13,33: ἐκπεπλήρωκεν!), scheut der Prediger sich nicht, die ihm überkommene Tradition entsprechend umzuformen. So läßt er in seinem relativ ausführlichen Leidensbericht allein die Führer und Einwohner Jerusalems Subjekt des Passionsgeschehens sein, ohne zwischen den einzelnen Verantwortlichkeiten zu unterscheiden. Dies ist also nicht auf Unkenntnis oder eine bestimmte polemische Absicht zurückzuführen. Auch kann Brachylogie (Verdichtung des Ausdrucks) diese Weise der Darstellung nicht hinreichend erklären. Der Aussagewille des Verfassers von Apg 13,16–41 konzentriert sich hier vielmehr auf den einen Gedanken, daß sich in und durch Jerusalem das Geschick des Messias erfüllt hat. So sollen die Zuhörer zum Glauben an Jesus als den wahren σωτήρ geführt werden, denn Jerusalem ist, der Schrift gemäß, die Stadt des Messias.

Durch die Verweise auf das AT wird dem Zuhörer verdeutlicht, daß Gott letztlich Subjekt der Heilsgeschichte und damit auch der Leidensgeschichte bleibt.

Dem Handeln der Menschen, die Jesus getötet haben, wird die Auferweckung Jesu als Tat Gottes gegenübergestellt. Vor demselben Volk, das Jesus in seiner Unwissenheit verurteilt hat, bezeugen die Apostel, die von allem Anfang an bei Jesus waren, seine Auferweckung (v. 31). Beherrschend ist auch hier das Jerusalem-Motiv; von der Stadt Jerusalem aus nimmt die universale Mission ihren Ausgang.

Dadurch, daß der Prediger die heilige Geschichte sich ausschließlich in Jerusalem vollenden läßt, dem Ort, auf den sich die Erwartung Israels richtete (vgl. Lk 2,25.38), wird das Jesusgeschehen und damit der Abschnitt vv. 27–31 eng mit dem Thema der Verheißung (vv. 23.32.33a) verknüpft.

So kann unsere Analyse das Urteil von P. Schubert nur bestätigen: „Luke is a littérateur of considerable skill and technique"[93].

– Formgebend für das Passions- und Auferweckungssummarium der antiochenischen Rede ist der Gegensatz zwischen dem Handeln der Menschen und dem Handeln Gottes an Jesus oder auch die Dialektik von *Erniedrigung und Erhöhung*. Diese formale Struktur darf nicht dadurch aufgehoben werden, daß man Kreuz und Auferstehung voneinander trennt; beide Geschehnisse konstituieren für den antiochenischen Prediger den einen λόγος σωτηρίας.

Wie in vv. 17–23, so sind auch in vv. 27–31 die Themen Erniedrigung und Erhöhung zusammenzudenken. Das Einbegreifen des Begräbnisses (v. 29; vgl. dazu 1 Kor 15,4), das in Anlehnung an Dtn 21,22f als die Vollstreckung des Todesurteils an einem Verbrecher in letzter Konsequenz beschrieben wird, läßt das erhöhende Handeln Gottes an seinem Gerechten (vgl. das Motiv der passio iusti in v. 28) um so stärker hervortreten. Wie sollte auch Gott, der stark genug war, sein Volk aus der erniedrigenden Knechtschaft zu befreien und zu erhöhen (vgl. v. 17a.b), nicht auch die Macht haben, seinen Sohn aus der Gewalt eines ungerechten Todes zu befreien? Das Verbum ἐγείρειν, das ja ohnehin in seiner Bedeutung dem hebr. rûm (im Pil. = erhöhen) nahe ist, hat im Hinblick auf vv. 17–23 (vgl. ἤγειρεν σωτῆρα in v. 23) eine unübersehbare soteriologische Konnotation. So wird in vv. 27–31 das Motiv von Erniedrigung und Erhöhung, das schon das Exordium bestimmte, in eindrucksvoller Weise verdeutlicht und verstärkt.

---

93 *P. Schubert,* The Structure 185.

5. Kapitel
Die Auferweckung Jesu im Zeugnis des AT nach Apg 13,32–37

I. DIE PROBLEMATIK VON APG 13,32–37

Nicht nur in der ersten Petrus- und Pauluspredigt, sondern auch in allen anderen Missionsreden der Apg wird das Auferstehungsgeschehen vom Zeugnis der Schrift her interpretiert,[1] doch wird allein in den beiden erstgenannten Predigten die Auferweckung Jesu *ausführlich* zum AT in Beziehung gesetzt (vgl. Apg 2,24b–36; 13,32–37). Hier finden sich die atl. Texte, die nach dem Verfasser der Apg als die *primären* Schriftzeugnisse für die Auferstehung Jesu zu gelten haben. In der antiochenischen Rede werden nacheinander drei Schriftworte zitiert (Ps 2,7: vgl. Apg 13,33; Jes 55,3: vgl. Apg 13,34; Ps 16,10b: vgl. Apg 13,35), von denen her die Ausleger immer wieder den traditionsgeschichtlichen Hintergrund und den Gedankengang der gesamten antiochenischen Predigt zu erschließen versuchten.

Zu nennen sind hier zunächst Forscher wie J. W. Doeve und in seinem Gefolge E. Lövestam, D. Goldsmith und E. E. Ellis u. a.[2] Das Interesse der Exegeten für die antiochenische Rede hat sich geradezu an diesem Abschnitt entzündet. Es muß überraschen, daß die genannten Verse in der deutschsprachigen Exegese noch keine ausführliche Behandlung erfahren haben. Die Monographie von E. Lövestam ist ein gewisser Hinweis dafür, daß das 5. Kapitel dieser Arbeit eine gewisse Eigenständigkeit und eine herausragende Bedeutung für sich beanspruchen darf.

Die These von J. W. Doeve, daß der antiochenischen Rede ein ursprünglich in hebräischer Sprache formulierter frühchristlicher Midrasch zugrundeliege und dieses sich vor allem aus Apg 13,32–37 beweisen lasse, hat einerseits der Forschung neue Impulse gegeben, hat aber andererseits eine gewisse Befangenheit und eine Verengung des Blickfeldes zur Folge gehabt. Die Forscher konzentrierten sich nun fast ausschließlich auf die *Art und Weise* der Schriftverwendung in diesem Abschnitt und kamen dabei zu dem Ergebnis, hier liege ein Midrasch-Pescher zu 2 Sam 7 vor. Die Frage nach der *inhaltlichen Aussage* und dem inneren Zusammenhang dieser Verse trat freilich dabei in den Hintergrund.

Nun vermochten wir im 1. Kapitel unserer Arbeit zu zeigen, daß die einzelnen Abschnitte der gesamten Rede durch einigende Schlüsselverse und -begriffe miteinander verbunden werden, in denen eine einheitliche Thematik sichtbar wird. Gerade an diesem Abschnitt der Rede, der sich anscheinend so komplex darbietet und zu so vielen Fragen Anlaß gibt, möchten wir exemplarisch aufzeigen, daß er seine Einheit nicht zunächst durch die Bezugnahme des Autors auf eine zugrundeliegende (hypothetische) Quelle erhält – eine solche Erklärung wäre zu formal. Hier soll vielmehr der vom Redaktor selbst entwickelte theologische Grundgedanke als das einigende Band herausgestellt werden. Darum möchten wir in der Exegese von Apg 13,32–37 nicht primär den Verbindungen zu 2 Sam 7 nachgehen – dieser Text wird ja eben hier nicht direkt zitiert –, sondern die Schriftzitate von ihrem je eigenen Herkunftsort und Gewicht her würdigen.

Übrigens wird auch sonst 2 Sam 7 nie ausdrücklich in Lk-Apg angeführt, ein indirektes Zitat findet sich vielleicht in Lk 1,32f (vgl. 2 Sam 7,12.16). Ist es nicht möglich, daß der Verfasser der antiochenischen Rede ganz bewußt einen den Juden offensichtlich so geläufigen Text wie 2 Sam 7 unerwähnt läßt und andere Texte zitiert, um das unerwartet Neue der ntl. Erfüllung hervorzuheben? Umgekehrt ist so vielleicht auch das Schweigen der Rabbiner in früh-

---

1 Siehe zum Vergleich Apg 3,22–24 (vgl. Dtn 18,18.19); 4,11 (vgl. Ps 118,22); 5,31 (vgl. Ps 118,16); 10,43 (allgemeiner Hinweis auf die Propheten).
2 S. o. 12f.

christlicher Zeit über Texte wie Ps 110 zu erklären: die Christen deuteten diesen Psalm schon auf Jesus hin.[2a] Uns geht es also nicht um die Frage, ob und wie die Nathansprophetie das einigende Band für die Abfolge der vorliegenden Schriftzitate ist, sondern wie der Redaktor selbst diese Schriftworte von ihrem je eigenen Hintergrund her versteht und sie durch seine Thematik eint. Darum sind nicht nur die Schriftzitate selbst, sondern auch die Verbindungsverse sorgfältig zu analysieren. Wir setzen uns natürlich hier kritisch mit der Meinung auseinander, der Prediger habe die Zitate allein aus Reverenz vor der Tradition übernommen, sie aber nicht mehr verstanden.

Viele Fragen tauchen hier auf. Bezieht sich z. B. ἀναστήσας ᾿Ιησοῦν in Apg 13,33 auf die Erweckung oder die Auferweckung Jesu? Wie ist die änigmatische Formulierung τὰ ὅσια Δαυὶδ τὰ πιστά (vgl. Jes 55,3 mit Apg 13,34) zu verstehen? Warum wird so sehr betont, daß Jesus die διαφθορά nicht geschaut hat (vgl. Ps 16,10b mit Apg 13,35–37)? Weshalb geht Jes 55,3 (vgl. Apg 13,34) Ps 16,10b (vgl. Apg 13,35) voraus?[3]

Die Komplexität und Bedeutsamkeit der genannten Fragen veranlassen uns, den Schwerpunkt unserer ganzen Arbeit auf die Auslegung von Apg 13,32–37 zu legen.

II. TEXTANALYSE VON APG 13,32–37

1. APG 13,32–33a ALS BINDEGLIED UND LEITFADEN FÜR DIE INTERPRETATION DER SCHRIFTZITATE

v. 32: καὶ ἡμεῖς ὑμᾶς εὐαγγελιζόμεθα τὴν πρὸς τοὺς πατέρας ἐπαγγελίαν γενομένην.

Die Rückbindung von v. 32 an v. 26 ist offenkundig; mühelos läßt sich v. 32 an v. 26 anschließen. Nicht so leicht zu klären ist aber die Beziehung von v. 32 zum vorhergehenden Vers. Die diesbezügliche Unklarheit schlägt sich in der unterschiedlichen Interpretation des einleitenden καί nieder. So sind sich die Kommentatoren nach wie vor uneins darüber, ob dieses καί im Sinne von „und" oder im Sinne von „auch" zu verstehen ist.[4]

Die letztere Interpretation wird durch das emphatisch vorangestellte ἡμεῖς nahegelegt. Gerade in Verbindung mit Personalpronomina nimmt καί gern die Bedeutung von „auch" an.[5] Eine solche Exegese aber impliziert, daß zwischen εἰσὶν μάρτυρες (v. 31) und εὐαγγελιζόμεθα (v. 32) keine qualitative Differenz besteht, sondern die beiden Prädikate inhaltlich deckungsgleich sind. Der Unterschied zwischen dem Zeugnis der δώδεκα und der Predigt Pauli ist darum nach einigen Kommentatoren auch nur ein lokaler: Die zwölf Apostel richten sich an die Juden in Jerusalem und Palästina, Paulus aber an die Diasporajuden.[6]

Wichtige Argumente aber sprechen gegen ein solches Verständnis von καί. Zunächst hat die bisherige Analyse der Predigt gezeigt, daß der Redner Sätze und Abschnitte nicht unverbunden nebeneinanderstellt, sondern sich von dem Bemühen leiten läßt, durch reiche Verwendung von Partikeln u. a. die einzelnen Etappen der Heilsgeschichte in ihrer zeitlichen und

---

2a Vgl. Bill. IV 1, 458–460.
3 Vgl. dazu L. Lövestam, Son and Saviour 5f.
4 Dieses καί wird als „auch" übersetzt u. a. bei T. Zahn, Apg 442; G. Stählin, Die Apostelgeschichte (NTD 5) Göttingen [10]1962, 179; A. Loisy, Actes 531; in dem Sinne von „und" u. a. bei E. Haenchen, Apg 348; H. Conzelmann, Apg 84.
5 Zu dieser Bedeutung von καί vgl. Bauer, Wb 777. Vgl. z. B. die Wendung καὶ ἡμεῖς in Mt 20,4.7; Lk 21,31; Joh 7,47.
6 So z. B. bei B. Weiss, Apg 174; T. Zahn, Apg 442; A. Loisy, Actes 531; G. Stählin, Apg 183.

logischen Abfolge dem Zuhörer aufzuzeigen. Diesem Redestil aber entspricht, wenn das einleitende καί an dieser Stelle als „und" und nicht als „auch" verstanden wird.[7] Weiter zeigt doch das Schweigen Pauli über die ihm zuteil gewordene Begegnung mit dem Auferstandenen an, daß er sich hier eben nicht in der gleichen heilsgeschichtlichen Funktion mit den Aposteln sieht. Es ist darum nicht nur stilgerechter, sondern auch sachlich angemessener, wenn wir καί als ein anknüpfendes καί verstehen: v. 32 zieht die Linie von den Zeugen zu den Predigern.[8] Der λόγος σωτηρίας wurde in vv. 27–31 kurz entfaltet, wobei die zwölf Apostel in der Rückschau, als die ersten Zeugen der Auferstehung, zu „Verkündigten" wurden (v. 31).

Die Rede steuert nun einem neuen Höhepunkt zu, indem Paulus die Aufmerksamkeit der Zuhörer auf sich selbst richtet. Die urchristliche Verkündigung kann von der Person des Predigers nicht abstrahieren, da sie ein Heilsgeschehen ist, das die persönliche Autorität und Vollmacht des Predigers voraussetzt. Darum geht dort, wo das Wort Gottes für den Zuhörer unmittelbar aktualisiert und ihm machtvoll bezeugt werden soll, die Rede immer in die 1. Person über.[9] Durch den Zusatz von ἡμεῖς zu εὐαγγελιζόμεθα wird diese unersetzbare Funktion des Predigers noch unterstrichen; der Gebrauch eines Personalpronomens der 1. Person in Verbindung mit einem Verbum läßt immer auf eine Hervorhebung der Person schließen.[10]

Paulus entspricht so der Bitte des Synagogenvorstehers, der ihn und seinen Begleiter Barnabas um ein persönliches Wort gebeten hatte (vgl. v. 15). Paulus hatte sich daraufhin zum „Wortführer"[11] gemacht. Wenn er in v. 32 den Plural gebraucht, so will er Barnabas miteinbeziehen.

Lukas legt Wert darauf, die Missionierung als ein Gemeinschaftswerk von Paulus und Barnabas zu beschreiben.[12] Einige Stellen in der Apg scheinen zudem darauf hinzudeuten, daß es sich bei der Synagogenpredigt keineswegs um einen monologischen Vortrag gehandelt hat, sondern um einen Disput mit den Juden, an dem auch Barnabas teilgenommen hat.[13]

In Apg 14,14 bezeichnet Lukas Paulus und Barnabas als ἀπόστολοι; ἡμεῖς wäre somit grammatikalisch als ein *pluralis categoriae* zu deuten *(genus pro individuo)*.[14]

Das enge dialogische Verhältnis von Prediger und Zuhörern könnte kaum besser illustriert werden als durch die unmittelbare Aufeinanderfolge der Personalpronomina ἡμεῖς und ὑμᾶς. Die emphatische Voranstellung von ὑμᾶς in v. 32 ist unübersehbar. Wir konnten beobachten, daß schon in den vorangegangenen Redeabschnitten die Zuhörerschaft mit einer auffälligen Intensität angesprochen wurde.[15] Die Rede erhält so den Charakter eines beschwörenden Appells.

---

7 Vgl. besonders den auffällig häufigen Gebrauch der Kopula καί im ersten Redeabschnitt (vv. 17.18.19.20.21.22). Siehe hierzu unsere obigen Ausführungen.

8 So *H. Conzelmann*, Apg 85.

9 Dort, wo es um die Bezeugung dessen geht, was die Apostel persönlich erlebt und erfahren haben, tritt darum jeweils zur Verbform ganz betont das Personalpronomen der 1. Pers. plur. hinzu: vgl. Apg 2,32; 3,15; 4,20; 5,32; 10,39. Siehe mit Joh 1,16; 4,22; 6,69; 1 Joh 4,14; 3 Joh 12.

10 Vgl. Bl-Debr 277,1, und *Bauer*, Wb 429.

11 Vgl. dazu Apg 14,12: ἐκάλουν τε τὸν Βαρναβᾶν Δία, τὸν δὲ Παῦλον Ἑρμῆν, ἐπειδὴ αὐτὸς ἦν ὁ ἡγούμενος τοῦ λόγου.

12 Das bezieht sich nicht zuletzt auf die Verkündigung: vgl. Apg 13,5.42f.46; 14,1.3.7.14–18. 21–23.25.27; 15,3f.12.35f. Paulus predigt also zusammen mit Barnabas! Vgl. hierzu auch die Aussendung der Jünger durch Jesus: ἀπέστειλεν αὐτοὺς ἀνὰ δύο (Lk 10,1).

13 So ist in Apg 13,45–46 vom öffentlichen Widerspruch der Juden die Rede, mit dem sich Paulus und Barnabas gemeinsam auseinanderzusetzen hatten. Die Predigten Pauli verliefen häufig in der Form von Unterredungen und Disputationen. Lukas verwendet hierfür den klassischen Terminus διαλέγεσθαι: vgl. Apg 17,2.17; 18,4.19; 19,8f; 20,7.9; 24,12.25. Die Form des „Streitgespräches" prägte normalerweise die paulinische synagogale Verkündigung.

14 Vgl. *M. Zerwick*, Graecitas Biblica 7.

15 Vgl. Apg 13,26b.26.

O. Glombitza hat die These vertreten, daß in Lk-Apg das Objekt von εὐαγγελίζεσθαι im allgemeinen im Dativ stehe, dort aber, wo dieses Verbum mit dem Akkusativ konstruiert werde, das Akkusativobjekt den Inhalt der Botschaft bezeichne.[16] Die ganze Konstruktion von v. 32 spricht allerdings eher dafür, daß es sich hier um eine Nachlässigkeit der Koine-Sprache handelt, nach der gelegentlich bei εὐαγγελίζεσθαι gleichzeitig Inhalt der Botschaft wie Empfänger im Akkusativ stehen, ohne daß sich daraus ein Bedeutungsunterschied zur klassischen Konstruktion ergibt.[17]

Allein schon der Gebrauch des Terminus εὐαγγελίζεσθαι in einem synagogalen Gottesdienst läßt aufhorchen. Die Erwartung der Zuhörerschaft Pauli richtet sich auf einen λόγος παρακλήσεως (vgl. v. 15); die jüdische Homilie pflegte nämlich in einem hoffnungsvollen Ausblick auf die Zukunft zu gipfeln: in der Versicherung, daß sich die Verheißung Gottes doch noch einst erfüllen werde.[18] Paulus aber spricht hier vom Heil als von einem präsentischen Geschehen, das sich in Christus ereignet hat und nun den Zuhörern zugesprochen werden soll.

Sachlich ist εὐαγγελίζεσθαι gleichbedeutend u. a. mit κηρύσσειν und καταγγέλλειν.[19] Wenn Lukas Paulus an dieser Stelle εὐαγγελίζεσθαι bevorzugen läßt, dann wohl auch deshalb, weil er eine Beziehung zu Jes 52,7 nahelegen will.[20] Im palästinensischen Judentum ist die Anschauung vom Freudenboten aus Deutero-Jesaja (vgl. Jes 52,7) immer lebendig geblieben, und die Juden wußten, daß sie die ersten Adressaten der Freudenbotschaft waren.[21] Paulus bringt auch dies in seiner antiochenischen Rede deutlich zum Ausdruck (vgl. vv. 16b.26 mit v. 46).

Das Evangelium des Neuen Bundes nimmt die atl. Verheißung auf; sein Inhalt ist die Erfüllung der Verheißungsworte und zwar sowohl in der Verkündigung Jesu als auch der Apostel. „Nicht ein neuer Inhalt unterscheidet nach Lukas ... die christliche Lehre von der jüdischen Heilserwartung, sondern nur das Eine, daß Gott diese Erwartung in Jesus erfüllt hat und ihr damit den Inhalt gegeben hat, auf den sie hinzielt"[22].

Nur an dieser Stelle in Lk-Apg wie auch im gesamten NT und AT wird εὐαγγελίζεσθαι mit

---

16 Vgl. O. Glombitza, Der Schritt nach Europa: Erwägungen zu Apg 16,9–15: ZNW 53 (1962) 78–81. Der Autor bezieht sich dabei u. a. auf Apg 8,25.40; 14,15.21 und auch auf Apg 13,33. Zu unserer Stelle bemerkt er: „Mit ὑμᾶς sind nicht die Empfänger der Botschaft gemeint, sondern das Wort ist appositionell mit τὴν ἐπαγγελίαν verbunden, so daß in einer Umschreibung übersetzt werden muß: Wir predigen als Evangelium die den Vätern gegebene Verheißung, zu der ihr gehört, denn Gott hat sie uns Kindern erfüllt": vgl. ebd. 80.
17 Dem klassischen Stil würde es entsprechen, wenn εὐαγγελίζεσθαι mit dem Dativ der Person und dem Akkusativ der Sache konstruiert würde: vgl. Bl-Debr 152,2; dort finden sich auch weitere Beispiele für die besagte Nachlässigkeit der Koine in diesem Punkte. – In Apg 13,32 ergäbe es übrigens keinen Sinn, εὐαγγελίζεσθαι mit „evangelisieren" zu übersetzen, da ja noch ein zweiter Akkusativ von diesem Verb abhängig ist.
18 Vgl. G. Friedrich, κηρύσσω, in: ThW III, 704, Anm. 42: „Den exegetisch-didaktischen Charakter der synagogalen Predigt ändert auch nicht die Tatsache, daß die Ansprache oft mit einem erbaulichen Trostspruch oder mit einem eschatologischen Ausblick schloß. Sie verkündete nicht die Gegenwart der Eschatologie wie die ntl. Predigt." Vgl. dazu auch Bill. IV 1, 171ff.
19 Vgl. H. Conzelmann, Mitte der Zeit 204–210. Während von den Evangelisten Markus am häufigsten das Verbum κηρύσσειν verwendet (vgl.: Mt 9; Mk 14; Lk 9; Joh /; Apg 8), ist εὐαγγελίζειν (-ζεσθαι) ein ausgesprochener lukanischer Lieblingsterminus (vgl.: Mt 1; Mk /; Lk 10; Joh /; Apg 15); καταγγέλλειν verwendet ausschließlich Lukas, und zwar allein in der Apg (11).
20 Es findet sich in Jes 52,7 (LXX) nicht nur das Verbum εὐαγγελίζομαι (zweimal!), sondern auch das Substantiv σωτηρία (vgl. Apg 13,26).
21 Vgl. dazu G. Friedrich, εὐαγγελίζομαι, ThW II, 706f.
22 Vgl. G. Voss, Die Christologie der lukanischen Schriften in Grundzügen (Stud. Neotest. 2) Paris – Brügge 1965, 145.

dem doppelten Akkusativ konstruiert.[23] Diese ungewöhnliche Konstruktion kommt durch eine sog. Prolepsis zustande. Das Objekt aus dem nachfolgenden ὅτι-Satz wird vorgezogen, um ihm einen besonderen Akzent zu geben. Es ist nicht notwendig, diese Stilfigur aus dem Aramäischen zu erklären, wie es u. a. bei M. Black geschieht.[24] Wie die klassische griechische Sprache, so kennt auch die Koine die Antizipation des Objekts, mag uns auch diese Stilfigur hier nur selten begegnen.[25] Wollte man den Text verändern und ἐπαγγελίαν als Objekt in den ὅτι-Satz einführen, würde die Pointe zerstört. Die eigenwillige Konstruktion soll ja den Schlüsselbegriff ἐπαγγελία betont hervorheben und bewußt ein Spannungselement in diese Aussage hineinbringen.[26] Die Aufmerksamkeit des Zuhörers bzw. Lesers konzentriert sich damit ganz auf den Nachfolgesatz. Durch die Vorwegnahme von ἐπαγγελία soll vielleicht auch verdeutlicht werden, daß dieses Wort als Oberbegriff nicht nur den ersten abhängigen ὅτι-Satz, sondern auch die anderen Folgesätze inhaltlich einbegreift. Andere Beispiele für eine solche Konstruktion in Verbindung mit εὐαγγελίζεσθαι haben wir im NT nicht gefunden.

B. Weiß übersetzt den proleptischen Akkusativ als einen accusativus relationis: „In bezug auf die Verheißung verkündigen wir"[27]. Diese Übersetzung berücksichtigt jedoch nicht zur Genüge die partizipiale Apposition. Vor jeder näheren inhaltlichen Bestimmung wird aus dem Zusatz πρὸς τοὺς πατέρας γενομένη[28] ja schon deutlich, daß ἐπαγγελία nicht ein abstrakter Begriff ist, sondern ein konkretes geschichtliches Ereignis (vgl. γενομένην!) bezeichnet. Zu übersetzen wäre also, auch wenn es etwas umständlich klingt: Wir verkünden euch die an die Väter ergangene (oder geschehene) Verheißung, daß diese Gott erfüllt hat…

Der Plural πρὸς τοὺς πατέρας meint die Vorfahren, die von einer Generation zur anderen diese messianische Verheißung weitertrugen. Die singuläre Partizipialform γενομένην hebt zunächst auf ein bestimmtes geschichtliches Ereignis ab, und es dürfte aus den Schriftzitaten in den vv. 34–37 (vgl. auch v. 23) deutlich werden, daß hierunter als erstes die Verheißung an David zu begreifen ist.

Diese Heilszusage an David aber ist nach ihm immer wieder aktualisiert und konkretisiert worden; darum wird hier auch die plurale Form πρὸς τοὺς πατέρας verwendet. Artikulationen dieser ἐπαγγελία sind für den antiochenischen Prediger die drei folgenden Schriftzitate, die den Psalmen und den Propheten entnommen sind.[29] Auf diese, und nicht zunächst auf 2 Sam 7, muß sich darum unsere Aufmerksamkeit richten.[30]

Ein Vergleich von Apg 13,32 mit Apg 23,6; 24,15 und besonders 26,6–8[31] zeigt, daß der Begriff ἐπαγγελία die Auferweckung zum Inhalt hat. Es wird aber, gerade in der Exegese von Jes 55,3, zu zeigen sein, wie umfassend diese Inhaltsbestimmung ist: ἐπαγγελία intendiert die

---

23 Eine ähnliche Konstruktion liegt indessen in Apg 14,15 vor. Hier ist neben ὑμᾶς ein a.c.i. (ἐπιστρέφειν ἐπὶ τὸν θεὸν ζῶντα etc.) Objekt von εὐαγγελίζομαι.
24 Vgl. *M. Black*, An Aramaic Approach 53. Die Stilfigur des casus pendens hat sich nach *B. Black* übrigens besonders in D erhalten: vgl. *ebd.* 53.
25 Vgl. *N. Turner*, Grammar 325.
26 „Lukas hat emphatisch die Wortstellung verändert, ohne daß man in der Vorausnahme der Worte ‚die an die Väter ergangene Verheißung‘, die eigentlich in den ὅτι-Satz gehören, einen Aramaismus sehen dürfte": *E. Haenchen*, Apg 353. Vgl. auch *F. Blass*, Acta 152: „τὴν ἐπαγγελίαν ante ὅτι collocatum ut postea per ταύτην anaphoricum cum vi repeti posset." Vgl. auch Apg 15,38.
27 *B. Weiss*, Apg 174.
28 Zur Konstruktion vgl. Apg 26,6: καὶ νῦν ἐπ' ἐλπίδι τῆς εἰς τοὺς πατέρας ἡμῶν ἐπαγγελίας γενομένης ὑπὸ τοῦ θεοῦ ἕστηκα κρινόμενος. Das Partizip wird oft von seiner Nebenbestimmung getrennt: vgl. Dl-Debr 474,5.
29 Vgl. die Betonung von Psalmen und Propheten in Lk 24,27.44 und Apg 3,18!
30 S. o. (Einleitung).
31 Zu dem Vergleich von Apg 13,32 mit Apg 26,6–8 siehe *R. F. O'Toole*, Christ's Resurrection in Acts 13,13–52: Bibl 60 (1979) 368f.

Aussage von der Auferweckung Jesu, aber damit verbunden auch das Heil, das der von den Toten Auferstandene den Menschen bringen will (vgl. Apg 13,38f).[32]

Für Paulus ist der Hauptgegenstand seiner Predigt, im Unterschied zur traditionellen synagogalen Homilie, nicht die atl. ἐπαγγελία an sich, sondern die Kunde von ihrer Erfüllung;[33] v. 32 fordert darum nachgerade die Ergänzung und Fortsetzung durch vv. 33ff. Objekt von εὐαγγελιζόμεθα ist nicht ein Verheißungswort, sondern ein Geschehen, welches sich schon vollendet hat.

v. 33a: ὅτι ταύτην ὁ θεὸς ἐκπεπλήρωκεν τοῖς τέκνοις ἡμῖν
ἀναστήσας Ἰησοῦν.

Paulus leitet den Objektsatz mit einem ὅτι-declarativum ein. Schon seit alter Zeit tritt ὅτι (ὡς) mit dem Indikativ für den Infinitiv ein, wenn es darum geht, Tatsachen, und zwar hauptsächlich solche der Vergangenheit, zu konstatieren.[34] Nur noch in Lk 2,10f wird εὐαγγελίζεσθαι mit ὅτι konstruiert. An beiden Stellen freilich eignet der Konjunktion ὅτι eine gewisse Ambivalenz, da es sich jeweils um direkte Rede handelt und das ὅτι durchaus auch als ὅτι-recitativum gedeutet werden könnte.[35] Sachlich aber ergäbe sich dadurch kein Unterschied.

Während εὐαγγελίζεσθαι in der Regel nach Lk-Apg ein einfaches Objekt hat,[36] konstituiert sich in dieser Rede das Objekt durch eine ganze Reihe von Folgesätzen, welche in direkter (v. 33) bzw. indirekter (vv. 34–37) Abhängigkeit von v. 32 stehen. Unter dem Gesichtspunkt des formalen Aufbaus kommt dabei dem ersten abhängigen Prädikat (ταύτην ὁ θεὸς ἐκπεπλήρωκεν) die Funktion einer Überschrift zu: Das Schema von Verheißung und Erfüllung bestimmt die nachfolgende Deutung des Auferstehungsgeschehens.

Dieses Thema wird anschließend näher umschrieben und durchgeführt, um dann in v. 38 für die Zuhörerschaft aktualisiert zu werden (vgl. οὖν καταγγέλλεται). Unser Bemühen muß es also sein, die Argumentation Pauli als eine einheitliche und kontinuierlich fortschreitende Gedankenbewegung zu begreifen, welche in ihrer Konsequenz bruchlos zu v. 38 hinführt: Das in den vv. 33–37 dargestellte Auferstehungsgeschehen ist von Anfang an im Hinblick auf seine *Heilsbedeutung* zu interpretieren.

In Jesus hat Gott die atl. ἐπαγγελία endgültig und abschließend zur Erfüllung gebracht: ταύτην ὁ θεὸς ἐκπεπλήρωκεν. Diese Aussage Pauli ist ihrer Form und ihrem Inhalt nach absolut und definitiv und unterscheidet sich gerade durch diese eschatologische Note von der herkömmlichen Verkündigung der Rabbiner.[37] Der definitive Charakter der ntl. Erfüllung findet seinen entsprechenden Ausdruck in der perfektischen Verbform ἐκπεπλήρωκεν. Mag es bei

---

32 Vgl. *ebd.* 368: „Promise in Acts 13,32–33, then, would mean a general view of the salvation brought by Jesus whom the Father raised from the dead."

33 Vgl. dazu *J. Schniewind – G. Friedrich*, ἐπαγγέλλω, ThW II, 578: „ἐπαγγελία ist ein Wort, das gleichzeitig die Verwirklichung des Verheißenen ausdrückt." Mögen auch im NT die Begriffe ἐπαγγελία und εὐαγγέλιον zu koinzidieren beginnen (vgl. Röm 1,1f und Eph 3,6), so trifft die zitierte Feststellung zumindest für Apg 13,32f nicht zu!

34 Vgl. Bl-Debr. 388,2b.

35 So bei *M. Zerwick*, Graecitas Biblica 416.

36 Eine Ausnahme von dieser Regel bildet, neben Apg 13,32 und Apg 14,15, noch Apg 8,12: hier wird das (Akkusativ-)Objekt präpositional umschrieben: εὐαγγελιζομένῳ περὶ τῆς βασιλείας τοῦ θεοῦ. Nur an zwei Stellen von Lk-Apg wird εὐαγγελίζεσθαι absolut gebracht: vgl. Lk 20,1 und Apg 14,7.

37 Der häufige Gebrauch des Verbums πληρόω und seiner Derivata in den Zitationsformeln, der besonders bei Mt und Joh auffällt, konstituiert einen charakteristischen Unterschied zu den rabbinischen Einleitungsformeln: vgl. dazu *B. M. Metzger*, The Formulas Introducing Quotations of Scripture in the N. T. and in the Mishnah: JBL 70 (1951) 306f. Vgl. auch *G. Delling*, πληρόω, ThW VI, 295: „Sein spezifisches Merkmal erhält der nt.'liche Gedanke der Erfüllung des Gotteswortes durch seinen eschatologischen Gehalt, was ihn maßgeblich vom rabbinischen Schriftbeweis unterscheidet."

der bekannten lukanischen Vorliebe für verba composita[38] auch häufig so sein, daß sich das Kompositum in seiner Bedeutung nicht vom Simplex unterscheidet, so legt es an dieser Stelle der Kontext doch nahe, die Präposition ἐκ- als eine verstärkende Bezeichnung des Abschlusses zu interpretieren.[39]

Das Kompositum ἐκπληρόω ist ein ntl. Hapax-Legomenon. Im Laufe unserer Untersuchung konnten wir schon häufiger Berührungspunkte mit der Terminologie der deuterokanonischen Schriften (LXX) feststellen.[40] So kann es uns nicht mehr überraschen, daß sich ἐκπληρόω nur noch in 2 Makk 8,10 und 3 Makk 1,2.22 wiederfindet. In diesen Makk.-Büchern spiegelt sich die Sprache der jüdischen Diaspora wieder, deren Eigenarten auch die antiochenische Rede verrät.

Die Präposition ἐκ- soll nur die Bedeutung des Perfekts intensivieren, welches schon aus sich den Zustand der Vollendung bezeichnet. Bislang verwandte Paulus sowohl bei der Darstellung als auch bei der Deutung der Heilsgeschichte die Zeitform des Aorists und zwar auch da, wo er auf den Aspekt der Schrifterfüllung abhob. Das erste Vorkommen einer perfektischen Form verdient darum eine besondere Würdigung.

Seiner Natur nach drückt das Perfekt ein vergangenes Geschehen aus, dessen Wirkungen bis in die Gegenwart fortdauern.[41] So hat das Perfekt in v. 33 eine doppelte Funktion: Es zeigt an, daß die historia salutis, die von Paulus in ihren einzelnen Etappen beschrieben wurde, nun an ihren Endpunkt angelangt ist und leitet damit gleichzeitig zur präsentischen Ausdrucksweise des Schlußabschnittes über, der die bleibenden Wirkungen dieser eschatologischen Heilstat Gottes beschreibt.

Durch ἐκπεπλήρωκεν sollen Vergangenheit und Gegenwart miteinander verklammert werden. Mag darum τοῖς τέκνοις ἡμῶν im Anschluß an ἐκπεπλήρωκεν auch die bestbezeugte Lesart sein,[42] so sind sich doch im Gefolge von H. J. Ropes die Textkritiker darin einig, daß es sich hier um einen uralten Fehler handeln muß.[43] Vom Kontext her empfiehlt sich die Konjektur: τοῖς τέκνοις ἡμῖν; ἡμῖν wäre dann Apposition zu dem dativus commodi τοῖς τέκνοις.

τοῖς τέκνοις ἡμῖν korrespondiert dem unmittelbar vorausgehenden πρὸς τοὺς πατέρας: die ersten, aber nicht die einzigen Adressaten (vgl. die Hinweise auf die Nicht-Juden in v. 16b und v. 26) des Evangeliums sind die leiblichen Nachkommen Abrahams.

Wie ἐν ἡμῖν in Lk 1,1, so umgreift auch hier τοῖς τέκνοις ἡμῖν die ganze Erfüllungszeit, darf also nicht auf die gegenwärtige Generation eingeschränkt werden; alle Generationen der „Christuszeit" sind in dieser Wendung einbegriffen.[44]

Zur Generation der Väter gehörten all die Israeliten, die zur Zeit der Verheißung lebten. Mit der Erfüllung der ἐπαγγελία ist nun für ganz Israel (vgl. v. 24) die Endzeit angebrochen. Die lukanische Zeitauffassung läßt im Grunde nur eine Zweiteilung der Heilsgeschichte zu: Lukas unterscheidet zwischen der Zeit der Verheißung und der Zeit der Erfüllung. Der Auf-

---

38 Vgl. die Übersicht über den Gebrauch der Komposita mit den 17 geläufigsten Präpositionen bei *R. Morgenthaler*, Statistik 160: Mt 243; Mk 239; Lk 418; Joh 110; Apg 443. Gerade die mit ἐκ zusammengesetzten Komposita werden in Lk-Apg besonders häufig verwendet: Lk 35; Apg 38: vgl. *ebd.* 160.

39 So u. a. bei *F. X. Patrizii*, In Actus Apostolorum commentarium, Rom 1867, 107, und bei *G. Delling*, πληρόω, ThW VI, 305. In auffälliger Weise korrespondiert dieses Kompositum seiner Form nach dem vorhergehenden ἐξαποστέλλω in v. 26.

40 Siehe dazu auch die Übersicht über das Vorkommen derjenigen ntl. Vokabeln, die in der LXX nur in den Apokryphen erscheinen: vgl. *R. Morgenthalter*, Statistik 180: Prozentual: Mt 2,9; Mk 3,5; Lk 4,7; Joh 2,9; Apg 6,5 (!).

41 Vgl. *M. Zerwick*, Graecitas Biblica 285.

42 τοῖς τέκνοις ἡμῶν lesen P[74] Sinaiticus, A B C* D!

43 Vgl. Beg. III 124; siehe auch Beg. IV 154, und *E. Haenchen*, Apg 353.

44 Vgl. *H. Schürmann*, Luk. 8.

88

fassung von H. Conzelmann, Jesuszeit wie Gegenwart seien noch nicht letzte Zeit,[45] steht die Aussage von Apg 13,32f eindeutig entgegen.[46]

Die Endzeit hebt an mit dem Beginn des irdischen Wirkens Jesu. Die alte Streitfrage, ob ἀναστήσας ᾽Ιησοῦν sich auf diese ἀρχὴ ᾽Ιησοῦ bezieht oder auf seine Auferweckung,[47] läßt sich allein von ἐκπεπλήρωκεν her nicht entscheiden. J. Dupont aber macht zu Recht geltend, daß in Lk-Apg in bezug auf Jesus immer ein Titel folgt, wenn ἀνίστημι in der Bedeutung von „erstehen lassen" verwendet wird, an dieser Stelle ἀνίστημι also nur im Sinne von „auferwek-ken" verstanden werden kann.[48]

Natürlich erhält diese Begründung ihr Gewicht nur in Verbindung mit anderen Argumenten, deren wichtigstes wohl, wie im folgenden erwiesen werden soll, die Berücksichtigung des Kontextes sein dürfte.

Zusammenfassung: Die Textanalyse von Apg 13,32–33a hat uns zu einem dreifachen Ergebnis gebracht, das als Leitfaden die nachfolgende Interpretation der Schriftzitate bestimmen muß:

— Gott hat die an die Väter ergangene ἐπαγγελία endgültig erfüllt.
— Die Erfüllung ist geschehen durch die ἀνάστασις Jesu.
— Die Auferweckung Jesu ist als *Heilsgeschehen* zu deuten.

In v. 32 zieht Paulus die Linie von den zwölf Aposteln, die in v. 31 als die ersten Zeugen der Auferstehung selbst zu „Verkündigten" wurden, zu sich selbst und bezeugt mit Autorität und Vollmacht: Die Zeit der Erfüllung, die Endzeit ist angebrochen. Während die Erwartung der jüdischen Zuhörerschaft sich auf einen λόγος παρακλήσεως richtete, bringt ihr Paulus das εὐαγγέλιον. Diese eschatologische Note unterscheidet die Rede Pauli von der traditionellen synagogalen Homilie.

Es ist immer wieder Gott selbst, der handelt. In der Auferweckung Jesu hat er seine ἐπαγγελία endgültig zur Erfüllung gebracht. Das Partizip ἀναστήσας (v. 32) ist darum nicht auf den Beginn des irdischen Lebens Jesu zu beziehen, sondern auf seine Auferweckung. Die sich anschließende Wendung τοῖς τέκνοις ἡμῖν ist als ein dativus commodi ein unübersehbarer Hinweis dafür, daß der Prediger im folgenden die Auferstehung als Heilsgeschehen deutet, um so zu der Heilszusage von v. 38f hinzuführen.

2. DIE SOTERIOLOGISCHE BEDEUTSAMKEIT DER EINSETZUNG IN DIE GOTTESSOHN-SCHAFT NACH APG 13,33b–33c (PS 2,7)

v. 33b: ὡς καὶ ἐν τῷ ψαλμῷ γέγραπται τῷ δευτέρῳ.

Immer wieder wird gesagt, es handle sich bei dem folgenden Abschnitt der Rede (vv. 33–36) um einen „Schriftbeweis",[49] was den Eindruck erwecken kann, als ob Paulus, der nicht selbst Zeuge der Auferstehung gewesen sei, diese nun aus der Schrift beweisen wolle. Der Ausdruck „Schriftbeweis" aber ist, wie schon die Zitationsformel zu Ps 2,7 zeigt, unan-

---

45 Vgl. *H. Conzelmann,* Mitte der Zeit 30f.
46 So auch *H. Schürmann,* Luk. 233.
47 ἀναστήσας wird auf die Sendung Jesu bezogen u. a. bei *T. Zahn,* Apg 441; *Lake-Cadbury,* Beg. IV 154f; *M. Rese,* Atl. Motive 86; auf die Auferstehung u. a. bei *E. Haenchen,* Apg 353; *U. Wilckens,* Missionsreden[3] 51 Anm. 3; *J. Dupont,* „Filius meus es tu." L'interprétation de Ps II, 7 dans le Nouveau Testament: RSR 35 (1948) 528–535.
48 Siehe Apg 3,22.26; vgl. dazu *J. Dupont,* „Filius meus es tu" 530; vgl. auch Apg 7,37.
49 Dieser Ausdruck wird verwendet – offensichtlich im Anschluß an *M. Dibelius,* Die Reden, in: Aufsätze 142 – u. a. bei *E. Schweizer,* Zu den Reden 5; *U. Wilckens,* Missionsreden[3] 51. Vgl. die Bemerkung von M. Rese: „Die drei behandelten Schriftzitate in Apg 13,33–35 gehören zu dem Teil der Rede, der mit Recht allgemein als Schriftbeweis angesehen wird": *M. Rese,* Atl. Motive 90.

gemessen und sogar irreführend. Für die Realität der Auferweckung bürgt allein das Zeugnis der Apostel, auf welches sich auch Paulus beruft (vgl. v. 31). Das einleitende ὡς verdeutlicht, daß hier nicht ein eigentlicher Schriftbeweis eingeführt wird. Es hebt, wie das καί (auch) zeigt, hervor, „daß schon die Schrift an die Auferweckung des Messias die volle Erfüllung der Verheißung knüpft"[50].

Sehr bezeichnend ist an dieser Stelle die Einfügung der Partikel καί in der Bedeutung von „auch": Das Schriftzitat steht so wie in Parenthese. Das Bekenntnis, ausgesprochen in ἀναστήσας 'Ιησοῦν, soll gleichsam nachträglich in seiner Bedeutungsfülle reflektiert werden.

Wir stehen hier am Beginn aller Auferstehungstheologie, die ihrem Ursprung nach nichts anderes ist als die Reflexion der ntl. Erfüllung im Lichte atl. Verheißung. Diese vergleichende Schau geschieht *ex fide in fidem*, da sie den Glauben an das apostolische Zeugnis voraussetzt.[51] Paulus geht es also nicht um die Demonstration von „Tatsachenwahrheiten", sondern um „Bedeutungswahrheiten". Er versucht in diesen Versen (vv. 33–36), um mit G. Ebeling zu formulieren, das *factum brutum* der Auferstehung zum Sprechen zu bringen.[52]

Was als γέγραπται und damit als zur γραφή gehörig zitiert wird, ist in den lukanischen Schriften immer Verheißungswort.[53] Es überrascht darum nicht, daß das Zitat an dieser Stelle nicht näher als Wort Gottes oder als inspiriertes Wort der Propheten gekennzeichnet wird. Dem ganzen AT eignet ja nach Lukas Verheißungscharakter und damit ein christologischer Bezug. Das hat unmittelbare Folgen für das rechte Verständnis und die rechte Einordnung der folgenden Schriftzitate. Sie alle, also nicht nur Ps 2,7, sondern auch Jes 55,3 und Ps 16,10 sind Ausformulierungen der ἐπαγγελία, von der bisher nur allgemein die Rede gewesen ist. Deutlich sind sie alle als Wort Gottes gekennzeichnet, sei es dadurch, daß Jahwe direkt in den Zitaten zur Sprache kommt (Ps 2,7; Jes 55,3) oder sei es durch Bezugnahme auf einen Gottesspruch (Ps 16,10).

Daß in diesem Zusammenhang zunächst auf die Psalmen verwiesen wird, kann nicht überraschen. Keiner der ntl. Autoren zitiert die Psalmen im Hinblick auf die Interpretation des Jesusgeschehens so häufig wie Lukas.[54] Auffallend und einmalig im NT ist nun die Genauigkeit, mit der in v. 33 zitiert wird. Während Lukas sich ansonsten in den Zitationsformeln nur allgemeiner Hinweise bedient und allein das entsprechende Buch des AT anzugeben pflegt, führt er in v. 33 den Psalm genau an.[55]

Nun ist es durchaus möglich, daß es sich hier um eine sekundäre Lesart handelt, die Zahlenangabe δευτέρῳ bzw. πρώτῳ also später hinzugefügt worden ist und die ursprüngliche Lesart τοῖς ψαλμοῖς oder auch τῷ ψαλμῷ wäre. Entspräche ein solcher allgemeiner Verweis auf die Psalmen auch lukanischer Zitationsweise,[55a] so sind die letzteren Lesarten doch zu schwach bezeugt.[56] Näher liegt die Vermutung, daß die Genauigkeit in der Zitation der Quelle zuzuschreiben ist, welche Lukas an dieser Stelle verwendet.

50 So schon *B. Weiss,* Apg 174.
51 Vgl. dazu *J. Dupont,* L'utilisation, in: Études, 278–280 und *J. Dupont,* L'interprétation, in: Études 304–307.
52 Vgl. dazu *G. Ebeling,* Theologie und Verkündigung (Hermeneutische Untersuchungen z. N. T. 1) Tübingen ²1963, 84–91.
53 Vgl. *M. Rese,* Atl. Motive 81; *G. Schrenk,* γράφω, ThW I, 747.
54 Vgl. Apg 2,24 (vgl. Ps 18,6); 2,25–28 (= Ps 16,8–11); 2,30 (vgl. Ps 132,10f); 2,34 (= Ps 110,1); 4,11 (= Ps 118,22); 13,33 (= Ps 2,7); 13,34 (= Ps 16,10b). Überhaupt ist Lukas derjenige unter den ntl. Autoren, der mehr als jeder andere davon spricht, daß die ἀνάστασις Jesu schon im AT angekündigt worden ist: vgl. Lk 18,31.33; 24,25–27.44–47; Apg 17,3; 26,22f; siehe dazu *H. J. Cadbury,* The Making of Luke-Acts 279.
55 Vgl. zu dieser Zitationsweise und -formel *M. Rese,* Atl. Motive 81.
55a Vgl. Lk 20,42; 24,44; Apg 1,20.
56 τοῖς ψαλμοῖς γέγραπται lesen nur P⁴⁵ und Tertullianᵖᵗ; τῷ ψαλμῷ γέγραπται vertreten allein 522 1175 Hilarius Hesychius Beda. Zur ausführlichen Textkritik vgl. Beg. III 263–265, und *T. Holtz,*

Welcher Zählweise, ob πρώτῳ oder δευτέρῳ, nun der Vorzug zu geben ist, läßt sich nicht so leicht entscheiden. Billerbeck gibt Belege dafür an, daß Ps 1 und Ps 2 in der zeitgenössischen jüdischen Literatur gelegentlich zusammen als Ps 1 gezählt wurden.[57] Der Umstand, daß es sich hier um einen synagogalen Vortrag handelt, in dem der Redner an bestimmte jüdische Traditionen anknüpft, könnte darum für die Lesart τῷ πρώτῳ sprechen, wenngleich τῷ δευτέρῳ besser bezeugt ist.[58]

Mag diese textkritische Frage, welche für die Erhebung des Sinnes von v. 33 nicht weiter von Belang ist, letztlich auch nicht geklärt werden können, so ist doch zumindest erwiesen, daß Lukas sehr wohl um die Herkunft dieses Psalmverses gewußt hat. Die Annahme G. Lohfinks, Lukas kenne nicht mehr den ursprünglichen Sinn von Ps 2,7,[59] ist schon von daher mit Skepsis zu beurteilen.

v. 33c: υἱός μου εἶ σύ,
ἐγὼ σήμερον γεγέννηκά σε.

Wir haben schon darauf hingewiesen, daß ein Schriftzitat in der Apg nicht isoliert betrachtet werden darf, sondern beim Leser immer die Erinnerung an den ganzen Zusammenhang wachrufen will, aus dem es genommen ist.[60] Im Falle von Zitaten aus dem Psalter heißt dies z. B., daß jeweils der ganze Psalm in Betracht zu ziehen ist, und wir wissen aus Apg 4,25–27 bzw. Apg 2,25–31, daß Ps 2 und auch Ps 16 von Lukas auch in größerem Umfang zitiert werden und ihm darum auch diese Psalmen als ganze bekannt sein dürften. Und was Jes 55 betrifft, so ist doch zur Genüge bekannt, wie zentral für die Theologie der Apg die Kapitel aus Deutero-Jesaja sind;[61] besonders die häufigen Hinweise auf die sog. Gottesknechtslieder sind hier zu beachten.[62]

Wir dürfen uns also nicht so sehr auf die Untersuchung einzelner Begriffe fixieren, da es ja in v. 33 zunächst darum geht, daß zwei Geschehen zueinander in Beziehung gesetzt werden. Ps 2 beschreibt das messianische Drama: Die Herrscher der Erde (οἱ βασιλεῖς τῆς γῆς καὶ οἱ ἄρχοντες) haben sich gegen Jahwe und seinen Gesalbten verschworen (v. 2). Sie vermögen aber ihre Pläne nicht auszuführen; der Entschluß Jahwes, den von ihm erwählten König einzusetzen, ist und bleibt unumstößlich (vv. 5–9).

Die schematische Übereinstimmung des in Ps 2 beschriebenen messianischen Dramas mit dem in Apg 13,27–33 skizzierten Jesusgeschehen fällt unmittelbar in die Augen. Bestimmend für die Struktur des Jesuskerygmas ist der Gegensatz zwischen dem Verhalten der Menschen und dem Handeln Gottes. Die Einwohner Jerusalems und ihre Führerschaft wollten den ihnen von Gott zugesandten σωτήρ vernichten (vv. 27–29), Gott aber machte all ihre Pläne zu-

---

Untersuchungen 54f. Der Fund von P[45] hat nach T. Holtz keinen Fortschritt in dieser textkritischen Frage gebracht, da dessen Lesart ἐν τοῖς ψαλμοῖς eine „schlichte Glättung" und schwerlich der ursprüngliche Text ist: vgl. T. Holtz, ebd. 55, Anm. 5. Es handelt sich in Apg 13,33 wohl um die erste uns bekannte Zitationsformel zu einem Psalm, die eine Zahlenangabe enthält: vgl. B. M. Metzger, The Formulas 305.

57 Vgl. Bill. II 725.
58 δευτέρῳ findet sich u. a. in P[74] Sinaiticus, A B C, während die Lesart πρώτῳ u. a. von D vorgezogen wird.
59 Vgl. G. Lohfink, Die Himmelfahrt Jesu 235f.
60 Vgl. hierzu auch C. H. Dodd, According to the Scriptures London 1952, 123.
61 Vgl. die Übersicht bei J. Dupont, L'utilisation, in: Études 281. Hiernach wird an 21 Stellen der Apg aus Jes 40–55 zitiert. Damit ist Deutero-Jesaja das meistverwendete atl. Buch in der Apg.
62 Vgl. Jes 42,7 mit Apg 26,18; Jes 49,6 mit Apg 1,8; 13,47; 26,23; Jes 52,13 mit Apg 3,13.26; 4,27.30; Jes 53,78 mit Apg 8,32f; Jes 53,11 mit Apg 3,13; 7,52; 22,14; Jes 53,12 mit Apg 2,23; 3,13; 7,52.

schanden und verwirklichte seine Heilszusage an Israel durch die Auferweckung Jesu (vv. 30–33).[63]

Lukas sieht in dem Geschick Jesu ein heilsgeschichtliches Gesetz wirksam werden, das durchgehend die ganze biblische Geschichte prägt und von Jesus selbst mit der Frage ausgedrückt wird: „Mußte nicht der Messias all das erleiden, um so in seine Herrlichkeit zu gelangen?" (Lk 24,26). Von diesem δεῖ aus eröffnet sich nach der Aussage des Herrn der Zugang zur gesamten Hl. Schrift (vgl. Lk 24,27).[64]

L. Ruppert hat in einer eindrucksvollen Studie dargelegt, wie sehr die Passionsberichte durch das Motiv der *passio iusti* geprägt sind.[65] Dabei geht es primär nicht um den Verweis auf bestimmte Verse des AT, sondern um die beständig wiederkehrende Bezugnahme auf ein typisches Geschehen: daß nämlich der Gerechte immer wieder von den Menschen verworfen, von Gott aber gerechtfertigt und erhöht wird.

Dieses Motiv der *passio iusti* prägt besonders die Passionsberichte des Lk-Ev und der Apg. So wird auch in der antiochenischen Rede die Unschuld Jesu sehr hervorgehoben (vgl. vv. 28–35). Das Psalmenzitat in v. 33, eingeleitet durch ἀναστήσας Ἰησοῦν assoziiert darum zunächst die Vorstellung einer abschließenden *glorificatio iusti*.

In Ps 2 aber wird nicht nur generell auf die *passio iusti* abgehoben, dieser Psalm bezieht sich ausdrücklich auf die κατάβασις und ἀνάβασις des Messias.[66] Die messianische Deutung dieses Psalms kannten auch die Juden;[67] seine Verwendung drängte sich darum dem urchristlichen Prediger förmlich auf, zumal innerhalb eines synagogalen Gottesdienstes.

Mag Ps 2,7 auch zunächst in der Paulusrede wie ein archaisches und fremdes Traditionsstück wirken, so gibt es doch Hinweise dafür, daß der ganze Psalm, und zwar nicht nur seiner Struktur, sondern auch seiner Terminologie und seinem Inhalt nach, in das Jesuskerygma dieser Rede hineinverwoben ist.

Die Tatsache, daß in Apg 4,27–28 die beiden ersten Verse von Ps 2 auf die Passion Jesu gedeutet werden, läßt die Annahme gerechtfertigt erscheinen, daß gewisse terminologische und inhaltliche Übereinstimmungen von Apg 13,27–28 mit Apg 4,27–28 auf eine Beeinflussung durch eben diesen Psalm zurückzuführen sind. Die ausdrückliche Bezugnahme auf Jerusalem, die Stadt des Messias (vgl. Apg 4,27 und 13,27 mit Ps 2,6), auf seine ἄρχοντες (vgl. Ps 2,2 LXX mit Apg 4,27 und Apg 13,27) und schließlich der Hinweis auf die verschwörerische Versammlung gegen den Messias (vgl. Ps 2,2 mit Apg 4,27 bzw. 13,27–28) sind deutliche Anzeichen dafür, daß der Abschnitt Apg 13,27–28 mit Apg 4,27 und somit auch mit Ps 2 in einem direkten Zusammenhang steht.

Bei der Analyse von Apg 13,27–29 haben wir schon auf mannigfache Berührungspunkte mit dem Passionsbericht des Lk-Ev aufmerksam gemacht. Ein Punkt verdient dabei noch besondere Erwähnung:

---

63 Vgl. hierzu die bemerkenswerten Ausführungen von B. M. F. van Iersel über Ps 2 und das Schema des Kerygmas in den Missionsreden der Apg: vgl. *B. M. F. van Iersel*, Der Sohn 75–77. Der Autor schreibt u. a.: „Man kann in der Tat schwerlich beweisen, daß die Form der kerygmatischen Verkündigung dem Schema von Ps 2 (bzw. Weish 1–6) entliehen wurde... Aber die diesbezüglichen Übereinstimmungen sind zu auffallend, um außer acht gelassen zu werden": vgl. *ebd.* 76f. Beachte auch die nahe Verwandtschaft zum Schema der „Gottesknechtslieder" in Jes 50,4–9 und 52,13–53,12.

64 Dieses δεῖ (vgl. auch Apg 17,3; 26,22f) besagt darum in Lk-Apg mehr als „notwendige Erfüllung der Schrift": so *U. Wilckens*, Missionsreden[3] 158f; dieses δεῖ hat den Inhalt von „Heilsnotwendigkeit".

65 Vgl. *L. Ruppert*, Jesus als der leidende Gerechte. Der Weg Jesu im Lichte eines alt- und neutest. Motivs (SBS 59) Stuttgart 1972.

66 Vgl. *B. M. F. van Iersel*, Der Sohn 75: „So geht aus der Interpretation der beiden ersten Verse (Ps 2,1–2) in Apg 4,27–28 hervor, daß man dies als ein Zeugnis für den katabatischen Teil von Jesu Lebensweg sah. Ps 2,7 hingegen wird als Zeugnis für Jesu Anabasis angeführt."

67 Vgl. Bill. III, 19f; die Deutung von Ps 2 auf den Messias b. David ist die älteste und verbreitetste: vgl. *ebd.* 675.

Bei einem synoptischen Vergleich der Synedriumsszene fällt auf, daß im Unterschied zu Mt 26,64 und Mk 14,62 in Lk 22,70 das Bekenntnis Jesu zur Gottessohnschaft ausdrücklich hervorgehoben wird. Während bei den anderen Synoptikern das Verhör Jesu abgebrochen wird, nachdem Jesus sich als Messias bzw. Sohn Gottes und den zur Rechten Gottes erhöhten Menschensohn bezeugt hat (vgl. Mt 26,63–64 und Mk 14,61–62 mit Lk 22,67–69), führt Lukas die Befragung Jesu noch einen Schritt weiter. Der Platz zur Rechten Gottes gehört allein dem Sohn Gottes; darum schließt sich in Lk 22,70 die Frage an: Σὺ οὖν εἶ ὁ υἱὸς τοῦ θεοῦ; nach Lk 22,70 hat Jesus auch diese Frage bejaht: Jesus selbst bezeugt sich also vor dem Hohen Rat als Sohn Gottes! Für das Synedrium ist damit die Beweisaufnahme abgeschlossen; es kann auf Grund dieses Selbstbekenntnisses Jesu auf andere Zeugenaussagen verzichten (vgl. hingegen Mk 14,55–60).[68]

In diesem Kontext ist das Psalmenzitat in Apg 13,33 zu sehen. Was Jesus in Lk 22,69 mit den Worten von Dtn 7,13 und Ps 110,1 angekündigt hat, ist eingetroffen: ἀπὸ τοῦ νῦν (vgl. σήμερον in Ps 2,7 bzw. Apg 13,33) δὲ ἔσται ὁ υἱὸς τοῦ ἀνθρώπου καθήμενος ἐκ δεξιῶν τῆς δυνάμεως τοῦ θεοῦ.

Der Gottesspruch von Ps 2,7 bestätigt, was Jesus nach Lk 22,69 für sich in Anspruch genommen hat, das Synedrium in seiner ἄγνοια aber nicht anerkennen wollte: daß Jesus der Sohn Gottes ist. Gerade hier zeigt sich die Dialektik der Heilsgeschichte; die Stunde der κατάβασις ist gleichzeitig die Stunde der ἀνάβασις des Messias; indem Jesus in den Tod hineingeht, eröffnet sich ihm der Weg zur Herrschaft als Sohn Gottes.

In der ersten Petrusrede veranschaulicht Ps 110,1 diese heilsgeschichtliche Dialektik. Wie Ps 2,7 so ist auch Ps 110,1 eine Inthronisationsformel; analog zum υἱός-Titel will auch der κύριος-Titel Ausdruck sein für die Herrlichkeit, die Jesus in der Auferweckung verliehen wurde.[69] Es bleibt aber noch zu klären, welche spezifische Vorstellung sich mit der Verleihung des Sohnestitels bzw. mit Ps 2,7 verbindet.

Zunächst einmal dürfte klar sein, daß der Ausdruck ἀναστήσας Ἰησοῦν und das damit verbundene Psalmenzitat sich auf den endgültigen Ausgang des messianischen Dramas beziehen. Mag es auch philologisch auch durchaus rechtfertigen lassen, ἀνίστημι im Sinne von „erwecken" zu verstehen und mag Lukas auch in bezug auf den Beginn des öffentlichen Lebens Jesu diesen Terminus gebrauchen,[70] so läßt der Kontext von Apg 13,33 doch diese Deutung nicht zu.

Daß der D-Text in Lk 3,22 die Stelle Ps 2,7 schon auf die Taufe Jesu bezieht, ist eine andere Frage.[71] Selbst wenn diese noch ungesicherte Lesart textkritisch erhärtet werden könnte, spräche das nicht unbedingt gegen unsere Interpretation von Apg 13,33, denn die frühchristlichen Schriftsteller waren keine „Schulmeister, die sich und ihre Leser aus pädagogischen Gründen ängstlich an unveränderliche Regeln des Gedankenausdrucks und des Schriftgebrauchs banden"[72].

Schwieriger zu beantworten ist die Frage, ob Lukas in Apg 13,33 Auferweckung und Erhöhung als ein einziges Geschehen begreift.

Nach der These von G. Lohfink[73] unterscheidet Lukas in seinem Doppelwerk immer sorg-

68 Vgl. hierzu J. Dupont, Les Problèmes du Livre des Actes entre 1940 et 1950, in: Études 122f, und ders., Le Ps 110 dans le N. T., in: E. Dhanis (Hrsg.), Resurrexit. Actes du Symposium International sur la Résurrection de Jésus (Rome 1970), Rom 1974, 340–422, hier: 368–370.
69 Vgl. J. Dupont, Le Ps 110 368.
70 Vgl. Apg 3,22 (= Dtn 18,15).26; 7,37 (= Dtn 18,15).
71 Vgl. hierzu den Artikel von F. Lentzen-Deis: Ps 2,7, ein Motiv früher „hellenistischer" Christologie?: TheolPhil 44 (1969) 342–362. Siehe auch die ausführliche textkritische Diskussion von Lk 3,22 bei H. Schürmann, Luk 193f.
72 Vgl. E. Kränkl, Jesus der Knecht Gottes 137, mit Berufung auf T. Zahn, Das Evangelium des Lucas (Komm. z. N. T. 3) Leipzig – Erlangen 1920, 202.
73 Vgl. G. Lohfink, Die Himmelfahrt Jesu 239–241 (= Zusammenfassung und Ergebnis).

fältig zwischen Auferweckung und Erhöhung. Um so auffälliger ist es darum für diesen Autor, daß Lukas ein Schriftzitat, das von der Inthronisation des Messias handelt, mit einer Auferweckungsaussage einführt (ἀναστήσας Ἰησοῦν: v. 33) und weiterführt (ἀνέστησεν αὐτὸν ἐκ νεκρῶν: v. 34). G. Lohfink kann sich diesen Widerspruch nur durch die Annahme erklären, daß Lukas den ursprünglichen Sinn von Ps 2,7 nicht mehr verstanden habe. Während in der Tradition Ps 2,7 immer als eine Inthronisationsformel gegolten habe, spreche dieser Psalmvers nach dem Verständnis des Lukas von der Zeugung Christi zum Leben der Auferstehung.[74] G. Lohfink beruft sich dabei auf E. Haenchen, welcher nach ihm als einziger unter den neueren Auslegern das genannte Schriftzitat in diesem Sinn interpretiert hat.[75]

Es ist nur zu verständlich, daß G. Lohfink sich mit solcher Entschiedenheit der Deutung von E. Haenchen anschließt, da die traditionelle Interpretation von Apg 13,33 bzw. Ps 2,7[76] der Hauptthese seines Werkes über die Himmelfahrt Jesu widerspricht; doch scheint uns bei der lukanischen Vertrautheit mit Ps 2 die Annahme, der Verfasser der Apg habe Ps 2,7 nicht mehr verstanden, in keiner Weise gerechtfertigt.

Zunächst verfällt G. Lohfink (wie übrigens auch E. Kränkl) in den Fehler[77], in der Erhöhung Jesu, welche sich in der Himmelfahrt ereignete, das soteriologisch allein entscheidende Ereignis zu sehen; es bleibt bei ihm unklar, welche Heilsbedeutung die ἀνάστασις Jesu hat.

Aus Apg 13,33 geht indessen der soteriologische Bezug von ἀναστήσας Ἰησοῦν klar hervor, auch unabhängig von der Deutung, welche man Ps 2,7 gibt. Der dativus commodi τοῖς τέκνοις ἡμῖν gehört grammatikalisch sicherlich zu ἐκπεπλήρωκεν, muß aber logisch doch auch auf ἀναστήσας Ἰησοῦν bezogen werden. Eine solche Interpretation ist durchaus nicht ungewöhnlich, wird doch in der Apg ἀνίστημι auch an anderen Stellen mit einem dativus commodi verbunden.[78] Daß Lukas hier die ἀνάστασις Jesu nicht als ein isoliertes Geschehen betrachtet, sondern sie in ihrer Bedeutung für die Zuhörer reflektiert, ergibt sich schließlich ganz deutlich aus v. 34: Die Auferweckung von den Toten wird als Heilsgabe Gottes (δώσω ὑμῖν) an die Zuhörerschaft interpretiert.

Berücksichtigt man ferner, daß v. 33 sich in der Diktion eng an v. 23 anschließt, hier aber der Name Ἰησοῦς als σωτήρ gedeutet wird (vgl. Lk 2,11!), dann läßt sich nicht mehr leugnen, daß auch schon die ἀνάστασις Jesu als ein Heilsgeschehen gesehen werden muß, das in seiner Bedeutung für die Zuhörer sichtbar zu machen ist. Gäbe man Ps 2,7 allein die Deutung, welche E. Haenchen diesem Psalmvers in v. 33 unterlegt, würde man dem Kontext nicht gerecht. Die Auferweckung Jesu ist in v. 33 nicht nur als eine Erzeugung zum ewigen Leben verstanden, sondern ist gleichzeitig die Einsetzung des σωτήρ Ἰησοῦς für uns. Darum kann auch in v. 38 gefolgert werden, daß einem jeden, der an Jesus glaubt, Rettung zuteil wird.

Es ergibt sich hieraus, daß eine Differenzierung von Auferweckung und Inthronisation in v. 33 nicht vorliegt.[79]

---

74 Vgl. *G. Lohfink*, ebd. 235f.
75 Vgl. *G. Lohfink*, ebd. Anm. 103 mit *E. Haenchen*, Apg 353.
76 Zu dieser traditionellen Interpretation vgl. *J. Dupont*, L'interprétation, in: Études 296 Anm. 39.
77 Vgl. *E. Kränkl*, Jesus der Knecht Gottes 186; siehe dazu die Rezension von U. Wilckens: „Das wohldurchdachte Verhältnis zwischen Lukas-Evangelium und Apostelgeschichte, das sich gerade in der Struktur der Acta-Reden, deren Mitte die im Evangelium bezeugte historia Jesu ist, besonders deutlich zeigt, ist völlig verkannt, wenn die Erhöhung Jesu für sich als das eigentliche, soteriologisch allein entscheidende Ereignis der Heilsgeschichte herausgestellt wird": vgl. ThLZ 99 (1974) 187.
78 Vgl. Apg 3,22.26; 7,37. Es ist allerdings zuzugestehen, daß ἀνίστημι hier den Sinn von „erwecken" und nicht „auferwecken" hat.
79 Auch bzgl. Apg 2,30–36 ist die Argumentation von G. Lohfink, der hier wiederum zwischen Auferweckung und Erhöhung unterscheiden will, nicht zwingend, denn das οὖν in Apg 2,33 kann, wie auch an anderen Stellen von Lk-Apg (vgl. u. a. Lk 3,9; 11,35; Apg 1,21; 5,41) auch einen rein folgernden Sinn haben und muß nicht hier zu etwas Neuem führen, wie G. Lohfink annimmt: vgl. *G. Lohfink*, Die Himmelfahrt Jesu 229.

Aus der Kombination von Ps 2,7 und Jes 42,1 in Mk 1,11 par sowie Mk 9,7 par läßt sich mit einiger Sicherheit die Schlußfolgerung ziehen, daß es schon eine vorlukanische Tradition gegeben hat, in der auch die Titel υἱός (Ps 2,7) und παῖς (Jes 42,1) promiscue gebraucht wurden.[80]

Gleichwohl sind παῖς und υἱός in der Apg nicht bedeutungsgleich, denn die Verleihung des Sohnestitels, von der Ps 2,7 bzw. Apg 13,33 spricht, will die Übertragung der Gottesherrschaft zum Ausdruck bringen, die Erhöhung des Gottesknechtes zum κύριος (vgl. Apg 2,36). Der Redaktor von D hat darum die Bedeutung von Ps 2,7 in Apg 13,33 richtig erfaßt, wenn er auch Ps 2,8 zitiert, mag diese Lesart auch nicht ursprünglich sein. Lukas formuliert wohl, daß Gott seinen παῖς auferweckt (vgl. Apg 3,26) und ihn so verherrlicht hat (vgl. Apg 3,26), nicht aber, daß er Jesus in der Auferweckung zu seinem παῖς gemacht hat! Darum bezeichnet der Titel υἱός in Apg 13,33 im Vergleich zum messianischen Titel παῖς durchaus *christologisch Spezifisches.*[81]

Diese Christologie, in der es zunächst nicht um die Wesensbestimmung Jesu geht, sondern vielmehr um die Hervorhebung seiner heilsgeschichtlichen Bedeutung und Stellung, wird nicht zuletzt durch die häufige Beifügung von θεοῦ bzw. des entsprechenden Possessivpronomens zu den messianischen Titeln angezeigt, welche geradezu charakteristisch für die Ausdrucksweise der Apg ist.[82] So ist U. Wilckens zuzustimmen, wenn er schreibt: „Die leitende Vorstellung bei ihm (sc. Lukas) ist die, daß Jesus als der ‚Christus Gottes' und der ‚Knecht Gottes' das in der Schrift verheißene, von Gott ausersehene zentrale heilsgeschichtliche Werkzeug Gottes sei"[83]. So will auch das dem υἱός angefügte μου in Ps 2,7 bzw. Apg 13,33 besagen, daß die Einsetzung in die Sohnschaft Gottes als ein Heilsgeschehen gedeutet werden muß: Christus wird als Sohn Gottes für uns eingesetzt!

Ps 2,7 bzw. die Messiasprädikation υἱός scheint von Lukas mit Bedacht gerade für eine Pauluspredigt ausgewählt worden zu sein. Jesus wird nur an zwei Stellen der Apg υἱὸς θεοῦ genannt, und zwar allein von Paulus (Apg 9,20; 13,33).[84] In Apg 9,20 ist die Aussage, daß Jesus der Sohn Gottes ist, gleichsam die Kurzfassung der paulinischen Verkündigung: καὶ εὐθέως ἐν ταῖς συναγωγαῖς ἐκήρυσσεν τὸν Ἰησοῦν ὅτι οὗτός ἐστιν ὁ υἱὸς τοῦ θεοῦ; durch das Zitat von Ps 2,7 in Apg 13,33 soll auch die antiochenische Predigt als paulinisch charakterisiert werden.

Der Vergleich mit Röm 1,3f drängt sich auf. Auch hier erscheint die Einsetzung des Davidssohnes (vgl. Röm 1,3 mit Apg 13,22) in die göttliche Sohnschaft kraft der Auferweckung (vgl. Röm 1,4 mit Apg 13,33) als zentrales Thema der paulinischen Verkündigung. In Röm 1,3f aber ist die Bezeichnung υἱὸς θεοῦ mehr als ein messianischer Titel. „Sohn Gottes" ist Jesus nach Röm 1,3 schon vor seiner Auferweckung. In einer im Vergleich zu Apg 13,33 vertieften Schau[85] versteht Paulus den Sohnestitel nicht nur als eine Messiasprädikation, sondern auch als eine Wesensbezeichnung. Die Auferweckung bewirkt, daß Jesus als der Gottessohn nun als der Sohn Gottes in Macht eingesetzt wird.

Es wäre aber abwegig, wollte man bezüglich Apg 13,33 von einer subordinatianischen, im Hinblick auf Röm 1,3f hingegen von einer metaphysischen Christologie sprechen. Diese theo-

---

80 Vgl. *U. Wilckens,* Missionsreden³ 164.
81 Das kommt bei U. Wilckens nicht genügend zum Ausdruck: vgl. *U. Wilckens,* Missionsreden³ 156.164f.177. Den Stellenwert der einzelnen Jesusprädikationen hebt zu Recht wieder *P. G. Müller* hervor; vgl. seine diesbezügliche Kritik in seiner Rezension von *E. Kränkl,* Jesus der Knecht Gottes, in: ThRv 70 (1974) 281.
82 In bezug auf παῖς vgl. Apg 3,13.26; 4,27.30; bzgl. Χριστός siehe Apg 3,18; 4,26.
83 Vgl. *U. Wilckens,* Missionsreden³ 166f.
84 Vgl. zu diesem „Paulinismus" in der Apg *C. F. D. Moule,* The Christology of Acts, in: *L. E. Keck* and *J. L. Martyn* (Hrsg.), Studies in Luke-Acts, Nashville – New York 1966, 174.
85 Vgl. *C. F. D. Moule, ebd.* 174.

logischen Kategorien waren sowohl Lukas wie Paulus fremd; wohl hingegen läßt sich glaubhaft machen, daß Apg 13,33 ein älteres Stadium christologischer Reflexion repräsentiert als Röm 1,3f.

Schließlich ist die Parallelität zwischen der Ankündigung der Geburt Jesu in Lk 1,31–33 und der Botschaft von seiner Auferweckung in Apg 13,32f zu auffällig, als daß sie unbeachtet bleiben könnte. Für das Verständnis der lukanischen Auferstehungsbotschaft ist es ohnehin von grundlegender Bedeutung, daß die Parallelität nicht nur die Terminologie der genannten Verse betrifft, sondern sich auch auf die Struktur und die Motive der Verkündigung von Geburt bzw. Auferstehung bei Lukas insgesamt erstreckt.[86]

Daß die Parallelität in der Formulierung des Geburts- bzw. Auferweckungskerygmas gewollt ist und einer bestimmten theologischen Absicht entspringt, zeigen folgende Beobachtungen, die sich aus einem Vergleich von Lk 1,31–33 und Lk 2,20f mit Apg 13,32f ergeben. Während der Name Jesus dem Kinde von Maria gegeben wird (vgl. Lk 1,31), heißt es in bezug auf den Titel Gottessohn: υἱὸς ὑψίστου κληθήσεται. κληθήσεται muß in diesem Kontext als ein theologisches Passiv interpretiert werden: nicht ein Mensch verleiht diesen Namen, sondern allein Gott selbst.[87]

Die ewige Herrschaft über das Haus Jakob aber, von der schließlich Lk 1,33 spricht, konnte Jesus erst antreten, als er von seinem Vater zum ewigen Leben auferweckt wurde. So führt in Apg 13,33–35 eine klare Verbindungslinie von ἀναστήσας Ἰησοῦν über Ps 2,7 zu Jes 55,3 (vgl. v. 34) und Ps 16,10b (vgl. v. 35): weil Jesus als Sohn Davids auch Sohn Gottes ist, wird ihm eine ewige Herrschaft zugesichert. Wohl wird Jesus bei Lukas schon vor seiner Auferweckung Sohn Gottes genannt, aber nicht in dem messianischen Sinn von Ps 2,7f, wo die Verleihung dieses Namens Ausdruck sein will für die Übernahme einer gleichermaßen ewigen und universalen Herrschaft.

Der Beginn des Herrschaftsantritts Jesu wird durch das Adverb σήμερον angezeigt, das in Lk-Apg in einer ausgesprochen messianisch-eschatologischen Perspektive zu sehen ist.[88] Schon der Midrasch verstand dieses „Heute" des göttlichen Zeugen als Einbruch des Eschaton. „Inmitten der Drangsal, die durch den Ansturm der Gottlosen verursacht wird, schenkt Gott ‚den Erwählten Israels am Ende der Tage' den Messias als ihren Retter".[89] Apg 13,33

---

86 Vgl. hierzu P. Schubert, The Structure and Significance of Luke 24, in: Ntl. Studien für R. Bultmann z. 70. Geburtstag, Berlin ²1957, 177–179.

87 Ursprünglich ist hier wohl im Lichte von Ps 2,7 an die endzeitliche messianische Inthronisation gedacht gewesen: vgl. F. Hahn, Christologische Hoheitstitel 288.307. So wie der Text heute dasteht, bezieht sich υἱὸς κληθήσεται in Lk 1,32 bereits auf das Leben des irdischen Jesus: so G. Lohfink, Die Sammlung Israels (Stud. z. A. u. N. T. 39) München 1975, 24; vgl. Lk 1,35! Da aber sachlich Namensverleihung und Akklamation zum Akt der Inthronisation zusammengehören, steht die Fortsetzung von v. 32 („Gott, der Herr, wird ihm den Thron seines Vaters David geben") dazu in einer gewissen Spannung; vgl. G. Lohfink, ebd. 24: „Gerade weil er [sc. der Redaktor] eine dezidierte und alles andere als vage Christologie vertritt, muß er deshalb auch mit der ‚Verleihung des Thrones Davids' präzis die im Zusammenhang mit der Auferweckung geschehene Inthronisation Jesu gemeint haben." Sachlich bestehen zwischen Ps 2,7 (Apg 13,33) und Ps 132,11 (vgl. Apg 2,30) wie auch Ps 110,1 (vgl. Apg 2,34f) starke Entsprechungen. Wir widmen dem Vergleich von Apg 13,32f mit Lk 1,32f und Lk 2,10f deshalb zunächst unsere Aufmerksamkeit, weil wir in unserer Untersuchung gerade die mannigfachen Verweise von Apg 13,16–41 auf Lk 1–2 herausarbeiten möchten.

88 Vgl. Lk 2,11; 3,22; Dtn 4,21; 19,9; 23,43. Siehe dazu B. Prete, Prospettive messianiche nell' espressione σήμερον dal Vangelo di Luca, in: Il Messianismo. Atti della XVIII Settimana Biblica, Brescia 1966, 269–284. Vgl. die Verbindungslinie zwischen σήμερον und (ἐκ)πληρόω in Lk 4,21 und Apg 13,33f, wie auch zwischen σήμερον und τίκτω bzw. γεννάω in Lk 2,11 und Apg 13,33. Die Termini σήμερον, πληρόω und τίκτω bzw. γεννάω bilden offensichtlich einen Assoziationskomplex! Hierzu gehört wahrscheinlich auch der Begriff σωτήρ bzw. σωτηρία: vgl. Lk 2,11; 19,9 mit Apg 13,23.32f.

89 Vgl. O. Michel – O. Betz, Von Gott gezeugt, in BZNW 26 (1960) 8. Vgl. hierzu 1 Q Sa 2,11f. Hier wird Ps 2,7 auf die Zeugung des Messias bezogen: vgl. ebd. 11f. Vorsichtiger in der Interpretation des Qumrantextes ist E. Lohse: siehe E. Lohse, υἱός, ThW VIII, 362.

bezieht dieses σήμερον auf den Tag der Auferweckung Jesu; mit diesem Tag bricht die Heilszeit endgültig an.

Schon in Lk 2,11 wird mit ähnlichen Worten die Geburt des Heilandes verkündigt: ἐτέχθη ὑμῖν σήμερον σωτήρ. Wie in Apg 13,32 findet sich auch hier einleitend der Terminus εὐαγγελίζεσθαι; Inhalt des εὐαγγέλιον ist wiederum die Geburt des Messias-σωτήρ; analog zu Apg 13,33 schließt die Verkündigung der Heilsbotschaft und ihrer Erfüllung den Bezug auf das „Heute" ein.

Es mag sich hier die Frage erheben, ob nicht Lk 2,10f in Spannung, ja vielleicht in Gegensatz zu Apg 13,33 steht, ob hier nicht das, was Apg 13,33 in der Auferweckung Jesu realisiert sieht, in Lk 2,10f zurückdatiert wird in das Ereignis der Geburt Jesu aus Maria. Die Antwort hat nach unserer Ansicht so zu lauten, daß Lukas zwischen der ἀρχή und der πεπλήρωσις σωτηρίας unterscheidet.[90] Das Kommen des Messias in die Welt eröffnet die Heilszeit, aber erst seine Geburt zum ewigen Leben läßt die ἐπαγγελία zu ihrer endgültigen Erfüllung kommen, da nur so der σωτὴρ Ἰησοῦς in die ewige und universale Herrschaft eintreten kann.

In der ἀρχὴ Ἰησοῦ, in seiner Geburt aus der Jungfrau Maria, kündigt sich freilich schon die ganze Erfüllung, d. h. auch seine Auferweckung zum ewigen Leben an. So heißt es in Lk 1,35: τὸ γεννώμενον ἅγιον κληθήσεται, υἱὸς θεοῦ. Lukas unterscheidet nicht wie Paulus in Röm 1,3f zwischen einer Geburt Jesu κατὰ σάρκα und einer Geburt Jesu κατὰ πνεῦμα; vielmehr ist schon die Geburt Jesu aus Maria geistgewirkt. Die Auferweckung ist nur eine endgültige Bestätigung dafür, daß der Heilige und Sohn Gottes (vgl. Lk 1,35 mit Apg 13.33.35) in Wahrheit nicht unter der Herrschaft des Todes bleiben konnte, bzw. daß der aus Maria Geborene von allem Anfang an der „Heilige" und der „Sohn Gottes" gewesen ist.

Der Terminus γεννώμενον bezieht sich in Lk 1,35 – im Unterschied zu ἐτέχθη (Lk 2,11) – auf das schöpferische Tun Gottes (vgl. δύναμις ὑψίστου in Lk 1,35) und scheint nicht zuletzt unter dem Einfluß von Ps 2,7 gewählt worden zu sein; wie die Auferweckung Jesu, so beruht auch seine Geburt aus der Jungfrau Maria allein auf der freien und schöpferischen Initiative Gottes, und uns scheint, daß die sog. „Jungfrauengeburt", welche man besser als „Jungfräuliche Empfängnis" bezeichnen sollte, hier letztlich ihre theologische Begründung findet.

Als Hinweis auf die Verbindung von Geburts- und Auferweckungsmotiv in Lk-Apg ist auch der Gebrauch des Terminus πρωτότοκος zu betrachten (vgl. Lk 2,7 und 2,23). Lukas betont diesen menschlichen Aspekt der Geburt Jesu deswegen, weil der Erstgeborene in einer besonderen Weise Gott zugehörig ist: Πᾶν ἄρσεν διανοῖγον μήτραν ἅγιον τῷ κυρίῳ κληθήσεται (vgl. Lk 2,23 mit Ex 13,2.12.15); wenn hier auch zunächst auf die Gottzugehörigkeit Jesu abgehoben werden soll, so ist doch die Anspielung auf Lk 1,35 unverkennbar.

πρωτότοκος ist ein messianischer Ehrentitel. Die christologische Vorstellung, die sich damit verbindet, wird von Lukas nicht weiter entwickelt, doch es liegt in der Konsequenz seines theologischen Ansatzes, daß man diesen Titel primär unter dem Aspekt seiner göttlichen Sohnschaft deutet. Im Anschluß an Ps 2,7; Ps 89,27 und 2 Sam 7,14 spricht so auch der Verfasser des Hebr.-Briefes von Christus als dem Erstgeborenen und konkretisiert und spezifiziert damit den Titel υἱὸς θεοῦ: Weil Christus der erstgeborene Sohn Gottes ist, sind ihm alle Mächte unterworfen (vgl. Hebr. 1,15).[91] In Kol 1,15.18 und Apg 1,5 wird der Titel πρωτότοκος mit der Auferweckung Jesu von den Toten verknüpft: als der πρωτότοκος ἐκ νεκρῶν ist Jesus der Herrscher über die ganze Schöpfung.

Die Interpretation von Apg 13,33b–33c hat uns folgendes gezeigt: Der Verfasser der antiochenischen Rede zitiert das AT nicht zum „Beweis", sondern zur Erhellung des Auferstehungsgeschehens. Um die Herkunft und die Bedeutung von Ps 2,7 – das sei G. Lohfink gegenüber festgestellt – hat er dabei sehr wohl gewußt. Er betrachtet im Lichte von Ps 2,7 Auf-

---

90 Zu dieser lukanischen ἀρχή-Theologie vgl. *H. Schürmann*, Luk 233.
91 Einsetzung in die Herrschaft bedeutet nach Ps 2,7 Einsetzung in die Rechte des πρωτότοκος: vgl. zu

erweckung und Inthronisation Jesu als ein einziges Geschehen. Ps 2,7 gilt in v. 33c als *pars pro toto:* Das Zitat will das in diesem Psalm beschriebene messianische Drama von Erniedrigung und Erhöhung, von *passio* und *glorificatio,* wachrufen. Der ganze Psalm ist seiner Struktur und seiner Terminologie nach in das Jesus-Kerygma der Rede hineinverwoben (vgl. Apg 4,27–28 mit Apg 13,27–28).

Die Nähe der υἱός-Prädikation zum παῖς – und besonders zum κύριος-Titel in Apg läßt darauf schließen, daß Ps 2,7 in Apg 13,33 zunächst auf die heilsgeschichtliche Bedeutung und Stellung des Gottessohnes abheben will. Die Einsetzung in die Gottessohnschaft ist gleichzeitig die Einsetzung des σωτήρ Jesus für uns. In die gleiche Richtung weist ein ausführlicher Vergleich von Apg 13,33 mit der Geburtsankündigung in Lk 1,31–33. Vor allem aber wird dieser Gedanke in den folgenden Versen Apg 13,34–37 aufgegriffen und weitergeführt.

3. DIE AUFERWECKUNG JESU ALS BLEIBENDE UND UNIVERSALE HEILSGABE (APG 13,34–37)

a) Die Heilszusage an David (Jes 55,3) im Lichte von Apg 13,34

v. 34: ὅτι δὲ ἀνέστησεν αὐτὸν ἐκ νεκρῶν μηκέτι
μέλλοντα ὑποστρέφειν εἰς διαφθοράν,
οὕτως εἴρηκεν ὅτι
δώσω ὑμῖν τὰ ὅσια Δαυὶδ τὰ πιστά.

Der Bezug von ἀναστήσας Ἰησοῦν mit dem folgenden Psalmenzitat auf die Auferweckung Jesu droht indessen an der einleitenden, anscheinend adversativen Partikel δέ von v. 34 zu scheitern; es scheint, als solle durch die Einleitung ὅτι δέ v. 34 in Gegensatz zu v. 33 gesetzt werden: während ἀναστήσας Ἰησοῦν in v. 33 sich auf die „Erweckung" Jesu bezieht, d. h. auf den Beginn seines irdischen Wirkens, spricht v. 34 von seiner „Auferweckung" von den Toten (ἀνέστησεν αὐτὸν ἐκ νεκρῶν); nach dieser Interpretation greift v. 34 nicht auf das in v. 33 Gesagte zurück, um es dann fortzuführen, sondern es beginnt mit v. 34 ein neuer Gedanke.[92]

Diese Argumentation, die z. B. M. Rese gegen J. Dupont verficht,[93] ist weder grammatikalisch noch logisch zwingend. Die Übergangspartikel δέ kann nämlich adversativ und explikativ zugleich sein, wenn man die partizipiale Wendung μέλλοντα etc. als Apposition zu ἀνέστησεν αὐτὸν ἐκ νεκρῶν auffaßt und übersetzt: Gott hat ihn (= Jesus) auferweckt von den Toten als einen, der nicht mehr in die Verwesung zurückkehrt.[94] Mit v. 34 wird dann nicht ein neuer Gedankengang eröffnet, vielmehr nimmt dieser Vers die Aussage von v. 33 auf, um sie durch einen wichtigen Zusatz zu ergänzen.[95] Es lassen sich also keine zwingenden grammatikalischen Argumente gegen den Bezug von v. 33 auf die Auferstehung geltend machen.

Nun ist von dem Prädikat εἴρηκεν ein zweiter ὅτι-Satz abhängig. T. Zahn macht zu Recht

---

dieser Vorstellung G. Fohrer, υἱός, ThW VIII, 350f.

92 So argumentiert schon J. Knabenbauer: „Ipsa particula δέ et appositione illa ἐκ νεκρῶν ad ἀναστήσας ostenditur nunc fieri sermonem de resurrectione, neque iam factum esse in v. 33": vgl. *J. Knabenbauer,* Commentarius in Actus Apostolorum (Cursus Scripturae Sacrae. Commentariorum in Nov. Test. Pars I in libros historicos V) Parisiis 1899, 234.

93 Vgl. *M. Rese,* Atl. Motive 81f Anm. 7 mit *J. Dupont,* „Filius meus es tu" 531. J. Dupont weiß sehr wohl, daß es in der Apg keine Parallele zu dem explikativen ὅτι δέ von Apg 13,34 gibt; er verweist indessen auf das Beispiel von Gal 4,6 (vgl. *ebd.* 531). M. Rese hingegen macht zu Recht geltend, daß ὅτι an dieser Stelle „weil" bedeutet, während nach seiner Meinung Gal 3,11 durchaus die These von J. Dupont stützen könnte (vgl. *M. Rese,* ebd.). M. Rese ist sich also bewußt, daß in dieser Frage die Grammatik allein nicht entscheiden kann!

94 So auch bei *H. Conzelmann,* Apg 84 und *E. Haenchen,* Apg 348.

95 Ein schönes Beispiel für diese doppelte Funktion von δέ finden wir in Phil 2,8: ἐταπείνωσεν ἑαυτὸν γενόμενος ὑπήκοος μέχρι θανάτου, θανάτου δὲ σταυροῦ. Zum explikativen Gebrauch von δέ vgl. u. a. Phil 1,23; 1 Kor 1,12; Joh 3,19.

darauf aufmerksam, daß man nicht einfach in beiden Fällen die Konjunktion ὅτι als ein die Aussage einleitendes „daß" übersetzen dürfe, da doch im ersten Fall von der Auferstehung als von einer schon geschehenen Gottestat die Rede sei, im zweiten Fall hingegen von der ἀνάστασις als von einem in die Zukunft weisenden Versprechen Gottes gesprochen werde. Sinnvollerweise faßt man darum das erste ὅτι als ein kausales auf, wenn auch in abgeschwächter Bedeutung, und übersetzt etwa folgendermaßen: im Hinblick auf, in bezug auf...[96] Apg 2,31 nimmt für einen ähnlichen Gedankengang die Umschreibung περί + Genitiv zu Hilfe: προϊδὼν ἐλάλησεν περὶ τῆς ἀναστάσεως τοῦ Χριστοῦ ὅτι, und es folgt das entsprechende Zitat aus dem AT (vgl. Ps 16,10); die gleiche Ausdrucksweise finden wir bezüglich eines Schriftzitats (Jes 53,7f) in Apg 8,34.

So wenig wie das einleitende ὅτι δέ vermag auch der Zusatz ἐκ νεκρῶν zu ἀνέστησεν zu beweisen, daß v. 34 in Gegensatz zu v. 33 gebracht werden soll.[97] Freilich ist es ganz ungewöhnlich, daß zu ἀνίστημι hinzugefügt wird: ἐκ νεκρῶν, zumal an dieser Stelle, denn aus dem Kontext geht doch klar hervor, daß ἀνέστησεν sich auf die Auferweckung von den Toten bezieht (vgl. die folgende Apposition zu αὐτόν!). Der Grund für diesen Zusatz liegt wohl darin, daß wie in vv. 29f die Folge von εἰς μνημεῖον und ἐκ νεκρῶν, so in v. 34 die Antithese ἐκ νεκρῶν und εἰς διαφθοράν das Wunderbare der Auferweckung pointiert hervortreten lassen soll.[98]

Deutlich wird in dem Übergang von Ps 2,7 zum nächsten Schriftzitat lukanische Redaktion sichtbar, und zwar sowohl in der Diktion wie in der Konstruktion. Nur in der Apg wird ἀνίστημι, welches ohnehin ein lukanisches Vorzugswort ist,[99] mit ἐκ νεκρῶν konstruiert;[100] μέλλειν wird bevorzugt in Lk-Apg verwendet; das Verbum ὑποστρέφειν finden wir außer in Lk-Apg nur noch einmal bei Paulus (Gal 1,17), und schließlich findet das Substantiv διαφθορά allein in der Apg Verwendung.[101]

Unklar bleibt noch die Bedeutung der Negation μηκέτι (= nicht mehr). Durch sie könnte der Eindruck entstehen, als habe Jesus die Verwesung schon geschaut, während doch aus v. 35 und v. 37 eindeutig das Gegenteil hervorgeht: οὐκ εἶδεν διαφθοράν (v. 37). Nun könnte

---

96 Vgl. *T. Zahn,* Apg 444; siehe z. B. Joh 2,18; 16,9–11. Dieser Gebrauch von ὅτι entspricht dem hebr. kî (vgl. Gen 20,9; 40,15) und findet sich auch in Lk: vgl. Lk 4,36; 16,3. *M. Rese* simplifiziert die Bedeutung dieses ὅτι, wenn er ausführt, daß es in Entsprechung zu οὕτως eben nur „daß" besagen kann: vgl. *M. Rese,* Atl. Motive 81 Anm. 7.

97 So argumentieren u. a. H. H. Wendt (vgl. *H. H. Wendt,* Apg 240) und F. F. Bruce: „The addition of ἐκ νεκρῶν here differentiates this use of ἀνίστημι from that in v. 33": *F. F. Bruce,* Acts 270.

98 So am klarsten schon ausgesprochen bei *A. Loisy,* Actes 533: „L'addition: ,des morts', n'ayant aucun sens différentiel, mais étant coordonnée dans la phrase au ,retour à la corruption'."

99 Vgl. die statistische Übersicht zum Gebrauch von ἀνίστημι: Mt 4; Mk 17; Lk 26; Joh 8; Apg 45. Im transitiven Sinn wird dieses Verbum freilich in Lk nie verwendet, in der Apg nur an 9 Stellen (Apg 2,24.32; 3,22.26; 7,37; 9,41; 13,32.34; 17,31). In dem Sinn von „auferwecken" (von den Toten) ist Paulus dieses Verbum gänzlich unbekannt. Er hat indessen eine ausgesprochene Vorliebe für ἐγείρω und versieht dieses Verbum häufig mit dem Zusatz ἐκ νεκρῶν: vgl. Röm 4,24; 6,4.9; 7,4; 8,11 (zweimal).34; 10,9; 1 Kor 15,12.20; Gal 1,1; Eph 1,20; Kol 2,12; 1 Thess 1,10; 2 Tim 2,8.

100 Vgl. Apg 13,34 und 17,31. Es ist jedenfalls klar erkennbar, daß die Formulierung ἀνέστησεν αὐτὸν ἐκ νεκρῶν nicht aus einer mit Paulus gemeinsamen Tradition stammt, sondern von Lukas selbst geschaffen wurde. In der Regel aber zieht es Lukas vor, zum Substantiv ἀνάστασις – und nicht zum entsprechenden Verbum – die Ergänzung ἐκ νεκρῶν hinzuzufügen: vgl. Lk 20,35; Apg 4,2; 17,32; 23,6; 24,21; 26,23.

101 Vgl. zu μέλλειν und ὑποστρέφειν wiederum die Wortstatistik: μέλλειν: Mt 10; Mk 2; Lk 12; Joh 12; Apg 34. Auch ὑποστρέφειν ist nach der Statistik ein lukanischer Terminus: ὑποστρέφειν Mt /; Mk /; Lk 21; Joh /; Apg 11. Das Substantiv διαφθορά kann man freilich nicht, wenngleich es nur in der Apg vorkommt, als spezifisch lukanisch bezeichnen, da sein Vorkommen an allen Stellen der Apg sich aus dem Zusammenhang mit Ps 16,10 (LXX) herleitet: vgl. Apg 2,27.31; 13,34.35.36.37. Die lukanische Vorliebe für Ps 16,10 aber beruht eben auf dem Vorkommen dieses Terminus in dem genannten Psalmvers!

102 Diese Möglichkeit wird von E. Jacquier erwogen: vgl. *E. Jacquier,* Actes 404f.

μηκέτι durchaus den Sinn von μή annehmen,[102] doch wäre damit die genannte Schwierigkeit nicht behoben, denn auch aus dem folgenden ὑποστρέφειν (= zurückkehren) scheint doch hervorzugehen, daß Jesus der Macht der Verwesung schon einmal unterworfen gewesen ist.

Damit sich in vv. 34–37 kein Widerspruch ergibt, darf man von vornherein die Bedeutung des Wortes διαφθορά, das auf Grund seines viermaligen Vorkommens (vv. 34.35.36.37) zweifellos der Schlüsselbegriff für das Verständnis dieser Verse ist, nicht in der Schwebe lassen.[103] Übersetzt man διαφθορά mit „Tod" oder „Grube", so müßte der Begriff notwendigerweise äquivok bleiben: v. 34 ergäbe dann zwar einen guten Sinn, so wie etwa Röm 6,9 (Χριστὸς ἐγερθεὶς ἐκ νεκρῶν οὐκέτι ἀποθνῄσκει): wie aber soll man dann vv. 35–37 verstehen? Hier müßte man διαφθορά, damit sich keine Kontradiktion ergibt (vgl. auch v. 29), mit „Verwesung" übersetzen.

Schon hier zeigt sich, daß die Argumentation in sich nur schlüssig bleibt, wenn man von der Bedeutung ausgeht, welche die LXX diesem Begriff in Ps 16,10 (vgl. v. 35) unterlegt, nämlich „Verwesung". Der Gedankengang der antiochenischen Rede ist dann folgender: Gott hat Jesus von den Toten auferweckt und zwar in der Weise, daß Jesus – im Gegensatz zu anderen, die vom Tode erweckt wurden – niemals mehr die Verwesung schauen wird. Das attributive Partizip – ohne Artikel! – bezieht sich also auf die besondere Art und Weise der Auferweckung Jesu; die Unverweslichkeit ist also keine notwendige Folge der Auferweckung an sich.[104]

Im Hintergrund mag hier die atl. Vorstellung stehen, daß der Mensch aus Staub geschaffen ist und zu Staub zurückkehren wird, dem Gesetz der Vergänglichkeit sich also kein Mensch entziehen kann.[105]

Es ist in unserem Zusammenhang nicht uninteressant zu sehen, daß dieser Gedanke auch in der griechischen Philosophie beherrschend gewesen ist und diese in der Antithese von γένεσις und φθορά die menschliche Existenz beschlossen gesehen hat. Das φθαρτόν steht in engem Zusammenhang mit dem γεννητόν, wie andererseits das ἄφθαρτον dem ἀγέννητον entspricht.[106]

Ob Lukas diese Antithese vor Augen hat, wenn er in v. 33 und v. 34 die Begriffe γεννᾶν und διαφθείρειν bzw. διαφθορά aufeinanderfolgen läßt? Jedenfalls muß es für seine hellenistischen Leser ein provozierender Gedanke gewesen sein, daß ein Mensch – Jesus – dem Gesetz der Verweslichkeit nicht unterworfen war; für einen philosophisch gebildeten Griechen war dies gleichbedeutend mit dem Ausweis der Göttlichkeit Jesu. So ergibt sich auch schon von daher ein enger Zusammenhang zwischen v. 33 und v. 34: Jesus als Gottes Sohn konnte nicht sterben.[107]

103 So geschieht es in der Tat bei E. Jacquier: „.Il est probable que διαφθορά a ici le sens de mort, laquelle est exprimée par sa consequence, la corruption, ou le sens de tombeau": vgl. *E. Jacquier*, Actes 404. Ähnlich unentschieden ist auch W. Bauer: vgl. *Bauer*, Wb 1676.

104 Vgl. 1 Kön 17,17–24; 2 Kön 4,32–37; Lk 7,11–15.22; 8,49–55; Joh 11,1–12,11. Gut bemerkt darum B. Weiss: „ὅτι δέ nimmt das ἀναστής. v. 32 wieder auf, ... um, ganz in Übereinstimmung mit Röm 6,9 zu zeigen, wie die dann schließlich doch wieder unvermeidliche Rückkehr zur Verwesung durch ein anderes Gotteswort ausgeschlossen ist. Das μηκέτι (4,17) hebt hervor, wie bei seiner Auferweckung doch nicht die Absicht war, daß dies geschehen sollte": vgl. *B. Weiss*, Apg 174. Die Negation μηκέτι zielt also allein auf die Zukunft ab und hat ein evt. vergangenes Geschehen nicht im Blick. – Der Verweis auf Apg 20,25.38 hilft nicht weiter, da hier nicht nur auf die Zukunft, sondern auch auf die Vergangenheit Bezug genommen wird. Die Zweideutigkeit von μηκέτι wird in der Übersetzung am besten dadurch vermieden, daß man die Negation μηκέτι „verabsolutiert" und sie tatsächlich durch „nicht" oder „niemals" wiedergibt.

105 Vgl. Gen 3,19; Weish 9,15; 15,8; Sir 16,30. Nach *J. W. Doeve*, Jewish Hermeneutics 174 Anm. 3, liegt in Apg 13,34 eine direkte Anspielung auf Gen 3,19 vor.

106 Vgl. hierzu die reichlichen Belege bei *A. Schmitt*, Ps 16,8–11 als Zeugnis der Auferstehung in der Apg: BZ 17 (1973) 240–243.

107 Allein dem θεῖον kommt ἀφθαρσία zu. Dies ist nach A. Schmitt der Grund, warum in der Apg ein solcher Nachdruck auf die Tatsache gelegt wird, daß Jesus die Verwesung nicht geschaut hat: vgl.

Dem Redaktor Lukas zuzuschreiben ist schließlich die Zitationsformel: οὕτως εἴρηκεν ὅτι. οὕτως mit folgendem ὅτι-recitativum findet sich nur bei ihm,[108] die Perfektform von λέγειν gebraucht er als einziger Synoptiker.[109]

Auffällig ist hingegen die Ungenauigkeit dieser Zitationsformel. Während Lukas in v. 33 sehr präzis den Fundort der Schriftstelle angibt, bleibt die Einleitung zum zweiten Schriftzitat unbestimmt; selbst das Subjekt zu εἴρηκεν wird nicht ausdrücklich genannt. Man könnte als Subjekt ἡ γραφή oder ὁ θεός ergänzen,[110] wobei sich ὁ θεός eher empfiehlt, weil so deutlicher hervortritt, daß es sich bei dem folgenden Schriftzitat um ein unmittelbares Verheißungswort Gottes an die gegenwärtige Zuhörerschaft handelt: δώσω ὑμῖν heißt es ja in dem Zitat! Zudem erscheint ansonsten in dem lukanischen Doppelwerk ἡ γραφή (bzw. αἱ γραφαί) nie als Subjekt zu λέγειν. Lukas formuliert diesbezüglich sehr sorgfältig: Nicht die Schrift spricht, sondern Gott spricht durch die Schrift.[111]

Daß die Zitationsformel so allgemein gehalten ist, hat sicherlich nicht zuletzt seinen Grund in der Unbestimmtheit des folgenden Schriftzitats selbst. Es besteht zwar Übereinstimmung darüber, daß hier ein Verweis auf Jes 55,3 (LXX) vorliegt, doch will es nur schwer gelingen, diesem Zitat einen eindeutigen Sinn zu geben, da einerseits die LXX an dieser Stelle vom TM abweicht[112] und auf der anderen Seite das Zitat in Apg 13,34 nicht mit dem Text der LXX übereinstimmt.[113]

Einige Exegeten kommen zu der Schlußfolgerung, Lukas selbst habe dieses Schriftzitat, das er aus der Tradition übernommen habe, nicht mehr verstanden und es darum gleich anschließend, nach bewährter rabbinischer Methode, durch ein anderes Schriftzitat zu erklären versucht.[114] Diese Argumentation stützt sich indessen auf zwei unbewiesene Voraussetzungen:
1. daß auch in der griechisch-christlichen Exegese nach der genannten Regel verfahren wurde und
2. daß das Jesajazitat in Apg 13,34 tatsächlich Lukas unverständlich gewesen ist.

Was den ersten Punkt betrifft, so konnten bislang keine entsprechenden Beispiele beigebracht werden,[115] und was den zweiten Punkt betrifft, so scheint uns der Nachweis möglich zu

---

A. *Schmitt*, ebd. 247. Wenn in Weish 2,23 gesagt wird, daß Gott den Menschen ἐπ’ ἀφθαρσίαν geschaffen hat (vgl. hingegen Weish 9,15), so bedeutet das auf diesem philosophischen Hintergrund, daß der Mensch, einschließlich seiner leiblichen Existenz, Anteil an diesem göttlichen Leben gewinnen wird. Die Frage nach dem Weg zu diesem Leben beantwortet allerdings erst das NT: Christus ist als der πρῶτος ἐξ ἀναστάσεως (Apg 26,23) der ἀρχηγὸς ζωῆς (Apg 3,15; 5,31). Die ἀθανασία oder ἀφθαρσία als Proprium Gottes wird nicht nur von Lukas, sondern auch von Paulus betont: vgl. Röm 1,23; 1 Tim 1,17; 6,16. Durch die Auferweckung erhalten wir Anteil an dieser göttlichen Eigenschaft: vgl. 1 Kor 15,42.50.52–54.

108 Vgl. außer Apg 13,34 noch Lk 19,31 und Apg 7,6.
109 In Mt und Mk finden wir keine Perfektform von λέγειν. Die Partizipialform εἰρημένον (= Schriftwort: vgl. Lk 2,24; Apg 2,16; 13,40) gibt Matthäus durch die entsprechende Form des Aorists wieder (= ῥηθέν: vgl. Mt 1,22; 2,15.17.23; 4,14; 8,17; 12,17; 13,35; 21,4; 22,31; 24,15; 27,9). Finite Perfektformen finden sich nur bei Johannes (vgl. Joh 4,18; 6,65; 11,13; 12,50; 14,29; 15,15) und bei Lukas (vgl. Lk 4,12; Apg 8,24; 13,34; 17,28): so bzgl. der Evangelisten!
110 M. Rese läßt beide Möglichkeiten offen: vgl. *M. Rese,* Atl. Motive 87. Aus Apg 13,32f geht klar hervor, daß λέγειν hier die Bedeutung von „verheißen“ hat: vgl. *M. Rese,* ebd. 87.
111 Vgl. hierzu unsere Anmerkungen zu λέγει in Apg 13,35.
112 Vgl. die LXX-Version mit dem TM: Jes 55,3: LXX: καὶ διαθήσομαι ὑμῖν διαθήκην αἰώνιον τὰ ὅσια Δαυὶδ τὰ πιστά. TM: weᵉkrᵉtāh lākem bᵉrît ʿôlām ḥasᵉdê dāwíd hanneᵉᵉmānîm.
113 T. Holtz äußert sich radikal; zwar stammt auch nach seiner Meinung der verbindende Text von Lukas, doch paßt er schlechterdings nicht zu dem Zitat von Jes 55,3; vgl. *T. Holtz,* Untersuchungen 145.
114 So im Anschluß an Beg. IV, 155, zuletzt wieder E. Kränkl: vgl. *E. Kränkl,* Jesus der Knecht Gottes 139f.
115 Darum hat diese Auslegung keinen größeren Wert als den einer „interessanten Hypothese“: so zu Recht die diesbezügliche Anmerkung von M. Rese: vgl. *M. Rese,* Atl. Motive 86 Anm. 33.

sein, daß diesem Zitat von Lukas eine wichtige Funktion zugewiesen und es durchaus von ihm verstanden worden ist.

Die erste ins Auge fallende Abweichung von der LXX betrifft das Prädikat. Während die LXX διαθήσομαι liest, heißt es in Apg 13,34 vereinfacht δώσω; konsequent wird auch das dazugehörige Objekt διαθήκην αἰώνιον gestrichen. Somit erscheint der ursprüngliche accusativus relationis τὰ ὅσια Δαυὶδ τὰ πιστά als direktes Objekt von δώσω.

Damit vereinfacht sich nicht nur die Konstruktion, auch dem Sinne nach verändert sich das Zitat erheblich. Der Bundesgedanke, der sowohl im TM wie in der LXX beherrschend war, verliert in Apg 13,34 seine Bedeutung. Die Frage bleibt, ob Lukas dieses Zitat so übernommen hat oder aber ob ihm diese einschneidenden Veränderungen selbst zuzuschreiben sind.

Gute Gründe sprechen dafür, daß Lukas selbst den LXX-Wortlaut in seinem Sinn verändert hat, nicht zuletzt auf Grund des Einflusses von Ps 16,10b (vgl. Apg 13,35). Die Tendenz, beide Zitate formal einander anzugleichen, ist unübersehbar:

δώσω (v. 34) steht in Parallele mit δώσει (v. 35) und

ὅσια (v. 34) mit ὅσιον (v. 35).

Doch wichtiger als der Wille zu einer formalen Angleichung ist die durch die Umformulierung von Jes 55,3 angestrebte Sinnveränderung. In Jes 55,3 (LXX wie TM) ist vom Davidsbund die Rede, Lukas aber verwendet diese Bundesterminologie konsequent nur im Hinblick auf den Abrahamsbund.[116] Somit entfällt auch eine der Hauptstützen der Argumentation von E. Lövestam, der die Bezugnahme auf den davidischen Bund als zentral für diesen Abschnitt herausstellen will.[117] Wie wäre dann zu erklären, daß Lukas Jes 55,3 in einer Form zitiert, daß von einem im Hinblick auf die Verheißungen an David zu schließenden (neuen) Bund keine Rede mehr ist?[118]

Die lukanische Aussageabsicht geht in eine andere Richtung. Charakteristisch für den Tenor der ganzen Rede ist die starke Betonung der Initiative Gottes.[119] Stärker, als es die LXX-Version vermöchte, drückt sich in dem abgewandelten Jesajazitat von Apg 13,34 das Verhältnis des Gebens und Empfangens aus, das zwischen Gott und den Zuhörern besteht; es handelt sich also nicht um irgendwie gleichgestellte Vertragspartner, wie es die Bundesterminologie der LXX nahelegen könnte.

In diesem Zitat nimmt das Verbum δίδωμι eine besondere soteriologische Konnotation an. Es ist ohnehin schon bemerkenswert, daß das NT zwar den profanen Gebrauch dieses Verbums kennt, aber doch auffallend häufig Gott, Christus oder der Hl. Geist Subjekt dieses Verbums sind.[120] Für unsere Stelle ist es nun aufschlußreich zu sehen, daß Lukas häufig das Objekt von δίδωμι mit gleichlautenden oder bedeutungsgleichen Formulierungen umschreibt

---

116 Vgl. Lk 1,72; Apg 3,25 (Gebrauch der spezifischen Formel: διατίθημι διαθήκην!); 7,8. Die Verwendung des Begriffs διαθήκη auf das Abendmahl (vgl. Lk 22,20) ist auf eine gemeinsame urchristliche Tradition zurückzuführen, wahrscheinlich sogar auf Jesus selbst: vgl. *J. Jeremias,* Die Abendmahlsworte Jesu, Göttingen ³1960, 186–188. Hier liegt also kein Proprium lukanischer Theologie vor: vgl. Mt 26,28; Mk 14,24.

117 Vgl. *E. Lövestam,* Son and Saviour 48–81 passim. Diese Hauptschwäche in der Argumentation E. Lövestams ist von T. Holtz klar erkannt worden: vgl. *T. Holtz,* Untersuchungen 137f.

118 Eine andere Intention verfolgt indessen der Verfasser des Hebr.-Briefes, der in Anlehnung an Jes 55,3 den Bundesgedanken ausdrücklich hervorhebt: vgl. Hebr 13,20: ὁ ἀναγαγὼν ἐκ νεκρῶν τὸν ποιμένα τῶν προβάτων τὸν μέγαν ἐν αἵματι διαθήκης αἰωνίου.

119 So wird auch die Auferweckung Jesu auf das direkte Eingreifen Gottes zurückgeführt (vgl. vv. 30.33.34f.37). Nur an einer Stelle der Apg wird ἀνίστημι (ἐκ νεκρῶν) in transitivem Sinne gebraucht (vgl. Apg 17,3).

120 Auffällig ist dies gerade in der Apg. Das Verbum δίδωμι finden wir hier 35mal vor. In 27 Fällen ist das Subjekt Gott, Christus oder der Hl. Geist. Vgl. in der antiochenischen Rede selbst v. 20 (ἔδωκεν κριτάς) und v. 21 (ἔδωκεν αὐτοῖς ὁ θεὸς Σαούλ).

und zwar gerade immer dann, wenn er auf die Erfüllung der einst gegebenen ἐπαγγελία Bezug nimmt.[121]

Inhalt der Gottesgabe ist allgemein gesprochen die Kenntnis der σωτηρία,[122] die Möglichkeit, aus Feindeshand befreit, Gott furchtlos dienen zu können in Heiligkeit und Gerechtigkeit,[123] ist das Geschenk der μετάνοια und der ἄφεσις ἁμαρτιῶν[124] und ist schließlich der Name „Jesus", d. h. Jesus selbst.[125] Durch die Umformulierung von Jes 55,3 hat Lukas erreicht, daß das Objekt τὰ ὅσια Δαυὶδ τὰ πιστά in einer Linie mit den genannten Heilsgaben steht und sich somit die Beziehung auf das in vv. 38–41 angekündigte Heil, besonders auf die ἄφεσις ἁμαρτιῶν (v. 38), ohne weiteres ergibt.[126]

T. Holtz stört sich daran, daß das Zitat sich nicht auf Christus direkt bezieht, sondern auf die Zuhörerschaft (δώσω ὑμῖν), und schließt daraus, daß es einfach nicht in den Zusammenhang passe: es sei darum von Lukas aus Reverenz vor der Tradition übernommen worden, ohne daß er es selbst verstanden hätte.[127]

Doch hier trennen zu wollen zwischen dem, was an Christus geschieht, und dem, was uns zuteil wird, hieße wirklich, die lukanische Christologie und Soteriologie um eine ihrer tiefsten Dimensionen zu verkürzen. In v. 38 bringt Lukas den Ordo des Heilsgeschehens auf die prägnante Formel: διὰ τούτου ὑμῖν. Als Kinder der Verheißung bilden die Zuhörer mit Christus eine Lebenseinheit. Die Bewahrung vor der διαφθορά, die zweifellos in den ὅσια Δαυὶδ τὰ πιστά einbeschlossen ist, muß darum in ihrer Heilsbedeutung für die gegenwärtigen Zuhörer sichtbar gemacht werden. Dieser Aspekt wird durch das etwas überraschende ὑμῖν in v. 34 unübersehbar zum Ausdruck gebracht, um dann schließlich in v. 38 (διὰ τούτου ὑμῖν!) bewußt wieder aufgegriffen zu werden.[128]

Die eigentliche crux interpretum bildet indessen die plurale Form τὰ ὅσια. Die LXX übersetzt hiermit das hebr. hᵃsādîm, welches sie allerdings in der Regel mit τὰ ἐλέη wiedergibt.[129]

---

121 Vgl. Lk 1,32: δώσει αὐτῷ ὁ θεὸς θρόνον Δαυίδ. Auch hier vereinfacht Lukas die Ausdrucksweise der LXX: vgl. 2 Sam 7,12 (ἑτοιμάσω); 7,13 (ἀνορθώσω); 7,16 (ἔσται ἀνορθωμένος).
122 Vgl. Lk 1,77: τοῦ δοῦναι γνῶσιν σωτηρίας.
123 Vgl. Lk 1,73ff (τοῦ δοῦναι ἡμῖν ἀφόβως ἐκ χειρὸς ἐχθρῶν ῥυσθέντας λατρεύειν αὐτῷ ἐν ὁσιότητι καὶ δικαιοσύνῃ) mit Apg 13,34! In Parallele stehen hier δοῦναι und δώσω, ἡμῖν und ὑμῖν, ὁσιότητι und ὅσια. Vgl. ferner δικαιοσύνη mit δικαιωθῆναι (Apg 13,38) bzw. δικαιοῦται (Apg 13,39), die Wendung λατρεύειν αὐτῷ πάσαις ταῖς ἡμέραις ἡμῶν mit der Formulierung in Apg 13,36: ἰδίᾳ γενεᾷ ὑπηρετήσας τῇ τοῦ θεοῦ βουλῇ.
124 Vgl. Apg 5,31 (δοῦναι μετάνοιαν τῷ Ἰσραὴλ καὶ ἄφεσιν ἁμαρτιῶν); 11,18 (τὴν μετάνοιαν εἰς ζωὴν ἔδωκεν); vgl. auch den Gebrauch von δίδωμι in bezug auf das Geschenk des körperlichen Heils in Apg 3,16.
125 Vgl. Apg 4,12: οὐδὲ γὰρ ὄνομά ἐστιν ἕτερον ὑπὸ τῶν οὐρανῶν τὸ δεδομένον ἐν ἀνθρώποις ἐν ᾧ δεῖ σωθῆναι ἡμᾶς.
126 Somit hat auch das entsprechende Substantiv, nämlich δωρεά, in der Apg allein eine religiöse Bedeutung und bezeichnet in allen Fällen, als die eigentliche Gabe Gottes, das ἅγιον πνεῦμα: vgl. Apg 2,38; 8,20; 10,45; 11,17. Mehr als διαθήσομαι es andeuten könnte, wird durch δώσω angezeigt, daß die Gabe Gottes als Gnade von oben kommt (vgl. Apg 2,17–21 = Joël 2,28–32 [LXX]; Apg 3,1–5 mit Apg 2,33; siehe auch Apg 4,12). Darum gibt es auch in der Apg eine Koinzidenz zwischen den Begriffen ἐπαγγελία und ἅγιον πνεῦμα vgl. Apg 1,4; 2,33. Dem Verbum δίδωμι korrespondiert in diesem Kontext das Verbum λαμβάνω: vgl. Apg 1,8; 2,33.38; 8,15.17.19; 10,43.47; 19,2; 20,24; 26,18. Somit erhält auch λαμβάνω in der Apg häufig eine religiöse Konnotation.
127 Nach T. Holtz wirkt Jes 55,3 nur störend, zumal dieser Vers mit ὑμῖν „die Hörer anredet und nicht vom Auferstandenen handelt": vgl. T. Holtz, Untersuchungen 139. Das wird nach der Meinung dieses Autors „überhaupt merkwürdig oft übersehen": vgl. ebd. 139 Anm. 4.
128 Dieses ὑμῖν nach ἀναστήσας αὐτόν kommt nicht überraschend, sondern ist im Gegenteil eher die Regel: vgl. den dativus commodi zu ἀνίστημι in Apg 3,22.26; 7,37; 13,32; siehe auch Apg 13,22: ἤγειρεν αὐτοῖς und ebd. ἤγειρεν τῷ Ἰσραήλ. Christologie wird in der Apg unter dem Aspekt der Soteriologie betrieben.
129 Vgl. u. a. 2 Chr 6,42; Ps 17,7; 89,50; 107,43; Klgl 3,22.

103

Darum besteht die Vermutung, daß es sich hier um eine Verwechslung mit h^asîdîm handelt, durchaus zu Recht.[130]

Die Erklärung, daß hier τὰ ὅσια als abstractum pro concreto stehe und mit dem folgenden τὸν ὅσιον synonym sei, macht es sich allerdings zu einfach.[131] Zwar gibt es bei Lukas ein Beispiel dafür, daß ein Neutrum sing. für ein Masculinum sing. stehen kann (vgl. Lk 1,35), doch nie tritt die plurale Form des Neutrums für die singulare Form des Masculinums ein. Sicherlich liegt eine Alliteration zwischen τὰ ὅσια und τὸν ὅσιον vor, doch darf man daraus nicht vorschnell auf eine Bedeutungsgleichheit schließen. Die Aufmerksamkeit des Predigers hat das Zitat Jes 55,3 möglicherweise auf sich gezogen, weil es mit der seltenen Form τὰ ὅσια in auffälliger Weise dem Lukas schon bekannten Ps 16,10b korrespondiert, doch ist der Wortlaut des Jesajazitats, das Objekt τὰ ὅσια einbegriffen, durchaus in der Lage, weiter ausgreifende Assoziationen beim Leser zu wecken, als es Ps 16,10b vermöchte.

Wenn auch in der LXX kaum verwendet, so dürfte doch dem Leser der Apg der Ausdruck τὰ ὅσια als ein terminus technicus der religiösen Sprache des Hellenismus vertraut sein.[132] Ganz allgemein bezeichnet er in dieser Terminologie die Segnungen und Wohltaten Gottes,[133] gleichwie in Dtn 29,18.[134]

Im Unterschied zu Dtn 29,18 und Weish 6,10 steht τὰ ὅσια in Jes 55,3 bzw. Apg 13,34 nicht absolut; Die Gnadengaben Gottes werden spezifiziert als τὰ ὅσια Δαυίδ. Damit ist dem Begriff viel von seiner Unklarheit genommen. Wird dem Leser von Lukas nun wirklich zuviel zugemutet, wenn er hier eine konkrete Bezugnahme auf die David versprochenen Gnadenerweise herauslesen soll?[135] Der Leser weiß doch aus der Lektüre von Lk-Apg ohnehin schon, um welche Verheißungen Gottes es sich konkret handelt (vgl. Lk 1,32 mit 2 Sam 7,12; Lk 1,69 mit 1 Sam 2,10 und Ps 132,17; Apg 2,25–31 mit Ps 16,8–11; Ps 132,11; Ps 89,4f; 2 Sam 7,12f).

In Apg 13,23 (vgl. Ps 89,21) klingt schon der Psalm an, der die David versprochenen Gnadengaben Jahwes mit unerhörter Wucht ins Gedächtnis ruft. Die Verheißungen Gottes (vgl. Ps 89,28–38) beziehen sich auf eine ewige und universale Herrschaft, und nun fragt der Psalmist nach dem Zusammenbruch des davidischen Reiches (vgl. Ps 89,39–46):

ποῦ εἰσιν τὰ ἐλέη σου τὰ ἀρχαῖα, κύριε,
ἃ ὤμοσας τῷ Δαυὶδ ἐν τῇ ἀληθείᾳ σου; (vgl. Ps 89,50).

Die Antwort auf diesen Aufschrei des Psalmisten gibt gleichsam Jes 55,3:

δώσω ὑμῖν τὰ ὅσια Δαυὶδ τὰ πιστά.[136]

Der Zusatz „David" zu τὰ ὅσια in Apg 13,34 bzw. Jes 55,3 verhindert, daß man den Begriff τὰ ὅσια von Anfang an und direkt im Sinne von ὁσιότης interpretiert.[137] Der Genitiv Δαυίδ

---

130 Vgl. J. Dupont, ΤΑ 'ΟΣΙΑ, in: Études 343. Die Form τὰ ὅσια ist in der LXX sonst nur noch in Dtn 29,18 und Weish 6,10 belegt; in Dtn 29,18 gibt τὰ ὅσια das hebr. šālôm wieder.

131 Diese Auslegung findet sich zuletzt bei E. Kränkl, Jesus der Knecht Gottes 140.

132 Vgl. hierzu H. Jeanmaire, Le substantif HOSIA et sa signification comme terme technique dans le vocabulaire religieux: REG 58 (1945) 66–89.

133 Vgl. hierzu die von J. Dupont mit Berufung auf G. Dittenberger angesammelten Zitate, nach denen die Form ὅσια vor allem in griechischen Segensformeln Verwendung findet: vgl. J. Dupont, ΤΑ 'ΟΣΙΑ, in: Études 343f.

134 Auch in Dtn 19,18 findet sich ὅσια in einer Segensformel: ὁσιά μοι γένοιτο. In Weish 6,10 hat τὰ ὅσια allerdings eher „kultische" Bedeutung: οἱ γὰρ φυλάξαντες ὁσίως τὰ ὅσια ὁσιωθήσονται. Auch dieser Aspekt muß bei der Interpretation von τὰ ὅσια in Apg 13,34 berücksichtigt werden, wie es in übrigen durch das Adjektiv ὅσιος im folgenden Psalmzitat ohnehin nahegelegt wird.

135 So E. Kränkl, Jesus der Knecht Gottes 139.

136 Vgl. die enge Parallele zu Jes 55,3 in Ps 89,29: εἰς τὸν αἰῶνα φυλάξω αὐτῷ τὸ ἔλεός μου καὶ ἡ διαθήκη μου πιστὴ αὐτῷ.

137 J. Dupont versteht hier die ὁσιότης in ihren konkreten Manifestationen wie „purification des péchés, justification, dispositions saintes": vgl. J. Dupont, ΤΑ 'ΟΣΙΑ, in Études 357. Doch glauben wir, wir auf Grund des Zusatzes David zu τὰ ὅσια zunächst nicht abstrahieren dürfen von der konkreten

macht es notwendig, daß der Leser τὰ ὅσια konkret zunächst von den Erbarmungen her begreift, von denen im Zusammenhang mit David die Rede ist und welche die LXX in Ps 89 durch ἐλέη (bzw. ἔλεος) und der TM durch ḥᵃsādîm bzw. ḥäsäd wiedergibt (vgl. Ps 89 [88], 2.15.25.29.34).

Es darf wohl als sicher gelten, daß bezüglich der chronologischen Reihenfolge Ps 16,10b zunächst Jes 55,3 angezogen hat, doch logisch ist Jes 55,3 Ps 16,10b übergeordnet und wird darum auch in der Argumentation Ps 16,10b vorangestellt. Die Auferweckung Jesu zu einem unvergänglichen Leben erscheint so in einem umfassenden heilsgeschichtlichen Zusammenhang: sie ist die Voraussetzung dafür, daß sich an der gegenwärtigen Generation (δώσω ὑμῖν) die Erbarmungen Gottes verwirklichen können.[138]

Außerdem steht Jes 55,3 vor Ps 16,10b aus einem anderen, eher formalen Grund. Es muß ja schon vor Apg 13,35 die Person Davids in die Argumentation eingeführt werden, wenn die Bezugnahme auf ihn in v. 36 nicht zu überraschend kommen soll.

Der ḥäsäd (LXX: ἔλεος) ist im AT primär nicht eine Gesinnung, sondern die einem Treueverhältnis entsprechende hilfreiche Tat;[139] von daher ist auch der häufige Gebrauch der pluralen Form ḥᵃsādîm bzw. ἐλέη zu erklären.[140] Als besonderer Gnadenerweis galt im AT schon seit jeher die Bewahrung vor dem Tod; ja hierin sah der atl. Fromme den ḥäsäd Gottes endgültig bestätigt (vgl. neben Ps 16,10 noch Ps 6,5; Ps 86,13; Ijob 10,12).[141]

Die Tatsache, daß Jes 55,3 sich unmittelbar an den Hinweis auf die Unverweslichkeit Jesu anschließt und durch Ps 16,10b in Apg 13,35 fortgeführt wird, darf uns aber nicht dazu verleiten, Jes 55,3 und Ps 16,10b inhaltlich als gleichbedeutend anzusehen.[142] Davor muß uns schon der Gebrauch der pluralen Form τὰ ὅσια bewahren und nicht zuletzt die Pronominalform ὑμῖν, welche direkt eine Brücke zur aktualisierenden Heilszusage und Paränese in vv. 38–41 schlagen will (vgl. ὑμῖν in v. 38 [zweimal]; in v. 41 ὑμῶν und ὑμῖν). Τὰ ὅσια umfaßt gleichsam die einzelnen Etappen des Heilsgeschehens, die in vv. 38–41 beschrieben werden, deren letzte natürlich die Teilnahme am ewigen Leben ist (vgl. Apg 13,46.48).

---

und umfassenden Bedeutung, welche die zugrunde liegenden Substantive ἐλέη und ḥᵃsādîm im Hinblick auf die davidische Verheißung haben. Die direkte Gleichsetzung von τὰ ὅσια mit ἡ ὁσιότης würde doch auch implizieren, daß man David hier als einen genitivus subj. auffaßt, unter David also an dieser Stelle Jesus versteht, da ja nur dessen ὁσιότης letztlich gemeint sein kann. Doch hat der genitivische Zusatz Δαυίδ in Jes 55,3 den Sinn, τα ὅσια als die David versprochenen ὅσια zu spezifizieren.

138 Eine solche Interpretation schließt nicht aus, daß diese Reihenfolge der Zitate Lukas aus der eventuell zugrundeliegenden Tradition schon vorgegeben war, doch die Behauptung, für Lukas wäre das Zitat Jes 55,3 allein nach Ps 16,10b sinnvoll und er habe die Reihenfolge allein der Tradition wegen übernommen, kann man unserer Ansicht nach nicht aufrechterhalten. Es gilt doch zunächst, dem Text, so wie wir ihn vorfinden, einen Sinn abzugewinnen, ohne ihn gleich nach unserer Logik umzuformen und umzustellen: gegen T. Holtz, Untersuchungen 139f.

139 Vgl. R. Bultmann, ἔλεος, ThW II, 246. Siehe auch die entsprechende Ausdrucksweise in Lk 1,50.54.58.72 (ποιῆσαι ἔλεος μετὰ τῶν πατέρων ἡμῶν) .78; 10,37 (ὁ ποιήσας τὸ ἔλεος μετ᾽ αὐτοῦ). Diese biblisch-atl. Art zu formulieren finden wir nur bei Lukas. Der Terminus ἔλεος ist ohnehin spezifisch für diesen Evangelisten: vgl. die Häufigkeit dieses Begriffs in den Evv: Mt 3; Mk /; Lk 6; Joh /.

140 Vgl. u. a. Jes 63,7; Ps 25,6; 89,50; Neh 13,14; 2 Chr 6,42 (μνήσθητι τὰ ἐλέη Δαυὶδ τοῦ δούλου σου).

141 Zu dieser Frage vgl. vor allem C. Barth, Die Errettung vom Tod in den individuellen Klage- und Dankliedern des Alten Testaments, Zürich 1947.

142 Jes 55,3 umschreibt nach einer solchen Interpretation nur das positiv, was Ps 16,10b negativ ausdrückt, nämlich die Bewahrung Jesu vor der Verwesung. Diese Auslegung findet sich u. a. bei H. H. Wendt, Apg 213–215 und A. Wikenhauser, Die Apostelgeschichte (RNT 5) Regensburg ⁴1961, 156. Die Sinngleichheit beider Zitate wird zuletzt wieder von E. Kränkl behauptet: vgl. E. Kränkl, Jesus der Knecht Gottes 140.

Gerade die änigmatische Formulierung τὰ ὅσια ist geeignet, den Leser der Apg von der Vorstellung einer irdischen ἀποκατάστασις des davidischen Reiches, wie sie zur Zeit der Apg noch lebendig war (vgl. Apg 1,6) abzulenken und ihn so auf den Schlußabschnitt der Rede vorzubereiten, in dem die davidischen Heilsverheißungen zwar wieder aufgegriffen, aber auf eine spirituelle, pneumatische Ebene transponiert werden.[143] Nicht zuletzt dies mag der Anlaß dafür gewesen sein, daß Lukas Jes 55,3 in seine Argumentation einbezogen hat.

Ein Aspekt muß dabei besonders hervorgehoben werden: Da durch τὰ ὅσια die großen Heilstaten Gottes bezeichnet werden, wird in Apg 13,34 schon abgehoben auf die Tat (vgl. ἔργον in v. 41!), die Gott nun durch den Auferstandenen bewirken will und durch die erst das Wirken des Messias und damit die messianischen Verheißungen zu ihrem Abschluß kommen: die ewige und universale Herrschaft Jesu, die durch seine ἀνάστασις eröffnet wird, soll alle, also auch die Heiden einbeziehen (vgl. Jes 55,3–5 mit Apg 13,39–41).[144]

Schon von seinem ihm eigenen Kontext her muß Jes 55,3 in diesem universal-eschatologischen Sinn interpretiert werden, was wiederum ein Beweis dafür ist, daß Lukas dieses Zitat nicht unbesehen übernommen hat, er also dessen Herkunftsort kannte: in der antiochenischen Rede erscheint dieses Schriftwort in dem gleichen großen Zusammenhang wie in Jes 55,3–5.

Wie Jes 55,3 (vgl. Jes 55,3 mit Jes 55,6–9), so zielt auch Apg 13,34 schließlich nicht allein auf eine allgemeine Heilszusage, sondern gleichzeitig auch auf eine Paränese (vgl. Apg 13,40f).

So gleichen sich die Schriftpassagen Jes 55,3–9 bzw. Apg 13,34–41 ihrem Inhalt wie ihrer Struktur nach.

Zu ὅσια Δαυίδ tritt noch als Apposition τὰ πιστά hinzu. Es liegt nun nahe, zwischen τὰ πιστά und dem vorausgehenden διαφθοράν eine unmittelbare inhaltliche Entsprechung zu suchen, so wie schon in dem LXX-Text von Jes 55,3 αἰώνιον und πιστά korrespondieren; τὰ πιστά wäre dann als eine zeitlich-physische Bestimmung zu begreifen.

Eine solche direkte Parallelisierung würde indessen den Sinn von Jes 55,3 in Apg 13,34 wiederum verkürzen, denn es ist ja nicht allein die Bewahrung vor der Verwesung, welche die Wendung τὰ ὅσια ansprechen will. Als Apposition zu τὰ ὅσια bezieht sich τὰ πιστά ebenfalls auf die kommenden *ewigen* Heilsgüter (vgl. αἰώνιον in Jes 55,3 mit αἰώνιος in 2 Sam 7,16 und εἰς τὸν αἰῶνα in 2 Chr 17,27); diese sind David von Gott zugesichert worden (vgl. πιστά in Jes 55,3 mit πιστωθήσεται in 2 Sam 7,16). Die Zusage dieser „unverbrüchlichen Heilsgüter" (= τὰ πιστά) hat sich konkretisiert und erfüllt in dem zu unvergänglichem Leben auferstan-

---

143 Vgl. dazu *F. Mussner,* Die Idee der Apokatastasis in der Apostelgeschichte, in: Lex tua Veritas. Festschrift H. Junker, Trier 1961, 227f. Die jüdisch-christliche Diskussion um diese Apokatastasis, die sich in der antiochenischen Rede reflektiert, ist bis heute noch nicht abgeschlossen. So kann M. Buber erklären, „daß Jesus nicht der Messias sei, weil die ‚Tage des Messias' nicht angebrochen wären, mit anderen Worten: 1. Die Davidherrschaft ist nicht aufgerichtet, 2. Jerusalem ist nicht zur Mitte der Welt geworden, 3. Das Gesetz hat nicht die allgemeine Gültigkeit über alle Menschen erreicht": vgl. *O. Glombitza,* Akta 313, der sich hier auf ein Gespräch von M. Buber mit K. L. Schmidt beruft: vgl. *ebd.* 313 Anm. 1. A. Schlatter bringt die unterschiedlichen Auffassungen auf die kurze Formel: „Sein (= Jesu) Blick haftet nicht an der Königsburg, sondern an Gottes Thron": vgl. *A. Schlatter,* Der Evangelist Matthäus, Stuttgart [6]1959, 660.

144 Vgl. Lk 24,44–49. J. Dupont hat nachgewiesen, daß die Einbeziehung der Heiden in die Gemeinschaft der Kirche das Hauptthema der Apg ist: vgl. *J. Dupont,* Le salut des gentils et la signification du livre des Actes: NTS 6 (1959/60) 132–155, in: Études: 393–419. Vgl. auch Jes 55,4 (ἰδοὺ μαρτύριον ἐν ἔθνεσιν δέδωκα αὐτόν, ἄρχοντα καὶ προτάσσοντα ἔθνεσιν) als Erklärung und Fortführung von Jes 55,3. Nach R. Harris hat das Thema der Heidenmission ursprünglich die Zusammensetzung der Testimoniensammlung bestimmt, zu der auch nach seiner Meinung Jes 55,3f gehörte: vgl. *R. Harris,* Testimonies II, 79. Der formale Grund für die Aufnahme von Jes 55,3f in diese Reihe war nach R. Harris die eigenwillige LXX-Version von Jes 55,4 (ἰδοὺ μαρτύριον (!) etc.).

denen Herrn.[145] Die Exegese von Apg 13,35 (Ps 16,10b) soll diesen letzten Gedanken aufgreifen und fortführen.

Aus unserer Analyse von Apg 13,34 möchten wir folgende Gedanken abschließend festhalten:

– Apg 13,34 steht nicht im Gegensatz zu Apg 13,33 (gegen M. Rese), sondern greift die Aussage über die Auferstehung von v. 33 auf und führt sie fort.
– Auch bezüglich der Zitation von Jes 55,3 in Apg 13,34 dürfen wir von der Annahme ausgehen, daß der Verfasser der antiochenischen Rede sehr wohl um den Herkunftsort des Schriftzitats gewußt hat. In Apg 13,34 steht das Zitat in dem gleichen großen Zusammenhang wie in Jes 55 (vgl. Jes 55,3–5 mit Apg 13,39–41): Die dem David gegebene messianische Verheißung erscheint in einem *universalen* und *eschatologischen* Kontext, bezieht also auch die Heiden in das Heil ein (vgl. Jes 55,3–5 mit Apg 13,39–41).
– Weil im Vergleich zu Ps 16,10b der Vers Jes 55,3 die umfassendere Aussage ist und der Ausdruck τὰ ὅσια τὰ πιστά den Heilszuspruch von Apg 13,39–41 einbegreift, ist das Jesajazitat dem Psalmenzitat von Paulus vorangestellt und muß auch in der Interpretation diesen Ort behalten.
– Durch das Jesajazitat wird die Auferweckung Jesu als bleibende und universelle Heilsgabe gedeutet. Die Umformulierung des LXX-Textes (διαθήσω in δώσω) ist geeignet, diesen Gedanken zu unterstreichen.

Die Einzelanalyse zeigt hier wiederum, wie sehr die theologischen Leitgedanken von Apg 13,32–33a die Argumentation Pauli durchziehen.

b) Die Konkretisierung der Heilsankündigung nach Apg 13,35 (Ps 16,10b)

v. 35: διότι καὶ ἐν ἑτέρῳ λέγει,
οὐ δώσεις τὸν ὅσιόν σου ἰδεῖν διαφθοράν.

Aus den Ausführungen zu v. 34 ergibt sich, daß durch διότι καί zu Beginn von v. 35 keine Bedeutungsgleichheit zwischen Jes 55,3 und Ps 16,10b signalisiert wird, sondern διότι einen Folgerungssatz einleitet und als Konjunktion gleichbedeutend mit διὰ τοῦτο (= deshalb, daher) ist.[146] Häufig ist im NT die Subordination bei διότι recht locker,[147] in Apg 13,35 jedoch will διότι die direkte Abhängigkeit des v. 35 von v. 34 betonen.

Die Verwendung von διότι ist im übrigen eine lukanische-paulinische Stileigentümlichkeit. Lukas verwendet diese Konjunktion als einziger von den Evangelisten achtmal,[148] zu Beginn eines Satzes allerdings, außer in Apg 13,35, nur noch in Apg 20,26.

Das sich anschließende καί ist pleonastisch, wie dies vielfach nach der Verwendung von διότι, διὰ τοῦτο oder διό der Fall ist,[149] und erleichtert in dieser Funktion den sprachlichen Übergang zwischen v. 34 und v. 35, zugleich unterstreicht es den parenthetischen Charakter

---

145 Dieser Interpretation kommt entgegen, daß das Adjektiv πιστός im NT ansonsten nie ein Sachobjekt qualifiziert: vgl. *J. Dupont,* TA 'ΟΣΙΑ, in: Études 356.
146 Die Formulierung διὰ τοῦτο zur Einleitung von wirklichen und supponierten Antworten und Folgerungen findet sich u. a. in Mt 6,25; 12,31; 13,13.52; 14,2; vgl. auch Lk 11,19.49; 12,22; 14,20; Apg 2,26; siehe hierzu *Bauer,* Wb 395.
147 Vgl. Bl-Debr 456,1.
148 Vgl. Lk 1,13; 2,7; 21,28; Apg 13,35; 18,10 (zweimal); 20,26; 22,18. Siehe dazu Bl-Debr 456,1.
149 Vgl. διὰ τοῦτο καί in Lk 11,49; Joh 12,18; διὰ καί in Lk 1,35; Apg 10,29; Röm 4,22; Hebr 13,12. Die Wendung διότι καί findet sich allerdings nur noch in Röm 8,21, aber auch hier nur in einigen Lesarten (Sinaiticus, D* G 330 u. a.). Zu diesem pleonastischen Gebrauch von καί vgl. *Bauer,* Wb 777. Keineswegs soll dieses καί also Sinngleichheit anzeigen: gegen *E. Kränkl,* Jesus der Knecht Gottes 140.

des folgenden Schriftzitats, das ja nicht beweisen, sondern illustrieren will (vgl. die Wendung ὡς καί vor Ps 2,7 in Apg 13,33).

Größere Schwierigkeiten bereitet indessen die Interpretation von ἐν ἑτέρῳ.[150] T. Holtz glaubt, hier ψαλμῷ[151] oder τόπῳ (vgl. Lk 4,17) ergänzen zu müssen, woraus sich dann zwangsläufig ergäbe, daß Lukas auch schon das vorgängige Zitat aus Jesaja fälschlicherweise als Psalmenzitat aufgefaßt hat.[152] Abgesehen davon, daß man nach lukanischem Sprachgebrauch auch βιβλίῳ oder βίβλῳ gut ergänzen könnte,[153] scheint uns folgende Interpretation dem Kontext von Apg 13,34f doch eher zu entsprechen:

Lukas ist gar nicht daran gelegen, den Verfasser der Schriftworte oder des entsprechenden atl. Buches näher zu benennen, um Gott selbst als den Redenden erscheinen zu lassen. Gott selbst kündigt durch den Mund der Propheten das Heil an.[154] Daß nach der Formulierung von Ps 16,10b nicht Gott selbst spricht, sondern angesprochen wird, ist kein Gegenargument, da doch gerade so das Prophetenwort als direktes Wort Gottes gewürdigt wird.[155]

Wenn man schon zu ἐν ἑτέρῳ eine Ergänzung hinzufügen will, dann müßte sie auf diese Wort-Gottes-Theologie in Lk-Apg Bezug nehmen[156] und etwa lauten: ἐν ἑτέρῳ βιβλίῳ (oder βίβλῳ) προφητῶν.[157] Jedenfalls kann man aus der Formulierung ἐν ἑτέρῳ nicht die Schlußfolgerung ziehen, Lukas habe Jes 55,3 als ein Psalmenzitat angesehen. Mit dieser bewußt allgemein gehaltenen Angabe verfolgt Lukas die Absicht, Jes 55,3 wie Ps 16,10b unter den gemeinsamen Nenner eines Propheten bzw. Gotteswortes zu stellen.

Daran, daß Lukas um die Herkunft des zweiten Zitats (Ps 16,10b) gewußt hat, kann jedenfalls kein Zweifel bestehen (vgl. Apg 2,25). Es darf auch als wahrscheinlich gelten, daß er

---

150 Für das Adjektiv ἕτερος hat Lukas eine ausgesprochene Vorliebe. Vgl. die Wortstatistik bzgl. ἕτερος: Mt 9; Mk 1; Lk 33; Joh 1; Apg 17. Gewöhnlich wird es in Lk-Apg mit einem Substantiv verbunden; in Apg 20,15 und 27,3 ergibt sich die Ergänzung (ἡμέρᾳ) zweifelsfrei aus dem Kontext.

151 Vgl. die Bedeutung von ἐν ἑτέρῳ in Hebr 5,6, wo diese Wendung zu einem zweiten Psalmenzitat überleitet (zu Ps 110,4 nach Ps 2,7 [vgl. v. 5]).

152 Vgl. T. Holtz, Untersuchungen 138f.

153 Vgl. Lk 4,17.20 (βίβλιον); beachte aber besonders den Vergleich ἐν βίβλῳ Ἡσαΐου (Lk 3,4) und ἐν βίβλῳ ψαλμῶν (Lk 20,42;). In Apg 13,34f folgen somit Zitate aus zwei verschiedenen biblischen Büchern aufeinander, nämlich aus dem Buche Jesaja und dem Buche der Psalmen.

154 Vgl. Lk 1,70f: καθὼς ἐλάλησεν διὰ στόματος τῶν ἁγίων ἀπ᾽ αἰῶνος προφητῶν αὐτοῦ, σωτηρίαν ἐκ ἐχθρῶν ἡμῶν etc.; vgl. auch Apg 4,25.

155 In der Zitationsformel zu Ps 16,8–11 ist nicht die γραφή, sondern David Subjekt (vgl. Apg 2,25: Δαυὶδ γὰρ λέγει εἰς αὐτόν) und zwar in seiner Funktion als Prophet (vgl. Apg 2,30); schon von daher ist es geboten, in Apg 13,35 ὁ θεός nicht die γραφή als Subjekt zu λέγει zu ergänzen: gegen M. Rese, der beide Möglichkeiten offenläßt; vgl. M. Rese, Atl. Motive 90. So erklärt sich auch umgekehrt der Subjektwechsel in Apg 7,48f. Einleitend heißt es dort: ὁ προφήτης λέγει, und dann folgt ein Gotteswort in direkter Rede: Ὁ οὐρανός μοι θρόνος etc. (vgl. Jes 66,1f). εἴρηκεν (v. 34) oder λέγει (v. 35) im Sinne eines parenthetischen und unpersönlichen φησίν (= „es heißt", „man sagt") zu verstehen – auch dies wird von M. Rese als möglich erwogen (vgl. ebd. 90) – kommt als Erklärung sicherlich nicht in Frage; zudem hat dieses λέγει oder φησίν im NT keinen sicheren Sprachgebrauch für sich: vgl. T. Zahn, Apg 445.

156 So heißt es auch im Anschluß an die antiochenische Rede in v. 46: ὑμῖν (!) ἦν ἀναγκαῖον πρῶτον λαληθῆναι τὸν λόγον τοῦ θεοῦ. In diesem antiochenischen Kontext wird übrigens der Begriff λόγος θεοῦ auffallend häufig verwendet: vgl. Apg 13,5.7.44.48.49. Die Zuhörer kommen in der Synagoge von Antiochien zusammen, um das Wort Gottes zu hören (vgl. v. 44): ἀκοῦσαι τὸν λόγον τοῦ θεοῦ: so nach B* C E P u. a.; vgl. v. 46). Zum Problem λόγος τοῦ θεοῦ und λόγος τοῦ κυρίου in der Apg vgl. den Artikel von J. Dupont: „Parole de Dieu" et „Parole du Seigneur": RB 62 (1955) 47–49, in: Études 523–525.

157 Diese Ergänzung nähme auch Rücksicht auf den vorhergehenden v. 27, der die soeben verlesenen Schriftworte unter dem Titel φωναὶ τῶν προφητῶν zusammenfaßt; der λόγος θεοῦ wird als lebendiges Wort begriffen, das nun in der Synagoge erklingt; θεοῦ ist in diesem Zusammenhang ein genitivus subj. Uns scheint hier der Hinweis wichtig zu sein, daß für Lukas auch das Gesetz (νόμος) prophetischen Charakter hat: vgl. Apg 13,15 mit 13,27 und Lk 24,27; 1,70.

selbst Ps 16 in das Auferweckungskerygma eingebracht hat, da der Bezug dieses Psalms auf die Auferstehung Jesu anderweitig nicht belegt werden kann.[158] Die Interpretation der ἀνάστασις von Ps 16, besonders von Ps 16,10b her muß als eine originelle und ganz persönliche theologische Leistung des Verfassers der Apg gewürdigt werden.

Im Unterschied zu Ps 2 und Ps 110 ist ja der messianische Charakter dieses Psalms von der jüdischen Tradition her durchaus nicht eindeutig. Zwar wird Ps 16,9 einmal flüchtig auf den Messias bezogen, doch werden die anderen Verse dieses Psalms nur in einem ganz allgemein-messianisch-eschatologischen Sinn gedeutet.[159] Dem Spätjudentum war die Erwartung eines sterbenden und auferstehenden Messias ohnehin fremd.[160] Wohl mag es Hinweise auf das Leiden des Gottesknechtes geben, welche auch ein Jude messianisch verstehen könnte:[161] doch wo kündigt sich für ihn im AT, besonders nach dem TM, die Auferweckung des Messias direkt an?[162]

Für Lukas ist es freilich eindeutig, daß im AT nicht nur vom Sterben, sondern auch von der Auferweckung des Messias, und zwar schon von den Büchern des Mose an (vgl. Lk 24,27.44), immer wieder die Rede ist. Diesen Sinn der Schrift mußte aber der Auferstandene selbst den Jüngern erschließen (vgl. Lk 24,27.32.45). So ist das lukanische Auferweckungskerygma, auch in der Apg, seinem Wesen nach eine „relecture biblique" im Lichte der Auferstehung.

In diesem Zusammenhang ist es von großer Bedeutung, daß die Apg nicht auf den TM von Ps 16, sondern auf die LXX-Version Bezug nimmt, denn nur aus dieser LXX-Übersetzung läßt sich ein direkter Verweis auf das Auferstehungsgeschehen herauslesen.

Der Wortlaut des Zitats von Ps 16,10b in Apg 13,35 stimmt wörtlich mit der LXX überein, abgesehen von der durch die Wiedergabe nur eines Halbverses notwendig gewordenen Umformung der Negation οὐδέ zu οὐ. Es kann als sicher gelten, daß das lukanische Interesse für Ps 16 durch das Vorkommen des Terminus διαφθορά in Ps 16,10b geweckt worden ist, mit dem die LXX an dieser Stelle das hebr. Substantiv šaḥat wiedergibt (vgl. Apg 2,25–28 = Ps 16,8–11 mit Apg 2,31 und 13,35 = Ps 16,10 bzw. 10b).

Der Schlüsselbegriff διαφθορά darf indessen auf Grund seines viermaligen Vorkommens in Apg 13,34–37 (vgl. vv. 34.35.36.37) nicht allein die Aufmerksamkeit des Lesers beanspruchen. Zunächst sind ja die Bedeutung und der Stellenwert des Adjektivs ὅσιος zu erschließen, das uns in unmittelbarer Folge zweimal begegnet (vv. 34.35) und neben dem Verb δίδωμι v. 34 und v. 35 schon unter rein formaler Hinsicht miteinander verbindet. Die Bewahrung vor der διαφθορά erscheint ja nach Ps 16,10b bzw. Apg 13,35 als Konsequenz der Heiligkeit Christi. Den gleichen Gedanken führt Paulus in Röm 1,4 aus, wenn er sagt, daß Jesus „dem Geist der Heiligkeit nach" (κατὰ πνεῦμα ἁγιωσύνης) eingesetzt ist als Sohn Gottes in Macht

---

158 Ps 16 findet sich auch bei den Patres Apostolici nicht als Argument für die Auferstehung Christi; vgl. z. B. die Katene von entsprechenden Psalmenverweisen in 1 Clem ad Cor XXVI, 1–3. J. Schmitt übertreibt allerdings, wenn er schreibt, Ps 16 sei „la seule prophétie alléguée à l'appui de l'événement pascal": vgl. J. Schmitt, Jésus ressuscité 106. Völlig wird die Bedeutung dieses Psalms überschätzt und verkannt von H. W. Boers, nach dem dieser Psalm den Osterglauben erst begründet hat: vgl. H. W. Boers, Ps 16 and the historical origin of the Christian faith: ZNW 60 (1969) 105–110.

159 Vgl. Bill. II 618.

160 Vgl. hierzu B. Lindars, New Testament Apologetic, London 1961, 41. Das diesbezügliche Unverständnis der Jünger (vgl. Lk 9,45; 18,34; 24,25) ist darum nicht überraschend.

161 Nach Lk 24,27 hat sich Jesus hier vielleicht auf Ps 22; Jes 53 (vgl. Apg 8,31–35) u. a. bezogen. Doch war eine direkte messianische Deutung dieser Stellen zur Zeit Jesu nicht geläufig.

162 Hos 6,2, worauf in Lk 24,46 offensichtlich angespielt wird, bezieht sich auf eine Mehrzahl von Personen. Dtn 18,15 (vgl. Apg 3,22.23; 7,37) erlaubt ebenfalls nicht eine direkte Anwendung auf das Faktum der Auferweckung Jesu von den Toten. Apg 3,13 spricht in Anlehnung an Jes 52,13 von der Verherrlichung des Gottesknechtes. Doch auch in Jes 52,13 ist nicht unmittelbar von der ἀνάστασις des Messias die Rede. Vgl. dazu die Bemerkung in Joh 20,9: οὐδέπω γὰρ ᾔδεισαν τὴν γραφήν, ὅτι δεῖ αὐτὸν ἐκ νεκρῶν ἀναστῆναι.

seit der Auferstehung von den Toten.[163] Das Nichtschauen der Verwesung ist also Beweis dafür, daß Jesus tatsächlich der „Heilige und Gerechte" (vgl. Apg 3,14) gewesen ist.

Die Vorstellung von der Unverweslichkeit der Heiligen war schon in ntl. Zeit bei den Juden fest eingewurzelt. Über sieben Menschen haben nach einem jüdischen Theologumenon „Wurm und Verwesung" keine Gewalt gehabt: Abraham, Isaak, Jakob, Mose, Aaron, Mirjam und Benjamin. Von einigen Rabbinern wurde schließlich noch David hinzugefügt.[164] Nur so ist es zu erklären, daß Petrus die Bestreitung der Deutung von Ps 16 auf David mit einer vorsichtigen Bitte um Nachsicht einleitet, und Paulus in Apg 13,36 besonders betonen muß, daß David die Verwesung geschaut hat.

So wie die Begriffe ḥäsäd und ḥasîd, so sind auch die griechischen Termini ὅσια und ὅσιος in enger Beziehung zueinander zu sehen. Die Bezeichnung ὅσιος trifft nach dem Sprachgebrauch der LXX auf den Menschen zu, der sich der Gunsterweise Gottes in der Tat würdig erweist.[165] Wenn nun Lukas Jesus ὅσιος nennt, so ist die Tendenz, die er dabei verfolgt, weniger eine politisch-apologetische, obgleich auch diese nach Apg 13,28 unverkennbar ist: vielmehr ist dem Verfasser der antiochenischen Rede an dem Nachweis gelegen, daß die Treue in der Erfüllung des θέλημα θεοῦ Jesus als den wahren Erben Davids und als den wahren ὅσιος θεοῦ ausweist.[166] Dies zu betonen ist besonders vor einer jüdischen Zuhörerschaft wichtig.

Lukas läßt programmatisch Jesus in seiner ersten Synagogen-Predigt auf den ihm von Gott auferlegten Willen, d. h. auf seine messianische Sendung verweisen; Jesus ist ausgesandt, die σωτηρία zu verkündigen und zu verwirklichen, ohne daß hier zwischen leiblichem und seelischem Heil unterschieden werden dürfte.[167]

Dieser Sendung geht nach Lukas (vgl. Lk 3,22 mit Lk 4,18) die Salbung mit dem Hl. Geist voraus. Daraus folgt, daß das Adjektiv ὅσιος primär nicht die moralische Qualifikation und Integrität Jesu bezeichnen will,[168] sondern seine wesensmäßige Gottzugehörigkeit und Geisterfülltheit: Jesus ist als ὅσιος der ἅγιος θεοῦ.[169]

---

163 Vgl. hierzu *M. E. Boismard*, Constitué Fils de Dieu (Rom 1,4): RB 60 (1953) 12. Im Auferweckungskerygma geht es nicht nur, wie *R. Bultmann* behauptet, um das „Daß" des Glaubens (vgl. *R. Bultmann*, Jesus, Tübingen 1964, 7), vielmehr soll in der Predigt der Apg auch das „Warum" des Glaubens dargestellt werden; vgl. hierzu auch Phil 2,6–11 und die entsprechende Interpretation bei *L. Malevez*, Jésus de l'histoire et intérprétation du Kérygme: NRT 91 (1969) 800. Siehe hierzu auch Hebr 5,7: εἰσακουσθεὶς ἀπὸ (= wegen) τῆς εὐλαβείας.

164 Vgl. hierzu *J. Jeremias*, Heiligengräber in Jesu Umwelt, Göttingen 1958, 128 (Belege).

165 Vgl. z. B. die LXX-Wendung μετὰ ὁσίου ὁσιωθήσῃ in 2 Sam 22,26 und Ps 18,26. Siehe auch Weish 6,10: οἱ γὰρ φυλάξαντες ὁσίως τὰ ὅσια ὁσιωθήσονται; vgl. damit Jes 55,3 und Ps 16,10b in Apg 13,34f! Eine Übersicht über den Gebrauch von ὅσιος im NT zeigt allerdings, daß ὅσιος nicht einfach mit dem atl. hebr ḥāsîd identisch ist; es fehlt u. a. der Bezug auf den Bundesgedanken, wie übrigens auch in Dtn 29,18 und Weish 6,10. Auch diese Tatsache spricht gegen die These von E. Lövestam, der schon in τὰ ὅσια den Bundesgedanken genügend deutlich ausgesprochen sieht: vgl. *L. Lövestam*, Son and Saviour 76ff.

166 Vgl. die Typologie David – Jesus in Apg 13,22f.

167 Vgl. Lk 4,18f mit Jes 61,1f. Aus der Antwort Jesu an Johannes d. T. geht hervor, wie sehr unter der angekündigten σωτηρία auch die Heilung körperlicher Gebrechen verstanden sein will: vgl. Lk 7,22 mit Lk 4,18f bzw. Jes 61,1f.

168 Lukas verwendet das Adjektiv ὅσιος jeweils im Anschluß an Ps 16,10 nur für die Person Jesu: vgl. Apg 2,27; 13,35.37. Schon dieser Sprachgebrauch zeigt, daß ὅσιος für Lukas zunächst ein spezifisch christologischer Titel ist und nicht eine moralische Prädikation. Die anderen Evangelisten kennen den Terminus ὅσιος nicht.

169 Die christologische Bezeichnung ἅγιος θεοῦ kennen auch Markus (vgl. Mk 1,24) und Johannes (vgl. Joh 6,69). Mehr aber als alle anderen Evangelisten hebt Lukas die Heiligkeit bzw. Geisterfülltheit Jesu hervor, häufig auch durch die Verwendung des Adjektivs ἅγιος: vgl. Lk 1,15.35; 3,22 (diff. Mt 3,16 und Mk 1,10); 4,1 (lukanischer Zusatz zu Mt 4,1 und Mk 1,12); 10,21 (lukanische Ergänzung zu Q: vgl. Mt 11,25). In der Apg tritt die neutrale Form ἅγιον gewöhnlich als Adjektiv zu πνεῦμα hinzu (in 43 von 53 Fällen); in Apg 3,14; 4,27.30 bezieht ἅγιος sich auf Jesus.

Das gleiche will der Zusatz σου zu ὅσιος in Apg 13,35 zum Ausdruck bringen: Die Prädikation ὅσιόν σου in Apg muß von Lk 1,35 und 4,34 her verstanden werden und kann darum nur für den Sohn Gottes gelten. Die einzigartige Geisterfülltheit und Gottverbundenheit Jesu, die Lukas schon in Lk 1,35 von seiner Gottessohnschaft her erklärt, kommt in Lk immer wieder betont zum Ausdruck.

So schildert Lukas Jesus als den großen Beter,[170] gerade auch in seinem Passionsbericht,[171] der als Sohn den Vater immer vor Augen hat. Im Unterschied zu den anderen Synoptikern spricht Lukas darum auch nicht von der Gottverlassenheit Jesu am Kreuz;[172] Jesus stirbt nicht mit einem Aufschrei der Gottverlassenheit, sondern mit dem Gebet eines Psalmverses, der Hoffnung und Vertrauen ausdrückt.[173]

Von daher erklärt sich auch das lange Psalmenzitat in Apg 2,25–28 (= Ps 16,8–11), welches die Auferweckung Jesu in seiner immerwährenden Gemeinschaft mit dem Vater begründet sieht:[174] Der Tod konnte darum Jesus nicht festhalten. Nach dem Sprachgebrauch des NT bezeichnet die Formel οὐκ ἦν δυνατόν (vgl. Apg 2,24) nicht eine Unmöglichkeit „d' ordre providentiel", sondern „en quelque sorte physique"[175]: also der ὅσιος θεοῦ war Jesus stärker als der Tod.[176]

So hat Jesus auch nicht die Macht des Todes in der διαφθορά erfahren. Es wird von A. Schmitt zu Recht in Zweifel gezogen, daß sich die LXX durch die Wiedergabe von šaḥat mit διαφθορά eine Fehlübersetzung geleistet hat.[177] In jedem Fall bleibt wahr, daß nur der LXX-Text der lukanischen Argumentation dienlich sein kann,[178] denn allein die LXX-Version διαφθορά macht eine Anwendung von Ps 16,10b auf Christus möglich: Christus hat zwar das Grab geschaut, aber nicht die Verwesung. Jesus wurde am dritten Tage auferweckt und wurde so vor der διαφθορά bewahrt, da mit diesem Zeitpunkt nach jüdischer Vorstellung der Prozeß der Verwesung ja erst einsetzte.[179]

---

170 Vgl. Lk 3,21 (diff. Mt 3,16 und Mk 1,9); 5,16 (diff. Mk 1,45); 6,12 (diff. Mt 10,1 und Mk 3,13); 9,18 (Zusatz zu Mt 16,13 und Mk 8,27); 9,29 (diff. Mt 17,2 und Mk 9,2); 11,1 (Zusatz zu Q: vgl. Mt 6,9). Zum Thema siehe auch *J. Jeremias, Das Gebetsleben Jesu:* ZNW 25 (1926) 123–140.

171 Vgl. Lk 22,41.44f (in Ergänzung zu Mt und Mk).

172 Vgl. Mt 27,46 und Mk 15,34 mit Ps 22,2.

173 Vgl. Lk 23,46 (εἰς χεῖράς σου παρατίθεμαι τὸ πνεῦμά μου) mit Ps 31,6; siehe hierzu als Parallele Apg 7,59.

174 Vgl. Ps 16,8 (Apg 2,25): προορώμην τὸν κύριον ἐνώπιόν μου διὰ παντός. Die Einleitung Δαυὶδ γὰρ λέγει εἰς αὐτόν besagt darum mehr als nur „er sagte im Hinblick auf ihn voraus"; vielmehr soll durch sie das folgende Psalmengebet Jesus in den Mund gelegt werden; εἰς αὐτόν ist hier gleichbedeutend mit „in persona Jesu"; eine ähnliche Auslegung findet sich schon bei *A. Loisy,* Actes 206: „Car David l'a dit pour lui. – En vue de lui (εἰς αὐτόν), à son intention, et parlant en son nom."

175 Vgl. *J. Dupont,* L'interprétation: in: Études 288 Anm. 13. G. Stählin simplifiziert die petrinische Argumentation, wenn er ausführt: „Warum ,mußte' Jesus auferstehen?... Die Antwort, die Lukas durch Petrus gibt, lautet ganz einfach: weil es in der Schrift steht." *G. Stählin,* Apg 46.

176 Vgl. den Komparativ ἰσχυρότερος in Lk 11,22, der sich hier auf die Überlegenheit Jesu über Βεελζεβούλ bezieht; zur Affinität und möglichen Identifikation der Begriffe Βεελζεβούλ (= Σατανᾶς, διάβολος) und θάνατος in Lk-Apg vgl. unsere folgenden Ausführungen.

177 Als erstes Gegenargument wird von *A. Schmitt* ins Feld geführt, daß die LXX häufig Konkreta durch Abstrakta wiedergibt (vgl. u. a. Jes 26,19; Dan 12,2; 2 Makk 7,9–14; 12,43f; 14,46): vgl. *A. Schmitt,* Ps 16,8–11 238. Wichtiger aber ist noch der Hinweis, daß man zur Zeit der Entstehung der LXX šaḥat (= Grube) nicht mehr bedeutungsmäßig mit šûᵃḥ (= herabsinken) in Verbindung setzte, von wo es zumeist abzuleiten ist, und zu Beginn der christlichen Ära jeder Hebräer beim Nomen šaḥat an die Basis šâḥat (= vernichten, verderben) dachte: vgl. *ebd.* 239.

178 Dies gesteht auch A. Schmitt zu: vgl. *ebd.* 247.

179 Darum wird von Lukas besonders betont, daß der Messias am dritten Tag auferweckt wird: vgl. Lk 9,22; 13,32; 18,33; 24,7.21.46; Apg 10,40. Vgl. zu dieser Auslegung zu Hos 6,2 *K. Lehmann,* Auferweckt am dritten Tag, 262–272.280.287.323f.343.349. Siehe hierzu auch die zahlreichen Belege bei *A. Schmitt,* Jésus ressuscité 171.

111

Im Vergleich zur ersten Petrusrede, in der das Objekt τὸν ὅσιόν σου aus Ps 16,10b (vgl. Apg 2,27) in Apg 2,31 durch ἡ σάρξ wieder aufgegriffen wird, tritt die antidoketistische Tendenz in der paulinischen Rede etwas zurück.[180] Dennoch wird auch hier eines deutlich: Lukas versteht, im Unterschied zu den Aussagen Pauli in 1 Kor 15, die Auferweckung nicht in erster Linie als eine Verwandlung;[181] ihm geht es zunächst um die Betonung der Identität, und zwar auch der körperlichen, zwischen dem vorösterlichen und nachösterlichen Jesus bis hin zu seiner Himmelfahrt. Die theologische Kategorie, mit der er das Auferstehungsgeschehen zu begreifen sucht, ist die der *Kontinuität*. Der gewaltsame Tod war nicht das Ende Jesu; auferweckt von den Toten, lebt er weiterhin fort.

Das will für die Apg vor allem besagen, daß auch das Heilswerk Jesu fortgesetzt wird.[182] Schon vor der Auferweckung heilte Jesus Kranke (vgl. Lk 7,21–23 mit Apg 10,38), ließ er auf Grund des Glaubens an ihn Sünden nach (vgl. Lk 5,20.23.24; 7,47f) und übte so göttliche Vollmacht aus (vgl. Lk 5,21; 7,49). Nach seiner Auferweckung geschehen die gleichen „Zeichen und Wunder" durch die Apostel (vgl. Apg 2,22 mit Apg 2,43; 4,20; 5,12; 6,8; 7,36; 14,3); der Auferstandene gibt ihnen die Kraft dazu (vgl. Apg 3,6.16; 4,10.30; 14,3; 16,18), und im Namen Jesu, d. h. durch Jesus selbst, werden Sünden vergeben (vgl. Apg 2,38; 10,48; 19,5).

Im Blick auf die besondere heilsgeschichtliche Perspektive der Apg muß dieser Sicht noch ein anderer Aspekt zugeordnet bzw. übergeordnet werden. Wie die Apg allgemein, so spricht auch Ps 16,10b von der Auferweckung in einer aktivischen Wendung. Es ist Gott selbst, der bewirkt bzw. es nicht zuläßt, daß sein Heiliger die Verwesung schaut.[183] Die ἀνάστασις Jesu erscheint nach Ps 16,10b bzw. Apg 2,32 und 13,35 als Tat Gottes, und nicht zuletzt deshalb mag Lukas dieses Zitat gewählt haben, weil er diesen Aspekt der Auferweckung besonders betont wissen wollte.

180 Die antidoketistische Tendenz, die in der Betonung der σάρξ Christi zum Ausdruck kommt, wird u. a. von U. Wilckens als hellenistisch-frühkatholisch eingestuft: vgl. *U. Wilckens*, Missionsreden³ 141 Anm. 2. Diese antignostische Tendenz scheint die lukanische Christologie allgemein zu charakterisieren: vgl. die bildhafte Sprache in Lk 24,39–43; Apg 1,9–11 (die Jünger sehen (!) Jesus am Himmel emporsteigen); Lk 23,55 (diff. Mk 15,47); Lk 24,22f.39.43 u. a. Siehe zu diesem Thema *C. H. Talbert*, An Antignostic Tendency in Lucan Christology: NTS 14 (1968) 259–271. Das Interesse der frühen Kirche an diesem Thema ist nicht zu leugnen: vgl. Ignatius ad Smyrn. 3,1; 5,2; 7,1; ad Rom. 7,3; ad Philad. 5,1; ad Trall. 8,1.

181 Vgl. 1 Kor 15,50–53: σάρξ καὶ αἷμα βασιλείαν τοῦ θεοῦ κληρονομῆσαι οὐ δύναται (v. 50); vgl. auch 2 Kor 5,4. Aus Apg 9,3–9; 22,6–16 und 26,12–18 (= Bekehrungsberichte des hl. Paulus) geht indessen hervor, daß Lukas um die himmlische Erscheinungsweise Jesu gewußt hat: vgl. die Verwendung und Bedeutung des Begriffes φῶς in Apg 9,3; 22,6.8.11; 26,13. Paulus erfährt nur, wie ein helles Licht vom Himmel her ihn umstrahlt und hört eine Stimme zu ihm sprechen: vgl. Apg 9,4; 22,7; 26,14. Lukas betont die sarkische Identität Jesu nur für die Zeit zwischen Auferweckung und Himmelfahrt, und dies primär unter soteriologischem Aspekt: siehe folgende Anm.! – Lukas und Paulus betonen je verschiedene und komplementäre Gesichtspunkte bzgl. der ἀνάστασις. Paulus selbst scheint indessen, im Unterschied zu der Darstellung in der Apg, die Erscheinung vor Damaskus in eine Reihe stellen zu wollen mit den übrigen nachösterlichen Erscheinungen Jesu: vgl. 1 Kor 15,5–8; er will damit sagen, daß Jesus auch ihm in leiblicher Gestalt erschienen ist. J. A. Schep zieht allerdings bzgl. Lk-Apg zu weitgehende Schlußfolgerungen, wenn er ganz allgemein sagt, daß nach Lukas der himmlische Jesus auch in seiner leiblichen Existenz derselbe bleibt wie der historische: vgl. *J. A. Schep*, The Nature of the Resurrection Body, Michigan 1964, 163.

182 Unter diesem Aspekt muß zunächst die Betonung der σάρξ Christi auch in Lk 24 gesehen werden. „Es geht nicht um die Betonung der Leiblichkeit an und für sich, sondern vielmehr um die Funktion des Auferstandenen in dieser seiner Leiblichkeit: er will als Anfänger der neuen Schöpfung Gottes die alte Weltgestalt erfassen mit seinem Reden, Segnen, Geben": *W. Bieder*, Auferstehung des Fleisches oder des Leibes: ThZ 1 (1945) 113.

183 Vgl. mit der Ausdrucksweise von Ps 16,10b Apg 10,40: ἔδωκεν αὐτὸν ἐμφανῆ γενέσθαι: Gott ließ Jesus erscheinen. Die nachösterlichen Erscheinungen Jesu, ermöglicht durch seine Bewahrung vor der διαφθορά, entstammen ebenfalls der Initiative Gottes.

Der Verfasser der antiochenischen Rede will so letztlich sagen: Nicht einmal der gewaltsame Tod seines Messias, d. h. des von ihm gesandten Heilbringers (vgl. Apg 13,23.26), konnte Gott an der Verwirklichung seiner einst gegebenen Verheißung hindern; Gott hat seine von altersher gegebene ἐπαγγελία zur Erfüllung gebracht (vgl. die Form ἐκπεπλήρωκεν in Apg 13,33). Freilich verwirklichte sich diese Heilsgeschichte nicht mit zwangsläufiger Notwendigkeit; Gott machte sich vielmehr die ὁσιότης seines Gesalbten dienstbar, um seinen Heilsplan auszuführen.

A. Schmitt versucht nun aufzuzeigen, daß Lukas durch den Verweis auf den Begriff der διαφθορά die Auferstehung Jesu – mit Rücksicht auf seine hellenistischen Leser – vom griechischen Denken her explizieren will, nach dem das Gesetz der διαφθορά über alles Gewordene verhängt ist.[184] Wir glauben indessen, daß Lukas zunächst auf biblische Erklärungsweisen zurückgreift. Die Vorstellung, daß der Messias in Ewigkeit bleiben werde, scheint den Zeitgenossen Jesu ja schon in etwa von der Schrift her vertraut gewesen zu sein (vgl. Joh 12,34), wenn sie auch nichts davon wußten, daß dies durch eine ἀνάστασις von den Toten geschehen sollte. Doch konnte der christliche Apologet gerade von diesem jüdischen Glauben her, daß nämlich der endzeitliche Messias der Macht des Todes nicht unterworfen war, seinen Zuhörern die ἀνάστασις Jesu begreiflich machen.

Nach Lk-Apg ist das Reich des Todes und der Finsternis das Reich Satans, dessen ἐξουσία sogar bis in das diesseitige Leben hineinreicht.[185] Lukas weiß um den engen Zusammenhang zwischen körperlichem und seelischem Unheil. Zwar findet sich bei ihm nicht eine so klare Aussage wie bei Paulus, daß der Stachel des Todes die Sünde ist (vgl. 1 Kor 15,56),[186] doch ist dieses Denken bei ihm vorhanden. So führt er alle Krankheit auf den direkten Einfluß der Dämonen zurück, deren Anführer Βεελζεβούλ ist (vgl. Lk 11,17f), und die sogleich in Jesus ihren Widerpart erkennen, nämlich den ἅγιον bzw. υἱὸν θεοῦ.[187]

Von dieser Vorstellung her ist es zu erklären, daß nach Lk mit dem Leiden Jesu auch die Stunde Satans anbricht (vgl. Lk 22,3), welche nach Lk 22,53 die Macht der Finsternis enthüllt;[188] Jesus war gekommen, diese Macht der Finsternis zu brechen, und er bezwingt diese ἐξουσία τοῦ σκότους (vgl. Lk 22,53), die sich in seiner Todesstunde über die ganze Erde ausbreitet (vgl. Lk 23,44), durch sein Sterben als der ὅσιος θεοῦ, so daß der heidnische Hauptmann bezeugt: Ὄντως ὁ ἄνθρωπος οὗτος δίκαιος ἦν (vgl. Lk 23,47).[189] So vermag Jesus alle, die sich durch den Glauben mit ihm verbinden, von der finsteren Macht des Todes und der Sünde, welche Satan in den Händen hält, zu befreien, sie zum Licht zu führen und ihnen als

---

184 Vgl. *A. Schmitt*, Ps 16,8–11, 247.
185 Vgl. Lk 1,79 mit Lk 22,53. Aus einem Vergleich mit Lk 22,3 und Lk 4,13 geht hervor, daß das Reich des Todes für Lukas das Reich der Finsternis, d. h. das Reich Satans ist. – In Apg 2,24 wird der Tod als eine persönliche Macht begriffen, die Jesus zu „fesseln" suchte. Auch hier braucht keine Fehlübersetzung der LXX vorzuliegen: vgl. *A. Schmitt*, Ps 16,8–11, 244f. Der Tod ist wie ein Jäger, der mit Fangstricken (vgl. Apg 28,8) den Menschen nachstellt. Auch Schmerz und Krankheit sind solche Fesseln des Todes: vgl. *ebd.* 244f. Vgl. auch Apg 28,8 mit Apg 10,8 (εὐεργετῶν καὶ ἰώμενος πάντας τοὺς καταδυναστευομένους (!) ὑπὸ τοῦ διαβόλου). Siehe auch Offb 20,2.
186 Vgl. 1 Kor 15,56: τὸ δὲ κέντρον τοῦ θανάτου ἡ ἁμαρτία. In 1 Kor 15 wird das Bild von einem Kampf zwischen dem Tod und Christus noch deutlicher beschrieben als in Lk-Apg: vgl. 1 Kor 15,54f; siehe auch 1 Kor 15,26. In Hebr 2,14 wird klar ausgesagt, daß der διάβολος die Macht über den Tod in den Händen hält.
187 Vgl. Lk 4,33f; 9,1.42; 11,14f; 13,32 und Apg 10,38. Zum Ausdruck ἅγιος θεοῦ vgl. Lk 4,34; zum Titel υἱὸς θεοῦ vgl. Lk 4,41 und 8,28.
188 Besonders deutlich kommt die Affinität der Begriffe σκότος, Σατανᾶς und ἁμαρτία in Apg 26,17f zum Ausdruck; vgl. dazu auch Apg 26,23.
189 Vgl. hierzu die Bemerkung von J. Dupont: „Entre δίκαιος et ὅσιος, termes si souvent associés, il n' existe qu'une légère nuance; la ,sainteté' du ὅσιος n'est rien d'autre que la ,justice' grâce à laquelle il peut rendre à Dieu un culte agréable": *J. Dupont*, TA 'ΟΣΙΑ, in: Études 350.

113

den durch ihn „Geheiligten" Anteil am ewigen Leben zu geben (vgl. Apg 26,18; 20,32 mit Apg 13,46.48).

Anteil an der ζωὴ αἰώνιος zu gewinnen war auch das letzte Ziel eines jeden frommen Juden, und er war sich bewußt, daß er nur als Gerechter in dieses Leben eintreten konnte. Seine Kardinalfrage war und bliebe darum: Τί ποιήσας ζωὴν αἰώνιον κληρονομήσω (vgl. Lk 10,25; 18,18). Seiner jüdischen Zuhörerschaft antwortete der lukanische Paulus mit den Worten von Apg 13,39f.

Die Exegese von Apg 13,35 hat uns folgendes aufgezeigt:
- Lukas hat zweifelsfrei um die Bedeutung und Herkunft von Ps 16,10b gewußt (vgl. Ps 16,8–11 in Apg 2,25–28). Der Psalmvers steht als *pars pro toto*. Daß der Verfasser von Apg 13,16–41 dieses Schriftzitat mit der Auferweckung Jesu in Verbindung gebracht hat, ist seine originelle theologische Leistung.
- Das lukanische Interesse für Ps 16,10b ist wohl durch den LXX-Terminus διαφθορά geweckt worden. Die Auferweckung Jesu soll durch die theologische Kategorie der Kontinuität gedeutet werden; weil Jesus vor der διαφθορά bewahrt blieb, kann sich auch sein Heilswerk fortsetzen. Heil bedeutet hier nicht zuletzt Anteil zu erhalten an der ζωὴ αἰώνιος; diese Heilsgabe wird allen Glaubenden durch die Auferstehung Jesu zuteil (vgl. auch Apg 13,46.48).
- Die Bewahrung vor der διαφθορά erscheint nach Ps 16,8–11 (vgl. Apg 2,25–28) begründet in der Heiligkeit Jesu, seiner immerwährenden Gemeinschaft mit dem Vater. Die lukanische Vorliebe für das Thema der ὁσιότης Jesu hat offensichtlich zur Einführung von Ps 16,10b in die Argumentation der Paulusrede entscheidend beigetragen.

Die folgende Analyse der David-Jesus-Typologie nach Apg 13,37f soll diese ὁσιότης Jesu näher bestimmen.

c) Die Bedeutung der David-Jesus-Typologie in Apg 13,36f.

v. 36: Δαυὶδ μὲν γὰρ ἰδίᾳ γενεᾷ ὑπηρετήσας τῇ τοῦ
θεοῦ βουλῇ ἐκοιμήθη καὶ προσετέθη πρὸς
τοὺς πατέρας αὐτοῦ καὶ εἶδεν διαφθοράν.

Durch vv. 36f fügt Lukas der in vv. 32–35 entwickelten Konzeption von der Auferweckung Jesu keinen bedeutsamen neuen Aspekt hinzu; der v. 36 und v. 37 umfassende Satz ist seinem Aufbau und Inhalt nach ein parenthetischer Einschub, der den Bezug von Ps 16,10b auf Jesus klarstellen will. Es wäre aber falsch, wollte man die beiden Satzglieder im Sinne einer Antithese deuten, welche etwa auf die Kurzformel gebracht werden könnte: David sah die Verwesung, Jesus aber nicht, und man dann folgerte: also hat sich die Verheißung an David nicht erfüllt.

Ein solchermaßen konkludierendes Denken wäre gerade im Bezug auf Ps 16,10b unbiblisch, da es die in diesem Zusammenhang wichtige Vorstellung der „korporativen Persönlichkeit" unberücksichtigt ließe. Die Argumentation der Apg ist hier rabbinisch-subtil. Zum Vergleich ist Apg 2,25–31 heranzuziehen. David kann mit Recht Ps 16,8–11 in der „Ich"-Form sprechen und seine Hoffnung auf ewiges Leben, die er nach der LXX-Version in Ps 16,10 zum Ausdruck bringt, als erfüllt ansehen, da doch Jesus als sein Nachkomme, als *anderer David*, in der Tat vor der Verwesung bewahrt geblieben ist (vgl. Apg 2,30f).[190] Die Konstruktion von Apg 13,36f wirkt gerade deshalb überladen und kompliziert, weil Lukas hier David einerseits

---

190 Siehe hierzu die Erklärung von A. *Descamps:* „Ce doit être le retour à la vie de celui qui n'est pas vraiment distinct de David, parce qu'il est son vrai fils": A. *Descamps,* Le Messianisme royal dans le Nouveau Testament, in: L'Attente du Messie (Recherches Bibliques), Brügge 1954, 69.

in seiner besonderen Funktion als πατήρ und τύπος Christi sieht, ihn aber gleichzeitig in die Reihe der übrigen Väter einordnet.

Der Übergang von v. 35 zu v. 36 durch μὲν γάρ (= denn zwar) signalisiert diese Ambivalenz: David hat zwar die Verwesung geschaut, erfüllt aber hat sich die Verheißung von Ps 16,10 doch insofern, als der υἱὸς Δαυίδ, Jesus, die διαφθορά nicht geschaut hat. Somit reiht sich Ps 16,10b in die Verheißungen an David ein, von denen Jes 55,3 (vgl. Apg 13,34) spricht. Entsprechend dem zweiten Glied des Vergleichs (vgl. v. 37: ὅν δὲ ὁ θεὸς ἤγειρεν οὐκ εἶδεν διαφθοράν) sind sowohl μέν wie γάρ auf εἶδεν διαφθοράν zu beziehen.

Das alles schließt nicht aus, daß unter dem Gesichtspunkt der Typologie David – Jesus in v. 36 nicht auch andere, wenn auch sekundäre, Vergleichsmomente enthalten sind. Daß Lukas hier bewußt auf einen Vergleich Davids mit Jesus abzielt, zeigt schon die Gegenüberstellung von vv. 36f mit vv. 22f.[191] Besondere Aufmerksamkeit verdienen unter dieser Hinsicht die kurzen Verweise von v. 36 auf das Leben und Wirken Davids.

Die Konstruktion des Einschubs zwischen γάρ und ἐκοιμήθη ist allerdings unklar, und so ist es nicht leicht, die Vergleichspunkte zu spezifizieren. Die erste Frage bezieht sich auf die Bedeutung von ἰδίᾳ γενεᾷ: Liegt hier eine reine Zeitangabe vor – ἰδίᾳ γενεᾷ, als dativus temporis, wäre dann zu übersetzen: „zu seiner Zeit", „in seinen Tagen" – oder ist ἰδίᾳ γενεᾷ als Dativobjekt direkt abhängig von ὑπηρετήσας?[192] Die letztere Lösung scheint zunächst folgender Gedankengang zu empfehlen:

Die dativische Bestimmung ἰδίᾳ γενεᾷ zielt ab auf einen Generationenvergleich. Das Pendant zu ἰδίᾳ γενεᾷ sind in der antiochenischen Rede die Pronomina ἡμεῖς bzw. ὑμεῖς (vgl. vv. 26.32.33.34.38[zweimal].41[zweimal]). Entsprechend muß auch das abstrakte γενεᾷ „personalisiert" werden: ἰδίᾳ γενεᾷ ist also eine Personenangabe; diese Interpretation von γενεᾷ entspricht auch dem allgemeinen lukanischen Sprachgebrauch.[193]

Weiterhin legt es der Vergleich mit dem dativischen ἡμιν bzw. ὑμιν (vergleiche vv. 26.33.34.38.41) nahe, ἰδίᾳ γενεᾷ genauer als einen von ὑπηρετήσας abhängigen dativus commodi aufzufassen. Jesu Heilshandeln an Israel (vgl. v. 23) ist vorgebildet in dem Dienst, den David seinen Zeitgenossen geleistet hat. In Parallele zu ἰδίᾳ γενεᾷ steht der dativus commodi αὐτοῖς in v. 22: ἤγειρεν τὸν Δαυὶδ αὐτοῖς εἰς βασιλέα.[194]

Für diese Interpretation spricht schließlich, daß ὑπηρετέω sich sowohl nach dem Sprachge-

---

191 Vgl. das Gotteszeugnis über David (Apg 13,22) auch mit Lk 3,22 und 9,36. – Jesus soll in Apg 13,22f als *alter David* erscheinen.

192 Den status quaestionis referiert ausführlich *J. Dupont* in seinem Artikel TA 'ΟΣΙΑ, in: Études 345f. Eine kurze und gute Übersicht über die angebotenen Lösungsmöglichkeiten gibt H. Conzelmann: „a) Er (sc. David) entschlief nach Gottes Willen, nachdem er seiner Generation gedient hatte. b) Er entschlief, nachdem er seiner Generation nach Gottes Willen gedient hatte. c) Er entschlief in seiner Generation": *H. Conzelmann,* Apg 85.

193 Mit Ausnahme von Lk 16,8 und Apg 8,33 (= Jes 53,8) ist γενεά im Singular in Lk-Apg immer gleichbedeutend mit „Generation" oder „Geschlecht". Zumeist kommt dabei klar zum Ausdruck, daß darunter die Menschen dieser oder jener, vor allem aber der gegenwärtigen (= Jesu und den Aposteln eigenen) Generation zu verstehen sind: vgl. Lk 7,31; 9,41; 11,29.30.31.32.50.51; 17,25; 21,32; Apg 14,16; 15,21. Deshalb können zu γενεά auch Adjektive wie πονηρά (Lk 9,41) oder ἄπιστος (Lk 9,41) hinzutreten; vgl. auch Apg 2,40. Die plurale Form kann schon eher als Zeitbestimmung in Lk-Apg gelten: vgl. Lk 1,50 (siehe dazu Ps 49,12; 89,2) und Apg 14,16 und 15,21. Daß vor ἰδίᾳ der Artikel fehlt, braucht bei diesem Adjektiv nicht zu befremden: vgl. 1 Kor 15,38; Tit 1,12; 2,9; 2 Petr 2,16; siehe dazu Bl-Debr 286,2. Jedenfalls kann man aus dem Fehlen des Artikels nicht schließen, daß ἰδίᾳ γενεᾷ temporal aufgefaßt werden muß; vorsichtiger äußert sich *J. Dupont*: vgl. TA 'ΟΣΙΑ, in: Études 345 Anm. 32.

194 Die Dienstfunktion Davids an seinem Volk wird z. B. in Ps 78,71f besonders hervorgehoben durch das auf ihn angewendete Bild vom „Guten Hirten". Das gleiche Bild wird in Ez 34,23 auf den „kommenden David" übertragen.

brauch der LXX als auch nach dem des NT in der Regel auf die Fürsorge um die Menschen bezieht, im Sinne des lat. „providere", also nicht auf den Dienst an Gott.[195]

Nun ist es grammatikalisch durchaus möglich, von ὑπηρετήσας auch das zweite Dativobjekt abhängig zu machen, nämlich τῇ τοῦ θεοῦ βουλῇ, auch wenn eine solche Konstruktion im NT einigermaßen ungewöhnlich ist;[196] doch ist diese Lösung naheliegender als die, den Dativ τῇ τοῦ θεοῦ βουλῇ, etwa im Sinne von Apg 2,23, auf Davids Tod und Begräbnis zu beziehen. Es ist nämlich nur schwer einzusehen, warum der so natürlich beschriebene Tod Davids der βουλή θεοῦ bedurft hätte oder sich durch diesen Tod Gottes Heilsplan – diese Bedeutung hat βουλή θεοῦ sonst in der Verkündigung der Apg –[197] in besonderer Weise verwirklicht hätte.

Wir haben im vorhergehenden einen Lösungsversuch vorgetragen, welcher uns als möglich erscheint. Damit sollte nicht zum Ausdruck gebracht werden, daß wir dieser Interpretation folgen wollen, doch wollten wir folgendes demonstrieren: Wir sehen uns nicht in der Lage, grammatikalische oder logische Argumente von solchem Gewicht beizubringen, daß die Auflösung dieser partizipialen Apposition in einem eindeutigen Sinne entschieden werden könnte. So lassen auch neuere Kommentare mehrere Deutungsmöglichkeiten zu.[198] Wir halten ein solches Verfahren durchaus für legitim, denn es ist doch in der Tat möglich, daß dem Text vom Autor selbst eine gewisse Mehrdeutigkeit belassen oder sogar gegeben wird, um dadurch dem Leser eine um so reichere Fülle von Assoziationen und Gedankenverbindungen zu eröffnen. Darum erhebt auch unsere folgende Analyse für sich nicht den Anspruch von Exklusivität. Uns geht es in erster Linie um die Integration und Synthese der mannigfachen Aspekte, welche der in v. 36 nahegelegte Vergleich zwischen David und Jesus enthält. Daraus folgt, daß auch der zuvor dargelegte Lösungsversuch Berücksichtigung finden wird.

Da v. 36 unmittelbar zuvor in v. 35 das Zitat von Ps 16,10b mit dem Stichwort ὅσιος vorausgeht, legt es sich nahe, die Bezugnahme auf das Wirken Davids in v. 36 als eine konkrete Umschreibung der ὁσιότης Davids zu begreifen. An keiner Stelle von Lk-Apg wird diese sanctitas Davids in Zweifel gezogen oder abgeschwächt;[199] gerade in der antiochenischen Rede wird sie betont hervorgehoben (vgl. Apg 13,22). Dieser Begriff der ὁσιότης aber wäre inhaltlich ungenügend umschrieben, wollte man ihn allgemein auf den Dienst Davids an seiner Generation beziehen; erst recht kann damit nicht das Sorgen Davids für sein Volk – im Sinne einer „materiellen" Fürsorge – angesprochen sein.[200] Die ὁσιότης Davids muß vielmehr kul-

---

195 So in Weish 16,21.24.25; 19,6; Apg 20,34; 24,23. Die einzige, aber bedeutsame Ausnahme von der Regel findet sich in Sir 39,4: hier wird ὑπηρετέω auf den Dienst des Schriftgelehrten bezogen. Damit sind alle Stellen der LXX und des NT erfaßt. Die Verwendung von ὑπηρετέω ist also im NT ein Proprium der Apg. Der seltene Gebrauch dieses Verbums in der Apg und der LXX läßt allerdings einen klaren Analogieschluß nicht zu (vgl. Sir 39,4).

196 Den Hinweis auf Röm 7,25 als eines der seltenen Beispiele fanden wir bei J. Dupont, TA ῾ΟΣΙΑ, in: Études 345 Anm. 32. Daß Lukas indessen zu ungewöhnlichen Konstruktionen in dieser Rede fähig ist, zeigt ein Blick auf v. 27: hier beziehen sich, umgekehrt zu v. 36, zwei verschiedene Verben (ἀγνοέω und πληρόω) auf ein- und dasselbe Objekt (φωνὰς τῶν προφητῶν)!

197 In einem kerygmatischen Kontext bezieht sich der Terminus βουλή in der Apg stets konkret auf die βουλή θεοῦ und will dort als Heilsplan Gottes verstanden sein: vgl. Apg 2,23; 4,28; 13,36 (?); 20,27. Leider berücksichtigt H. Conzelmann Apg 13,36 nicht, wenn er in seinem Buch „Die Mitte der Zeit" ausführlich über den Begriff βουλή in Lk-Apg referiert: vgl. ebd. 141–144. Die Bedeutung von Heilsplan hat βουλή auch in Eph 1,11 und Hebr 6,17. Lk 7,30 zeigt, daß βουλή θεοῦ u. U. gleichbedeutend sein kann mit θέλημα θεοῦ. Vgl. auch den impliziten Verweis auf die βουλή θεοῦ in Apg 5,38f; hier hat allerdings βουλή eher die neutrale Bedeutung von „Plan", „Vorhaben".

198 Vgl. neben H. Conzelmann, Apg 85 auch E. Haenchen, Apg 354.

199 Vgl. Lk 6,3f (par Mt 12,3f; Mk 2,25f): Jesus verteidigt hier David, der aus Not ein priesterliches Gesetz (vgl. 1 Sam 21,7 mit Lev 24,9) brechen mußte. In Apg 7,46 heißt es kurzerhand zur Charakterisierung Davids: ὃς εὗρεν χάριν ἐνώπιον τοῦ θεοῦ.

200 An keiner Stelle in Lk-Apg ist davon die Rede; dagegen wird in der kurzen Notiz über David in Apg 7,46 sein kultischer Eifer hervorgehoben.

tisch-religiös verstanden werden; sie bezeichnet konkret die gehorsame Unterwerfung Davids unter den Plan und Willen Gottes.[201]

Dies wird durch die Gegenüberstellung von David und seinem Vorgänger Saul, die in Apg 13,21f impliziert ist, besonders deutlich. Auch Saul wird als König und tapferer Beschützer seines Volkes im AT gepriesen,[202] doch Gott wandte sich von ihm ab, weil er ungehorsam war und seine Befehle nicht ausführte.[203] Darum erlangte David Verzeihung seiner Schuld, Saul aber nicht.[204]

Der Begriff der ὁσιότης Davids muß indessen noch mehr eingeschränkt werden, denn auch vom heidnischen König Cyrus gilt der Ausspruch Jahwes: πάντα τὰ θελήματά μου ποιήσει (vgl. Jes 44,28). David aber ist nicht ein neutrales Werkzeug in der Hand Gottes, durch das er seine Pläne verwirklichen will, da doch die Schrift immer wieder seinen kultischen Eifer und seine religiöse Begeisterung hervorhebt.[205] So heißt es in der Rückschau auf ihn sogar in 1 Makk 2,57, daß er durch seine „Frömmigkeit"[206] den Königsthron auf ewige Zeiten erlangt habe. In der Erinnerung der Juden blieb David vor allem als der gottbegeisterte König, als der *sanctus christus Domini*[207].

Dieses Bild, das sich die Juden von David machten, greift auch die Apg auf; David ist für Lukas der παῖς θεοῦ.[208] Diesen Begriff umschreibt der Verfasser der antiochenischen Rede in Apg 13,36 mit der partizipialen Wendung ὑπηρετήσας τῇ τοῦ θεοῦ βουλῇ. Doch was beinhaltet diese Formulierung konkret?

παῖς θεοῦ ist David nach Lk-Apg primär als Verfasser der Psalmen, als Prophet, der in die Zukunft schauend, die βουλὴ θεοῦ, die ἀνάστασις Χριστοῦ, seiner Generation, seinem Volk, im voraus verkündigt hat. Werkzeug Gottes ist er als Prophet und Interpret dieser βουλή

---

201 Zur Unterscheidung der Begriffe βουλή und θέλημα (θεοῦ) in Apg vgl. *J. Dupont,* ΤΑ 'ΟΣΙΑ, in: Études, 347 Anm. 39.
202 Vgl. den Rückblick auf die Regierungszeit Sauls in 1 Sam 14,47f.
203 Vgl. das Wort Samuels an Saul: „Hättest du den Befehl (LXX: ἐντολήν) Jahwes, deines Gottes, den er dir gab, befolgt, so hätte Jahwe dein Königtum für immer bestätigt": 1 Sam 13,13; siehe ebenfalls 1 Sam 15,11. Aus dem impliziten Versuch von Saul und David in Apg 13,21f wird für den Leser genügend deutlich, worauf der Prediger sich hier beziehen will und warum Jahwe Saul verworfen hat (vgl. v. 22: μεταστήσας αὐτόν).
204 Vgl. 1 Sam 15,26 mit 2 Sam 12,13.
205 Vgl. Ps 132,1–5 mit 2 Sam 7,1f: hier rühmt die Schrift den Eifer Davids, dem Herrn ein Haus zu bauen (vgl. Apg 7,46). Vor allem aber ist David für das AT der König, der „Jahwe bei all seinen Taten Loblieder sang" (vgl. Sir 47,8 mit 2 Sam 22,1–51) und selbst sterbend Gott pries (vgl. 2 Sam 23,1–7).
206 So übersetzt die deutsche Ausgabe der Jerusalemer Bibel an dieser Stelle den LXX-Terminus ἔλεος.
207 Das Bild Davids hat sich im Laufe der israelitischen Geschichte immer mehr verklärt; die Bücher der Chronik berichten schon gar nicht mehr von der Sünde Davids; noch stärker idealisiert ihn Jesus Sirach (vgl. Sir 47,2–11). Nach dem *Liber Antiquitatum Biblicarum* erhält David schließlich sogar den Titel *sanctus christus Domini:* vgl. *P. Winter,* The Holy Messiah: ZNW 50 (1959) 275.
208 Vgl. die gleichzeitige Verwendung des Titels παῖς auf David (Lk 1,69; Apg 4,25) und Jesus (Apg 3.13.26). Das Adjektiv ἅγιος wird indessen nur hinzugefügt, wenn der Name παῖς sich auf Jesus bezieht; indirekt wird der παῖς David insofern als ἅγιος bezeichnet, als durch ihn der hl. Geist spricht: vgl. Apg 4,25.

ϑεοῦ;[209] durch seinen Mund sprach der Hl. Geist (vgl. Apg 4,25) als der revelator consilii Dei.[210]

Der Einwurf, daß ὑπηρετέω doch an den beiden anderen Stellen der Apg (vgl. 20,34; 24,23) den Sinn von materieller Fürsorge habe, wiegt nicht schwer angesichts der Tatsache, daß Lukas als einziger ntl. Autor das entsprechende Substantiv ὑπηρετής auf den Dienst am Worte Gottes bezieht,[211] und die LXX das Verbum ὑπηρετέω in Sir 39,4 in ebendiesem Sinn gebraucht. Unsere Interpretation erlaubt es, dem Worte βουλή (ϑεοῦ) den ihm in der Apg eigenen Sinn von „Plan" bzw. „Heilsplan" zu belassen, und es wird verständlich, warum in v. 36 dieser Terminus dem Begriff ϑέλημα (vgl. v. 22) vorgezogen wird. Die partizipiale Wendung in v. 36 will andeuten, daß die βουλή ϑεοῦ, die in v. 35 durch Ps 16,10b konkretisiert wird, von David schon prophetisch erkannt und verkündigt worden ist.

Selbst wenn man nun ἰδίᾳ γενεᾷ nicht noch ebenfalls von ὑπηρετήσας direkt abhängig machen will, ergibt sich hieraus doch nicht die Notwendigkeit, daß man diese Bestimmung als rein temporal begreifen muß. Es empfiehlt sich, diesem Dativ seine mögliche Bedeutungsbreite zu belassen: So wie die ὁσιότης Jesu, so ist auch der durch die partizipiale Wendung umschriebene gehorsame Dienst Davids an der Erfüllung der βουλή ϑεοῦ auf das Heil der Menschen hingeordnet.

Die heilsgeschichtliche Bedeutung Davids und Jesu ist aber nach Apg 13,36 nicht zuletzt deshalb verschieden, weil die Zeit Davids begrenzt war und er als gottesfürchtiger König unmittelbar nur seiner eigenen Generation (ἰδίᾳ γενεᾷ) dienen konnte, Jesus aber, der die Verwesung nicht geschaut hat, allen Generationen und Menschen[212] der σωτήρ sein kann. Die beiden Bedeutungen dieses Dativs ἰδίᾳ γενεᾷ, nämlich die eines dativus temporis und commodi, sind letztlich nicht voneinander zu trennen.

David war sich bewußt, daß auch für ihn das Gesetz alles Vergänglichen galt und er selbst die Verwesung schauen würde.[213] Es besteht darum auch kein Grund, das Partizip ὑπηρετήσας etwa konzessiv aufzulösen und zu interpretieren: David schaute die Verwesung, obgleich

---

209 Für Lukas scheint festzustehen, daß David der Verfasser des Psalters ist. Jedenfalls wird in den entsprechenden Zitationsformeln allein sein Name genannt: vgl. Lk 20,42; Apg 2,25; 2,34; 4,25. Ein Vergleich zeigt, daß diese Namensnennung gerade vor den Zitaten aus solchen Psalmen geschieht, welche in der Apg als die eigentlichen Schriftzeugnisse für die Auferweckung Jesu gelten: vgl. Apg 2,25 (vor Ps 16,8–11); 2,34 (vor Ps 110,1); 4,25 (vor Ps 2,1–2). Eine gewisse Ausnahme bildet die Einleitungsformel zu Ps 118,22 (vgl. Apg 4,11). Für den Leser der Apg ist es jedenfalls klar, daß die Auferstehungszeugnisse aus den Psalmen, die in der antiochenischen Rede zitiert werden (vgl. Ps 2,7 in Apg 13,33 und Ps 16,10b in Apg 13,35), David zum Verfasser haben. Wenn David in Apg 2,30 als Prophet bezeichnet wird – ein Titel, den allein Lukas auf David anwendet – so ist er für die Apg Prophet in einem ganz spezifischen Sinn: vgl. Apg 2,30.: προφήτης οὖν ὑπάρχων ... προϊδὼν ἐλάλησεν περὶ τῆς ἀναστάσεως τοῦ Χριστοῦ. David ist für die Apg der Prophet der ἀνάστασις Jesu.

210 Diese Funktion des πνεῦμα ἅγιον wird besonders in Lk 1–2 hervorgehoben. Die drei Cantica („Magnificat" = Lk 1,46–55; „Benedictus" = Lk 1,68–79 und der Lobgesang des Simeon „Nunc dimittis" = Lk 2,29–32), die den Heilsplan Gottes entfalten und enthüllen, sind vom Hl. Geist inspiriert: vgl. Lk 1,67; 2,26f. In der Apg wird betont, daß der Hl. Geist nicht nur den Plan Gottes offenbart und interpretiert (vgl. Apg 2,1–13: vor der Pfingstpredigt Petri kommt der Hl. Geist herab; siehe auch Apg 4,8.31; 5,32): durch den Hl. Geist wird auch die Ausführung des Heilsplanes, d. h. die Mission, konkret vorangetrieben und gelenkt: die vgl. Apg 13,2.4: die erste Missionsreise Pauli, die ihn u. a. auch nach Antiochien führt, geschieht auf Einwirkung des Hl. Geistes. Vgl. weiterhin Apg 15,28 und 16,6.

211 Vgl. Lk 1,2; Apg 26,16; indirekt vielleicht auch in Apg 13,5, doch hat ὑπηρετής hier eher den allgemeinen Sinn von „Jünger".

212 Vgl. Lk 1,33 (καὶ βασιλεύσει ἐπὶ τὸν οἶκον Ἰακὼβ εἰς τοὺς αἰῶνας) mit Apg 13,39.47.

213 Vgl. den Ausspruch Davids: „Nun gehe auch ich den Weg aller Welt" (1 Kön 2,2) mit den Worten von Weish 7,5f: „Denn kein König hat einen anderen Anfang seines Daseins. Der Eingang in das Leben ist für alle der eine, wie auch der Ausgang der gleiche ist."

er sich doch als dem Willen Gottes gefügig erwiesen hatte. Davids Hoffnung richtete sich allein darauf, daß immer ein Sohn aus seinem Geschlecht auf dem Königsthron Israels sitzen werde.[214] Das Sterben Davids ist darum auch ruhig und friedlich, eben weil er Gott treu gedient hatte und er fest an die Erfüllung der ihm gegebenen Verheißung glaubte (vgl. 1 Kön 2,4).

Tod und Begräbnis Davids werden in v. 36 mit biblischen Wendungen umschrieben.[215] Es ist nicht leicht zu sagen, ob es sich hier um bewußte LXX-Nachahmung handelt, oder ob sich diese Anklänge nicht wie von selbst dadurch ergeben, daß Lukas hier biblische Vorgänge berichtet.[216] Apg 2,29 zeigt jedenfalls, daß Lukas über den Tod Davids auch in weniger biblisch gebundener Terminologie sprechen kann.[217] Die Ausdrucksweise in Apg 13,36 scheint uns darum situationsbedingt zu sein: Die antiochenische Predigt wird ja in einer Synagoge gehalten, nach Verlesung der Hl. Schrift (vgl. v. 15) und vor einer bibelkundigen Zuhörerschaft. Daß der Hinweis auf das Grab Davids (in Jerusalem)[218] im Unterschied zur petrinischen Predigt (vgl. Apg 2,29) hier unterbleibt, ist ein weiterer Hinweis auf die Situations- und Ortsgebundenheit, durch welche sich der Prediger in Apg 13,36 leiten läßt.

Während sein Vorgänger Saul eines gewaltsamen und unfriedlichen Todes starb,[219] heißt es von David, daß er entschlief (ἐκοιμήθη). Damit soll nicht ausgedrückt werden, daß die Daseinsweise Davids nach seinem Tode als ein schläfriges Dahindämmern aufzufassen ist. Zwar sind die jüdischen Vorstellungen vom Jenseits zur Zeit Jesu noch wenig einheitlich und unklar, doch kann schon Lukas (vgl. Lk 13,28 und 16,22) auf die jüdische Anschauung zurückgreifen, daß der Tod für die Gerechten nicht ein Hinabstieg in den Ort der Qual ist, daß die Gerechten vielmehr nach ihrem Tod weiterleben in Gemeinschaft mit ihren Vätern Abraham, Isaak, Jakob und allen Propheten, um mit ihnen Festmahl zu halten.[220] Darum heißt es auch von David in Apg 13,36: προσετέθη πρὸς τοὺς πατέρας.

Beim Gedanken an das jenseitige Leben der Gerechten dachte man also auch schon an irgendeine Art von körperlichem Weiterleben, und es bestand der vage Glaube, daß u. a. David dem Gesetz der διαφθορά entzogen worden sei. Doch gerade diese Vorstellung weist Lukas in Apg 2,29 und 13,36 klar zurück. Jesus ist der erste Gerechte, der diesem allgemeinen Gesetz der Verwesung nicht unterworfen wurde. Er allein ist der ἀρχηγὸς ζωῆς (vgl. Apg 3,15),

---

214 Vgl. 2 Sam 7,16; Ps 89,30 mit 1 Kön 2,4. Nach Apg 2,31 wußte David indessen als Prophet, daß sich seine Hoffnung auf bleibende Herrschaft im Sinne von Ps 16,10 erfüllen würde.

215 Zu ἐκοιμήθη in bezug auf David vgl. 2 Sam 7,12; 1 Kön 2,10. Mit dem Verbum κοιμάομαι wird in Apg 7,60 übrigens auch der fromme Tod des Martyrers Stephanus beschrieben! Zu der Wendung προσετέθη πρὸς τοὺς πατέρας bzgl. David vgl. 2 Sam 7,12; 1 Kön 2,10; vgl. ansonsten noch Gen 25,17; 35,29; Ri 2,10; 2 Kön 22,20; 1 Makk 2,69.

216 Vgl. *E. Plümmacher*, Lukas als hellenistischer Schriftsteller 45.

217 Vgl. die allgemeine Ausdrucksweise in Apg 2,29: ἐτελεύτησαν καὶ ἐτάφη.

218 Vgl. 1 Kön 2,10. Das Fehlen des Hinweises auf das Grab Davids in Apg 13,36 ist um so bemerkenswerter, als Lukas sich in seiner Diktion an eben die Schriftstelle anzulehnen scheint, die das Begräbnis Davids in Jerusalem ausdrücklich erwähnt: vgl. Apg 13,36 mit 1 Kön 2,10 (καὶ ἐκοιμήθη Δαυὶδ μετὰ τῶν πατέρων αὐτοῦ καὶ ἐτάφη ἐν πόλει Δαυίδ).

219 Vgl. 1 Sam 31,4–13: das Sterben Sauls ist grausam; er stürzt sich selbst in das Schwert (v. 4); auch nach diesem Tod fand er noch keine Ruhe: die Philister schändeten seine Leiche (vgl. vv. 9f); David hingegen starb hochbetagt (vgl. 1 Kön 1,1), im Frieden mit Gott (vgl. 1 Kön 2,1–4). Unter dieser Hinsicht kann der Tod Davids, im Unterschied zu seinem Leben und Wirken, keineswegs typologisch gedeutet werden, da Christus wie ein Verbrecher (vgl. Lk 22,37 = Jes 53,12 mit Apg 13,28) eines gewaltsamen Todes starb; es wird aber auch nicht ersichtlich, daß Lukas in der antiochenischen Rede diesen Kontrast bewußt hervorheben will.

220 Vgl. hierzu und zu den jüdischen Jenseitsvorstellungen allgemein *W. Grundmann*, Luk 328, und Bill. II 226. So kann auch Jesus erklären, daß Abraham, Isaak und Jakob leben, und Gott nicht ein Gott von Toten, sondern von Lebenden ist: vgl. Lk 20,37f.

der πρῶτος ἀναστάσεως νεκρῶν (vgl. Apg 26,23); in ihm ist so die tiefste und eigentliche Hoffnung Israels (vgl. Apg 26,6f; 28,20) zur Erfüllung gekommen.

Daß Lukas das Verbum προστίθημι in der Apg auch dann verwendet, wenn er vom Anschluß der Gläubigen an die Gemeinde oder den auferstandenen Herrn spricht,[221] kann dem aufmerksamen Leser der Apg nicht entgehen. Besonders bemerkenswert ist diese Ausdrucksweise im Anschluß an die antiochenische Rede. Lukas konkretisiert hier, was dieser Anschluß an den Herrn für den Gläubiggewordenen bedeutet, wenn er formuliert: ἐπίστευσαν ὅσοι ἦσαν τεταγμένοι εἰς ζωὴν αἰώνιον (vgl. v. 48 mit v. 46). Gemeinschaft mit Christus durch den Glauben beinhaltet Anteilnahme am ewigen Leben.

v. 37: ὃν δὲ ὁ θεὸς ἤγειρεν οὐκ εἶδεν διαφθοράν.

Das zweite Glied des Vergleichs enthält die grammatikalische Eigenart einer Ellipse. Der Vergleich ist abgekürzt, das Subjekt (Ἰησοῦς: vgl. v. 33) kann aber vom Leser leicht ergänzt werden, da es durch den Relativsatz genügend umschrieben ist.[222]

Solche Relativsätze sind charakteristisch für den kerygmatischen Stil der Acta-Reden und wirken schon bald formelhaft.[223] Daß die Aussage von v. 37 nur sinnvoll ist, wenn der Leser zu ἤγειρεν den Zusatz ἐκ νεκρῶν ergänzt, versteht sich von selbst. Indem Lukas das Subjekt Ἰησοῦς durch diesen Relativsatz umschreibt, erreicht er, daß die grammatikalisch gesehen aktive Wendung εἶδεν διαφθοράν im Sinne von v. 35 bzw. Ps. 16,10b verstanden wird: Gott hat Jesus auferweckt und ihn die Verwesung nicht schauen lassen; v. 38 greift auf die Aussage von Ps 16,10b zurück, formuliert sie indessen positiv und wandelt das Futur (δώσεις ἰδεῖν) in eine Aoristform um (εἶδεν). Durch diese Umformulierung will Lukas unterstreichen, daß Gottes Verheißung sich in der Tat erfüllt hat.

Der parenthetische Einschub, der die David-Jesus-Typologie beinhaltet, hat nach unserer Analyse also ein doppeltes Ziel:
– Er will zeigen, daß sich die Hoffnung Davids, die sich in Ps 16,10b artikuliert, in Jesus erfüllt, da er doch Davids Sohn ist. Ps 16,10b reiht sich so in die Verheißungen an David ein, von denen Jes 55,3 spricht.
– Der Einschub soll aber auch die ὁσιότης Jesu präzisieren, von der Ps 16,10b spricht: Diese Heiligkeit Jesu ist zu begreifen als gehorsamer Dienst an der Erfüllung der βουλὴ θεοῦ, die auf das Heil der Menschen hingeordnet ist. Dieses Heilshandeln Jesu ist in dem Dienst Davids vorgebildet.

Mit v. 37 schließt der ganze Abschnitt, der mit v. 32 beginnt. Die Argumentation gipfelt in der Feststellung, daß Jesus die Verwesung nicht geschaut hat. Für uns ergibt sich daraus, daß dieser Aspekt der ἀνάστασις besonders zu berücksichtigen ist, wenn es um die Erklärung der σωτηρία in vv. 38f geht.

III. ZUSAMMENFASSUNG

Die Meinung, der antiochenische Prediger habe für seine biblische Argumentation Schriftzitate allein aus Reverenz vor der Tradition übernommen, ohne um ihren Herkunftsort oder ihre Bedeutungsfülle zu wissen, scheint uns durch die detaillierte Analyse von Apg 13,32–37 widerlegt zu sein. Die drei von ihm herangezogenen Schriftworte enthüllen ihren wahren Sinn allerdings erst dann, wenn man sie jeweils als *pars pro toto* begreift; sie sind von ihrem je eige-

---

221 Vgl. Apg 2,41; 11,24.
222 Vgl. dazu Bl-Debr 480.
223 Vgl. den Relativstil in Apg 13,31. Auch inhaltliche Parallelen zu Apg 13,37 finden sich in Apg 3,15 und 4,10: ὃν ὁ θεὸς ἤγειρεν ἐκ νεκρῶν; vgl. auch Apg 2,24: ὃν ὁ θεὸς ἀνέστησεν.

nen Kontext im AT her in die Argumentation hineinverwoben. Der Blick in das gesamte lukanische Werk macht zudem deutlich, daß die Begriffe und die Motive dieser Schriftworte auch anderenorts prägend für das Jesus-Kerygma sind.

Daß die Nathansprophetie direkt nicht zitiert wird, muß auffallen. Ein Grund hierfür ist vielleicht der, daß dieser Text für die jüdische Zuhörerschaft zu festgelegt und zu geläufig war, als daß er ihr das unerhört Neue der christlichen Botschaft hätte nahebringen können. Die Art und Weise, wie die verschiedenen Schriftworte literarisch und thematisch miteinander in Einheit gebracht werden, ist beeindruckend. Die Erklärung, dies geschehe durch Stichwortverbindungen nach Art der Midrasch-Technik oder durch indirekte Verweise auf einen gemeinsamen zugrundeliegenden Text wie 2 Sam 7, wäre zu formal.

In vv. 32–33 kündigt der antiochenische Prediger selbst an, welche theologische Thematik die innere Einheit seiner Schriftargumentation ermöglicht und bestimmt. Nach dieser Eröffnung muß sich die Interpretation der folgenden Verse davon leiten lassen, daß sie Ausformulierungen der drei zentralen Begriffe ἐπαγγελία, ἀνάστασις und σωτηρία sein wollen: Gott hat seine den Vätern gegebene Verheißung erfüllt, und zwar durch die Auferweckung Jesu; in dem auferstandenen Herrn schenkt er allen Menschen das Heil.

Die konsequent soteriologische Deutung des Auferstehungsgeschehens vom AT her führt in ihrer Dynamik direkt hin zur Heilsankündigung in vv. 38f. Der Heilswille Gottes, der die Geschichte Israels von allem Anfang an durchwaltet, richtet sich auf die ewig-bleibende und universale σωτηρία. In der „relecture biblique" werden die Worte des AT Schritt für Schritt, in einer für den Zuhörer dramatischen Weise, auf diese Botschaft vom Heil hin geöffnet.

Es ist beeindruckend zu sehen, wie in Apg 13,32–37 die bestimmenden Motive des Exordiums (Apg 13,16b–23) aufgegriffen und vertieft werden. Die Exegese von Apg 13,16b–23 zeigt ja ebenfalls, daß der antiochenische Prediger die Geschichte des Volkes unter dem dreifachen Vorzeichen von ἐπαγγελία, ἀνάστασις und σωτηρία darstellt.[224] Diesen steigernd-vertiefenden Parallelismus enthüllt vollends der Vergleich von v. 23 mit vv. 32f.

Durch die Erwählung der Erzväter, die schon die Verheißung in sich birgt, hat Gott sich ein Volk geschaffen. Er hat es aus der erniedrigenden Knechtschaft erhöht und es aus Ägypten mit erhobenem Arm herausgeführt (v. 27), es in der Wüste wie ein Kind genährt und getragen (v. 18) und ihm schließlich in der Inthronisation Davids, seiner Verheißung gemäß, einen Retter nach seinem Herzen gegeben (v. 23).

Das Heilshandeln Gottes an den Vätern, das alle Widerstände überwindet und aus der Erniedrigung zur Erhöhung führt, will nur den Glauben bereiten für die alles überbietende Heilsbotschaft von der Auferweckung und Erhöhung Jesu, die nun an die Kinder geht (v. 33). Das Heil, das in der Erweckung Davids dem Volke Israel anfanghaft geschenkt wurde, findet in der Auferweckung Jesu seine eschatologische Erfüllung. In dem auferstandenen Herrn hat Gott das ewige und universale Heil gewirkt.

---

224 Wir müssen hier auf die Auslegung von Apg 13,16b–23 im 1. Kap. unserer Dissertation verweisen. Zu Recht wird die Parallelität zwischen Apg 13,16b–23 und Apg 13,32–37 auch hervorgehoben bei *M. Dumais,* Le Langage 330–335.

6. Kapitel:
Der Redeabschluß (Apg 13,38–41)
und das Geschehen des „folgenden Sabbats" (vgl. Apg 13,46f)

Der mit Apg 13,38 anhebende Redeabschluß bereitet der Interpretation deswegen besondere Schwierigkeiten, weil er sich anscheinend nur schwer in die Redekomposition integrieren läßt. Nicht nur der sog. „Paulinismus"[1] in Apg 13,38f, sondern auch die in Apg 13,40f ausgesprochene Drohung scheinen dem bisherigen Verlauf und Tenor der Rede nicht zu entsprechen. Auf der anderen Seite jedoch strebt die Predigt schon unter rein formaler Hinsicht gerade auf diesen Abschluß zu:[2] es liegt in der dynamischen Struktur der antiochenischen Rede begründet, daß dabei ihre Exegese nicht absehen kann von dem nachfolgend beschriebenen Geschehen, das in Apg 13,46f seinen Kulminationspunkt hat.

Wir wollen versuchen, die Schlußworte und die Auswirkungen der antiochenischen Rede aus den bisherigen Darlegungen des Predigers begreiflich zu machen. Da gerade bei der Exegese der genannten Verse die Gefahr systematisierender Vorurteile naheliegt,[3] soll es uns vornehmlich um die Einzelanalyse gehen; das aber schließt nicht aus, daß wir auch nach den theologischen Vorstellungen fragen, die sich in diesen Versen reflektieren.

1. DIE UNIVERSALE HEILSANKÜNDIGUNG (APG 13,38).

v. 38a: γνωστὸν ἔστω ὑμῖν, ἄνδρες ἀδελφοί.

Die für die Acta-Reden typische Wendung γνωστὸν ἔστω[4] scheint uns kennzeichnend zu sein für die lukanische Auffassung vom Sinn der Predigt in der Apg. Ziel der Verkündigung ist, Einsicht im Sinne von γνῶσις zu vermitteln. Lukas läßt uns nicht im unklaren darüber, an welche Art von γνῶσις er hier denkt. Einen interessanten Hinweis gibt uns der unter textkritischer Hinsicht rätselhafte Vers Apg 15,18. A. Loisy glaubt, daß der Zusatz zu dem Amoszitat (Am 9,11f = Apg 15,16f), den dieser Vers enthält (γνωστὰ ἀπ᾽ 'αἰῶνος[5]), nicht vom Redaktor stamme, sondern von ihm aus einem Testimonienbuch übernommen worden sei.[6] In jedem Fall ist diese Ergänzung ganz im Sinne des Lukas, da in ihr das für ihn wichtige kirchengeschichtliche Motiv ἀφ᾽ ἡμέρων ἀρχαίων (vgl. Apg 15,7) anklingt.[7]

Es ist auffällig, daß das Verbaladjektiv γνωστός, das die Apg nur in seiner neutralen Form und passiven Bedeutung kennt,[8] in der Regel einen religiösen Aspekt in der Apg hat;[9] ausschließlich gilt dies für den Gebrauch des entsprechenden Substantivs γνῶσις bei Lukas. Nach

---

1 Vgl. dazu besonders *P. Vielhauer,* Zum „Paulinismus" 8–10.
2 Siehe unsere obigen Ausführungen zur Struktur der Rede (1. Kapitel 3b).
3 Vgl. dazu die Mahnung von O. Bauernfeind, Apg 13,38f nicht „unter das theologische Mikroskop" zu legen: vgl. *O. Bauernfeind,* Apg 177.
4 Vgl. Apg 13,38 mit Apg 2,14; 4,10; 28,28. Vgl. dazu 1. Kapitel Anm. 48.
5 So lesen mit Beziehung auf ταῦτα (vgl. Apg 15,17 bzw. Am 9,12) u. a. Sinaiticus, B C ψ; zum textkritischen Problem vgl. *E. Haenchen,* Apg 389; Beg. III 144; *T. Holtz,* Untersuchungen 21ff.
6 Vgl. *A. Loisy,* Actes 585f.; so auch bei *H. Conzelmann,* Apg 92.
7 Vgl. *H. Conzelmann,* Apg 92; siehe dazu auch Apg 3,21 (vgl. damit Jes 45,21) und Lk 1,70.
8 Vgl. Apg 1,19; 2,14; 4,10.16; 9,42; 13,38; 15,18; 19,17; 28,22.28; so auch fast immer in der LXX: vgl. *Bauer,* Wb 325. Allein in Röm 1,19 wird das Verbaladjektiv γνωστός im aktiven Sinne gebraucht (= erkennbar). Zum lukanischen Gebrauch von γνωστός vgl. noch Lk 2,44; 23,4. Zur schwindenden Unterscheidung der Verbaladjektive auf -τος und -τεος im NT siehe Bl-Debr 65,3.
9 Vgl. die in Anm. 8 aufgeführten Stellen der Apg. Ausnahmen sind vielleicht Apg 1,19 und Apg 9,42; aber auch hier ist von dem Bekanntwerden solcher Ereignisse die Rede, die heilsgeschichtliche Bedeutung haben: in Apg 1,19 vom Geschick des Judas, in Apg 9,42 von der Totenerweckung Petri in Jafo.

Lk 11,52 enthält den Schlüssel zu γνῶσις das Wort Gottes.[10] Es verwundert darum nicht, daß die Predigt in der Apg wesentlich Erklärung der Hl. Schrift ist.

Als Parallelen zu v. 38a verdienen neben Apg 15,18 besonders die Verse Apg 2,14; 4,10 und 28,28 Beachtung, da sie fast wörtlich die Einleitungsformel von Apg 13,38 enthalten.[11] Lukas verwendet sie hier jeweils unter Bezugnahme auf das prophetische Wort der Schrift.[12] Daß dies auch in der antiochenischen Rede geschieht, macht die reichliche Verwendung von Schriftzitaten überdeutlich (vgl. Apg 13,22.33.34.35.41); überdies erhält die Wendung γνωστὸν ἔστω in v. 38a einen spezifischen Akzent dadurch, daß die antiochenische Predigt nach Verlesung der Hl. Schrift gehalten wird (vgl. v. 15).

Für den Sprachgebrauch der Apg ist es gleichfalls charakteristisch, daß die vertraute Anrede ἄνδρες ἀδελφοί sich immer nur auf eine solche Zuhörerschaft bezieht, die jüdischen Glaubens ist oder diesem Glauben anhängt.[13] Unter ἄνδρες ἀδελφοί sind also in v. 38a gleichzeitig die υἱοὶ γένους ᾿Αβραάμ (vgl. v. 26) bzw. ἄνδρες ᾿Ισραηλῖται (vgl. v. 16b) wie auch die φοβούμενοι τὸν θεόν (vgl. vv. 16b.26) zu verstehen; bei beiden Gruppen kann Paulus die Kenntnis der Hl. Schrift voraussetzen.

Anlaß zur Diskussion bietet die Partikel οὖν. Wir halten es für notwendig, den Gebrauch von οὖν in v. 38a von der Verwendung dieser Partikel in v. 40 etwa abzuheben. Dieses οὖν in v. 38a läßt sich jedenfalls nicht einfach mit dem sog. οὖν-paraeneticum der Paulusbriefe gleichsetzen,[14] da ihm in vv. 38f keine ethischen Imperative folgen. Der Prediger will in vv. 38–39 zunächst darlegen, welche soteriologischen Konsequenzen das zuvor im Lichte des AT entfaltete Kerygma hat. Die Partikel οὖν hat allerdings in v. 38a insofern eine paränetische Nuance,[15] als nach vv. 38f ein jeder, also auch der gesetzestreue Jude, heilsbedürftig ist; implizit ist also in v. 38 die Mahnung zur Anerkenntnis eben dieser Heilsbedürftigkeit und damit zum Glauben an Christus enthalten.

Eine ähnlich nuancierte Bedeutung hat das οὖν in Apg 28,28. Auch hier leitet οὖν einen Folgerungssatz ein. Paulus verkündet im Anschluß an das Zitat von Jes 6,9f feierlich, daß sich nun die Mission endgültig den Heiden zuwenden wird: γνωστὸν οὖν ἔστω ὑμῖν ὅτι τοῖς ἔθνεσιν ἀπεστάλη τοῦτο τὸ σωτήριον τοῦ θεοῦ. Die Apg hat damit ihren Abschluß und zugleich Höhepunkt erreicht; schon die Dynamik der antiochenischen Rede strebte darauf zu (vgl. Apg 13,38 mit 13,47 = Jes 49,6). Man würde auch hier den Folgerungssatz mißverstehen, wollte man der Partikel οὖν jede paränetische Nuance absprechen, denn Paulus will an dieser Stelle keineswegs sagen, daß Israel von nun an von der Verkündigung endgültig ausgeschlossen sein soll;[16] so bleibt der Übergang der christlichen Mission zu den Heiden eine beständige Mahnung an Israel.

10 Vgl. den Wehruf Jesu über die Gesetzeslehrer in Lk 11,52: οὐαὶ ὑμῖν τοῖς νομικοῖς, ὅτι ἤρατε τὴν κλεῖδα τῆς γνώσεως; vgl. dagegen die Aussage über Johannes d.T. in Lk 1,76f; siehe dazu Apg 13,38. – Das Substantiv γνῶσις findet sich in Lk-Apg nur an diesen beiden Stellen (Lk 1,77 und 11,52). Die anderen Evangelisten kennen es nicht.

11 Vgl. im Wortlaut Apg 2,14: τοῦτο ἡμῖν γνωστὸν ἔστω; 4,10: γνωστὸν ἔστω πᾶσιν ὑμῖν; 28,28: γνωστὸν οὖν ἔστω ὑμῖν.

12 Vgl. Apg 2,14 mit Apg 2,17–21 (= Joël 2,28–32); Apg 4,10 mit 4,11 (= Ps 118,22); 28,28 mit 28,26f (= Jes 6,9f).

13 Die Anrede ἄνδρες ἀδελφοί begegnet uns im NT nur in der Apg: vgl. Apg 1,16; 2,29.37; 7,2.26; 13,15.26.38; 15,7.13; 22,1; 23,1.6; 28,17. – Apg 2,29.37 und 22,1 sind nur scheinbare Ausnahmen von der genannten Regel: die Pfingstpredigt gilt Juden und Proselyten (vgl. Apg 2,11); in Apg 22,1 sind nur die Juden angesprochen (vgl. Apg 21,40), nicht aber die auch anwesenden heidnischen Soldaten (vgl. Apg 21,34.37–39).

14 So bei W. Nauck, Das οὖν-paräneticum: ZNW 49 (1958) 134f; vgl. Röm 6,12; 12,1; 13,12; Eph 4,1; Kol 3,5.12; 1 Thess 5,6; 2 Thess 2,15.

15 Vgl. 1. Kapitel Anm. 49.

16 Zu diesem οὖν im Anschluß an ein Jesajazitat vgl. das betonte οὖν in Lk 3,7 nach Jes 40,3–5 = Lk 3,4–6. Die Partikel οὖν wird von Lukas selten zu einer Quelle hinzugefügt, so daß οὖν in Lk 3,7 in der Tat betont sein dürfte: vgl. W. G. Kümmel, Das Gesetz 99 Anm. 36.

v. 38b: ὅτι διὰ τούτου
       ὑμῖν ἄφεσις ἁμαρτιῶν καταγγέλλεται

Wie der Hauptsatz, so enthält auch der erste Teil des abhängigen ὅτι-Satzes[17] eine stark formalisierte Spache. Die lukanische Verkündigungsterminologie ist indessen in der Apg noch nicht so weit vereinheitlicht und entwickelt, als daß ihr Sinn immer eindeutig bestimmbar wäre.[18] Bezüglich v. 38b ist konkret zu fragen, wer als Subjekt der Verkündigung zu denken ist und was deren Inhalt ist.

Daran, daß διά instrumental zu begreifen ist, kann kein Zweifel bestehen;[19] abzuklären bleibt indessen, *wie* Lukas die instrumentale Bedeutung der Formel διὰ τούτου verstanden wissen will. Zunächst legt sich eine Interpretation nahe, die sich wie folgt umschreiben ließe: Es wird euch durch mich, Paulus, feierlich zugesagt, daß Jesus euch Sündennachlaß erwirkt; διὰ τούτου wird also ausschließlich auf ἄφεσις ἁμαρτιῶν bezogen und nicht zugleich auf καταγγέλλεται.

Gegen diese Deutung sprechen indessen gewichtige Argumente. Es ist doch offensichtlich, daß die Formulierung διὰ τούτου καταγγέλλεται in Parallele steht zu der folgenden Wendung ἐν τούτῳ δικαιοῦται (v. 39); bezüglich δικαιοῦται aber ist es keine Frage, daß Jesus das logische Subjekt ist, denn er allein rechtfertigt; folglich ist auch διὰ τούτου nicht nur auf ἄφεσις ἁμαρτιῶν, sondern auch auf das Prädikat καταγγέλλεται zu beziehen. διὰ (τούτου) hat den gleichen instrumentalen Sinn wie ἐν (τούτῳ); Christus ist das unmittelbare „Instrument", durch welches die Verkündigung der ἄφεσις ἁμαρτιῶν geschieht.[20]

Für die Apg ist ja die Vorstellung geläufig, daß die Wunder, welche die Apostel „im Namen Jesu" wirken, durch Jesus selbst vollbracht werden. Durch die Anrufung seines Namens wird der Herr selbst mit seiner Macht gegenwärtig,[21] so daß nach Apg 9,34 Petrus dem gelähmten Äneas sagen kann: Αἰνέα, ἰᾶταί σε Ἰησοῦς Χριστός. Das Wort Petri hat keine magische Kraft, sondern wirkt nur, wenn der Glaube an Jesus hinzukommt.[22]

Mag Lukas auch noch keine systematische Verkündigungstheologie entwickelt haben, so bleibt er doch besonders in einem Punkt konsequent: Die Botschaft von der ἄφεσις ἁμαρτιῶν ist immer an Jesus oder seinen Namen gebunden, mag auch die Ausdrucksweise an den einzelnen Stellen von Lk-Apg variieren.[23] So geschieht auch nach Apg 13,38 die Verkündigung der ἄφεσις ἁμαρτιῶν durch Jesus (διὰ τούτου). Die Funktion des Predigers besteht allein darin, die Botschaft Jesu für die Zuhörer (ὑμῖν) zu aktualisieren; er spricht nur *in persona* Jesu.[24]

In der Diktion paßt sich Lukas hier dem Kontext an, denn die Formel διὰ τούτου macht einerseits den Bezug auf den vorhergehenden v. 37 deutlich und entspricht andererseits in ihrer Knappheit der in v. 39 folgenden Wendung: ἐν τούτῳ. Das Verbum καταγγέλλειν wird dem inhaltlich deckungsgleichen κηρύσσειν[25] vorgezogen, weil sein Wortstamm die Verklamme-

---

17 Zu γνωστὸν ἔστω mit folgendem ὅτι-Satz vgl. Apg 4,10; 28,28.

18 Vgl. dazu *H. Conzelmann,* Mitte der Zeit 210.

19 Vgl. diesen Gebrauch von διά mit Bezug auf Jesus in Apg 2,22; 3,16; 4,30; 10,43; 15,11; 20,28.

20 So schon bei *T. Zahn,* Apg 446.

21 Vgl. Apg 2,21; 3,6.16; 4,10.12.30; 16,18; 19,13. Siehe dazu *J. Dupont,* Nom de Jésus, DBS VI, 515.

22 Vgl. Apg 3,16; 4,7.10–12.

23 Vgl. Lk 1,77; 3,3; 24,47; Apg 2,38; 5,31; 10,43; 13,38; 26,18. διὰ τούτου (Apg 13,38) steht deutlich in Parallele zu ἐπὶ τῷ ὀνόματι αὐτοῦ (Lk 24,47), ἐν τῷ ὀνόματι Ἰησοῦ Χριστοῦ (Apg 2,38) und διὰ τοῦ ὀνόματος αὐτοῦ (Apg 10,43).

24 Siehe dazu auch Apg 4,17; 5,28.40. Vgl. insbesondere Apg 13,38 mit Lk 24,47 (κηρυχθῆναι ἐπὶ τῷ ὀνόματι αὐτοῦ μετάνοιαν καὶ ἄφεσιν ἁμαρτιῶν): Apg 13,38 ist gleichsam die Erfüllung von Lk 24,47. Die wirkmächtige Verkündigung der ἄφεσις ἁμαρτιῶν im Namen Jesu ist in der antiochenischen Rede darum dem christlichen Prediger vorbehalten; Johannes d. T. verkündigt das βάπτισμα μετανοίας: vgl. Apg 13,24 mit Lk 3,3 parall. Mk 1,4.

25 Wenn in der Apg auch die drei Verben καταγγέλλειν, κηρύσσειν und εὐαγγελίζεσθαι promiscue gebraucht werden, (vgl. Apg 9,20; 19,13; 17,3; 8,4) so ist doch ἄφεσις ἁμαρτιῶν in Lk-Apg nie Objekt von εὐαγγελίζεσθαι, sondern allein von κηρύσσειν (vgl. Lk 24,47; siehe dazu auch Lk 3,3 und

rung von v. 38 mit v. 32 und v. 23 sichtbar werden läßt. Möglicherweise soll auch somit eine Beziehung zu Apg 26,23 angedeutet werden; dort heißt es: πρῶτος ἐξ ἀναστάσεως νεκρῶν φῶς μέλλει καταγγέλλειν τῷ τε λαῷ καὶ τοῖς ἔθνεσιν. Wie alle Heilung letztlich durch Jesus selbst geschieht,[26] so auch die Verkündigung; nach Apg 26,23 ist Jesus selbst der καταγγελεύς.[27] Apg 26,23 bezieht sich dabei nicht nur auf die Verkündigung des Auferstandenen in der Zeit zwischen Auferweckung und Himmelfahrt (vgl. Apg 1,2–8), sondern deutlich auch auf die Zeit danach. Die Formulierung ἄφεσις ἁμαρτιῶν schließlich wird zwar von Lukas besonders gern verwendet, ist aber wohl traditionellen Ursprungs.[28]

Es mag uns überraschen, daß der Heilsertrag nach v. 38 zunächst ein „spiritueller" ist, nachdem der Prediger doch unmittelbar zuvor das Kerygma von der Auferweckung Jesu in der Feststellung gipfeln ließ, daß Jesus vor der διαφθορά bewahrt geblieben ist. Dennoch gibt es keinen Bruch zwischen v. 38 und den vorhergehenden Ausführungen,[29] da ja erst die ἄφεσις ἁμαρτιῶν die Teilnahme an der ζωὴ αἰώνιος ermöglicht.

v. 38c: καὶ ἀπὸ πάντων ὧν οὐκ ἠδυνήθητε ἐν νόμῳ
          Μωϋσέως δικαιωθῆναι
v. 39: ἐν τούτῳ πᾶς ὁ πιστεύων δικαιοῦται.

Im ordo salutis geht schließlich die Verkündigung der Rechtfertigung voraus. Durch die Kopula καί werden die beiden Prädikate καταγγέλλεται (v. 38b) und δικαιοῦται (v. 39) zwar einander zugeordnet, aber doch auch deutlich im Sinne einer heilsgeschichtlichen Aufeinanderfolge unterschieden.

Die Rechtfertigung selbst wird hier wesentlich als Sündennachlaß verstanden; δικαιόω bedeutet also in vv. 38f so viel wie „rein-, freimachen von". Das Verbum selbst ist Lukas geläufig,[30] wird aber von ihm nur in Lk 18,14 in dem genannten Sinn verwendet und auch hier ohne den Zusatz ἀφ᾽ ἁμαρτιῶν.

Direkte Parallelen zum Sprachgebrauch von Apg 13,38f finden sich nur bei Paulus. So heißt es in Röm 6,7: ὁ γὰρ ἀποθανὼν δεδικαίωται ἀπὸ τῆς ἁμαρτίας, und in 1 Kor 6,11: ἐδικαιώθητε ἐν τῷ ὀνόματι τοῦ κυρίου Ἰησοῦ Χριστοῦ; an beiden Stellen hat δικαιόω den Sinn von „rein-, freimachen".[31] Paulus ist also diese Bedeutung von δικαιόω nicht fremd, mag er

---

4,18) und καταγγέλλειν (vgl. Apg 13,38). – Der Gebrauch einer passiven Form von καταγγέλλειν ist in der Apg singulär und findet sich im NT neben Apg 13,38 nur noch in Röm 1,8.

26 Vgl. Apg 3,16; 4,9–12.

27 Vgl. Apg 17,18. Hier findet sich das Substantiv καταγγελεύς indessen als „allgemeiner, nicht spezifisch christlicher, wohl aber philosophisch-religiöser Begriff": vgl. *H. Conzelmann*, Mitte der Zeit 206.

28 Das Wortpaar ἄφεσις ἁμαρτιῶν findet sich 11mal im NT, davon 3mal in Lk (Lk 1,77; 3,3; 24,47) und 5mal in der Apg (Apg 2,38; 5,31; 10,43; 13,38; 26,18). Mk 1,4 (par Lk 3,3) und Mt 26,28 machen wahrscheinlich, daß diese Formulierung von Lukas aus der Tradition übernommen wurde.

29 E. Schweizer verweist in diesem Zusammenhang auf 2 Sam 12,13; Ps 89,32–35 (vgl. *E. Schweizer*, υἱός, ThW VIII, 368 Anm. 233, wie auch auf Sir 47,11 (vgl. *E. Schweizer*, The Son of God 191). Wohl ist an diesen Stellen vom Sündennachlaß (Davids) die Rede, doch bieten sie allein das Stichwort, tragen aber nicht zum direkten Verständnis von Apg 13,38 bei. – Daß die antiochenische Rede in der Verkündigung der ἄφεσις ἁμαρτιῶν aufgipfelt, muß aus dem dreigliedrigen Schema von Lk 24,46f erklärt werden: Nach der Botschaft vom Leiden (vgl. Apg 13,27–29) und der Auferweckung Jesu (vgl. Apg 13,30–37) folgt die Proklamation der ἄφεσις ἁμαρτιῶν (vgl. Apg 13,38f). Die ἄφεσις ἁμαρτιῶν zeigt die göttliche Macht Jesu (vgl. Lk 5,21.24 mit Apg 5,31), die sich in seiner Auferweckung und Erhöhung offenbart hat (vgl. Apg 13,33–36).

30 Vgl. Lk 7,29.35; 10,29; 16,15; 18,14; Apg 13,38.39. Von den Evangelisten kennt ansonsten nur noch Matthäus dieses Verb: vgl. Mt 11,19; 12,37.

31 Vgl. *Bauer*, Wb 392; δικαιόω ist an diesen Stellen gleichbedeutend mit ἐλευθερόω: vgl. Röm 6,18.22; 8,2.21; Gal 5,1. In der LXX wird δικαιόω in dem genannten Sinn in Ps 72,13 und Sir 26,29 verwendet; an beiden Stellen handelt es sich um die Befreiung von Sünde! Diese Bedeutung hat auch καθαρίζω in Apg 15,9.

auch an diesen Stellen nur ausnahmsweise dieses Verbum in dem genannten „negativen" Sinn verwenden.

Es kann jedenfalls kein Zweifel bestehen, daß Lukas sich in Apg 13,38f auf Paulus beziehen will und es ihm auch in der Tat gelingt, ihn zur Sprache kommen zu lassen. Die Exegeten sind sich heute auch einig darin, daß sich in Apg 13,38f traditionelle paulinische Elemente vorfinden. Die Frage kann nur noch lauten, *in welchem Maß* in Apg 13,38f die Rechtfertigungs*theologie* Pauli zur Sprache kommt.[32]

Diskutiert wird vor allem, ob der Tod Jesu nach Apg 13,38f noch eine Heilsbedeutung hat. So wird argumentiert, daß im Unterschied zu den Paulusbriefen in Apg 13,38f die Rechtfertigung nicht mit dem Kreuzestod Jesu, sondern mit seiner Auferweckung verbunden werde.[33] Wir müssen diese Frage noch zunächst auf sich beruhen lassen, da sie nur in einem Summarium der gesamten in Apg 13,16–41 enthaltenen Theologie (vgl. 7. Kapitel) uns beantwortbar erscheint. Immerhin können wir jetzt schon feststellen, daß die scharfe Polemik von P. Vielhauer, der Lukas eine totale Verfälschung der paulinischen Rechtfertigungslehre vorgeworfen hatte,[34] durch die heutige Exegese überholt ist.

Das betrifft auch den Vorwurf P. Vielhauers und einiger anderer Autoren, daß Lukas Paulus in Apg 13,38f nur von einer partiellen Rechtfertigung sprechen lasse, so als ob Jesus nur von den Sünden befreie, von denen das atl. Gesetz nicht befreien konnte.[35] Abgesehen davon, daß andere Stellen der Apg deutlich jeden Verdacht von Synergismus ausschließen,[36] übersieht eine solche Exegese von Apg 13,38f, daß die Intention des Autors dahin geht, den durch ὧν eingeleiteten Relativsatz (v. 38c) dem Hauptsatz antithetisch zuzuordnen (vgl. v. 39). Die Aussage des Relativsatzes darf darum nur vom Hauptsatz her interpretiert werden.

Die hier bestehende enge Abhängigkeit wird noch dadurch unterstrichen, daß die Präposition ἀπό vor dem Relativpronomen entfällt.[37] Die doppelte Verwendung des Adjektivs πᾶς schließlich macht überdeutlich, worauf im Hauptsatz der Akzent liegt: betont werden soll die Universalität der Rechtfertigung durch Christus. Antithetisch dazu steht die Aussage des Nebensatzes, daß eine solche „Generalamnestie" durch das Gesetz des Mose nicht bewirkt werden konnte.

Die präpositionale Wendung ἐν νόμῳ Μωϋσέως hat in dem folgenden ἐν τούτῳ ihre Entsprechung.[38] Der νόμος Μωϋσέως[39] erscheint so als eine selbständige Größe, welche in direktem Vergleich mit Jesus selbst gebracht wird. Paulus klagt seine Zuhörer nicht an, etwa wie Stephanus, sie seien halsstarrig und gesetzesuntreu (vgl. Apg 7,51–53). Der Relativsatz impli-

---

32 Vgl. die ausführliche Darlegung des status quaestionis bei *P. H. Menoud,* Le salut par la foi selon le livre des Actes, in: Foi et Salut selon S. Paul (AnBibl 42) Rom 1970, 262–268. Zum Thema vgl. fernerhin *O. Bauernfeind,* Der Schluß der antiochenischen Paulusrede, in: Festschrift K. Heim, Hamburg 1954, 74–76, und *F. F. Bruce,* Justification by Faith in the Non-Pauline Writings of the New Testament: EvQ 24 (1952) 66–77.

33 Vgl. *U. Wilckens,* Missionsreden² 217.

34 Vgl. *P. Vielhauer,* Zum „Paulinismus" 8f.

35 Vgl. *E. Haenchen,* Apg 354: „Wer wie H. J. Holtzmann, Harnack, Preuschen, Vielhauer den Verfasser hier eine Lehre darüber entwickeln läßt, daß eine unvollständige Rechtfertigung durch das Gesetz ergänzt wird von einer Rechtfertigung durch den Glauben, mutet ihm das Eingehen auf eine Problematik zu, die ihm fremd war."

36 Vgl. Apg 4,12; 15,11; 16,30f.

37 Vgl. dazu *M. Zerwick,* Graecitas Biblica 21.

38 Das ἐν νόμῳ (Μωϋσέως) von Apg 13,38 findet sich in gleicher Verbindung und Bedeutung in Gal 3,11; 5,4; das gegensätzliche ἐν τούτῳ von Apg 13,29 korrespondiert dem ἐν Χριστῷ von Gal 2,17 und dem ἐν αὐτῷ von 2 Kor 5,21.

39 Diese Bezeichnung ist typisch lukanisch: vgl. Lk 2,22; 24,44; Apg 13,38; 15,5; 28,23. Zum Gesetzesverständnis bei Lukas vgl. *H. v. Campenhausen,* Gesetz und Schrift in der heidenchristlichen Kirche des ersten Jahrhunderts, in: ders: Die Entstehung der christlichen Bibel (BHTh 39) Tübingen 1968, 28–76, hier: 47–62, und *H. Conzelmann,* Mitte der Zeit 148–151.

ziert hingegen die höchst bedeutsame Aussage, daß auch der fromme Jude nicht durch das Gesetz von seinen Sünden befreit werden kann, ein jeder also, ob gesetzestreu oder nicht, unter der Sünde bleibt, solange er nicht zum Glauben an Christus findet.[40] Es ist hier also vom *Unvermögen des Gesetzes* selbst die Rede.[41] Wie ist indessen die Begrenztheit des Gesetzes nach Apg 13,38 zu begreifen?

H. Conzelmann weist in diesem Zusammenhang auf Apg 15,10 hin und interpretiert: Das Gesetz war zu schwer und vermochte darum nicht von den Sünden zu befreien.[42] Das ist sicherlich auch in dem Relativsatz von v. 38 gesagt, doch steht der Aspekt der Gesetzeskritik an dieser Stelle nicht im Vordergrund. Der νόμος erscheint in v. 38 eher als eine Größe, deren Funktion im Sinne von Lk 16,16 als heilsgeschichtlich begrenzt betrachtet wird. Dem Gesetz war im Plane Gottes gar nicht die Funktion zugedacht, das universale Heil, von dem in v. 39 die Rede ist, zu verwirklichen. In Apg 13,38f werden Vergangenheit und Gegenwart einander gegenübergestellt, was schon in den verschiedenen Tempora zum Ausdruck kommt. Mit dem Erscheinen Jesu ist die heilsgeschichtliche Epoche des Gesetzes zum Abschluß gekommen.[43] Von Bedeutung ist der νόμος fernerhin nur noch als Prophetie.[44]

Wir konnten bereits an verschiedenen Stellen der antiochenischen Rede die lukanische Fähigkeit beobachten, allein schon durch die Satzstellung Relationen anzudeuten;[45] dies ist auch in v. 39 der Fall. Es entspricht der parallelen Konstruktion in vv. 38f und der instrumentalen Bedeutung von ἐν τούτῳ, wenn diese Wendung auf δικαιοῦται bezogen wird, doch schließt dies eine vom Autor intendierte Beziehung zu πιστεύων nicht aus. Mögen die Formulierungen διὰ τούτου und ἐν τούτῳ inhaltlich auch gleichbedeutend sein, so hat doch die Wendung ἐν τούτῳ im Unterschied zu διὰ τούτου den Vorteil, daß sie diesen Bezug zu πιστεύων in v. 39 andeuten kann.

Freilich ist der absolute Gebrauch von πιστεύω in der Apg nicht ungewöhnlich,[46] und es ist zuzugestehen, daß bei aller Variationsbreite, welche die Apg bezüglich der Konstruktion von πιστεύω zeigt, dieses Verbum doch ansonsten nicht mit der Präposition ἐν verbunden wird.[47]

Auf der anderen Seite aber weiß der Leser der Apg, daß Lukas in der Regel unter πιστεύω oder πίστις den Glauben an Jesus Christus versteht;[48] so legt sich der Bezug von ἐν τούτῳ auf πιστεύων in v. 39 wie von selbst nahe. Zudem findet v. 39 seine nächste Parallele in Apg 10,43: hier aber wird πιστεύω ausdrücklich als „glauben an Jesus Christus" spezifiziert.

In Entsprechung zu δικαιοῦται bzw. ἄφεσιν ἁμαρτιῶν ist das substantivierte Partizip in

---

40 Das wird besonders in Apg 10,43 deutlich. Oblgeich Kornelius als gerecht und gottesfürchtig geschildert wird (vgl. Apg 10,2.22.35), ist auch vor ihm von der ἄφεσις ἁμαρτιῶν die Rede; siehe dazu *J. Dupont*, Repentir, in: Études, 440. Dem steht nicht entgegen, daß Lukas die Gesetzesfrömmigkeit und das Gesetz schätzt: vgl. Lk 1,6; 2,25; Apg 7,38.
41 Vgl. hierzu die Unterscheidung der Begriffe „l'incapacité de la Loi" und „l'impracticabilité de la Loi" bei *P. H. Menoud*, Le salut 258.
42 Vgl. *H. Conzelmann*, Apg 85. So beruht auch bei Paulus die Ohnmacht des Gesetzes letztlich auf der Ohnmacht des Fleisches: vgl. Röm 8,3.
43 Zum gleichen Ergebnis kommt Paulus in Röm 10,4: τέλος γὰρ νόμου Χριστὸς εἰς δικαιοσύνην παντὶ τῷ πιστεύοντι. Aber für Lukas ist das Gesetz weit mehr als bei Paulus historisch geworden: vgl. *H. v. Campenhausen*, Die Entstehung 59.
44 Vgl. besonders Lk 24,44. Siehe *H. Conzelmann*, Mitte der Zeit 148 Anm. 1.
45 Vgl. vor allem die Stellung von ἡμῖν in Apg 13,33 und von ἰδίᾳ γενεᾷ in Apg 13,36.
46 Das betrifft in erster Linie den Gebrauch des Partizips von πιστεύειν: vgl. Apg 2,44; 4,32; 5,14; 11,21; 15,5; 19,2.18; 21,20.25.
47 Als Präpositionen werden ἐπί c. acc. (vgl. Apg 9,42; 11,17; 16,31; 22,19) und εἰς c. acc. verwendet (vgl. Apg 10,43; 14,23; 19,4). Im Unterschied zu Lukas kennt Paulus die Verbindung von πίστις mit ἐν: vgl. Gal 3,26; Eph 1,15; Kol 1,4; 1 Tim 3,13.
48 Ausnahmen bzgl. πιστεύω sind Apg 9,26; 13,41; 16,34; 24,14; 26,27 (bis); 27,25; bzgl. πίστις vgl. Apg 17,31. An den anderen Stellen (44) wird als Objekt von πιστεύω bzw. πίστις Jesus ausdrücklich genannt oder durch den Kontext nahegelegt.

v. 39 nicht einem Eigennamen gleich (= jeder Gläubige), sondern ist als Relativsatz aufzulösen (= jeder, der glaubt).[49] Unter „glauben" ist hier der „Glaubensakt" zu verstehen, welcher Bedingung für die ἄφεσις ἁμαρτιῶν ist; er schließt das öffentliche Bekenntnis ein.[50]

Wiederum kann hier von einem Synergismus nicht die Rede sein, denn Lukas weiß, daß letztlich auch der Glaube Geschenk ist (vgl. Apg 3,14). Ebenso darf man in diese Stelle nicht hineinlesen, daß der Glaubensakt an die Stelle der Taufe tritt. Aus Apg 16,31ff; 18,8 und 22,16 geht klar hervor, daß Glaube und Taufe auch für Paulus miteinander verbunden bleiben. Eine Antinomie zwischen Glauben und Sakrament ist der Apg fremd.

Zusammenfassung: Die Exegese von Apg 13,38f hat gezeigt, wie sich die Heilsbotschaft dieser Verse formal und inhaltlich in die Redekomposition einfügt.

– Dies geschieht zunächst durch die Einleitungsformel γνωστὸν ἔστω, die in der Apg immer nur unter Bezugnahme auf das prophetische Wort der Hl. Schrift Verwendung findet. So will sie in v. 38 anzeigen, daß für den Prediger sich die γνῶσις σωτηρίας aus dem aufmerksamen Hören auf die Worte der Hl. Schrift ableitet, da sie ja, wie er in vv. 17–37 ausgeführt hat, gleichsam ein einziger Verweis auf den σωτήρ Jesus ist.

– Daß alle vorhergehenden Erörterungen nun in einem Resultat zusammengefaßt werden sollen, darauf verweist auch das schlußfolgernde οὖν in v. 38. Die erste Folgerung, die der Prediger aus seiner Darlegung der Heilsgeschichte zieht, ist die wirkmächtige Verkündigung der ἄφεσις ἁμαρτιῶν. Im ordo salutis besteht das Heil immer zunächst in der Befreiung von Sünde (vgl. auch Lk 1,77). Darum darf man sich auch nicht darüber verwundern, daß als erstes dieser „spirituelle" Heilsertrag akzentuiert wird, nachdem doch zuvor der leibliche Aspekt der Auferstehung, nämlich die Bewahrung vor der διαφθορά, betont worden war (vgl. v. 37).

Das ewige, unvergängliche Leben der Auferstehung hat seinen Grund in der Sündenvergebung; erst diese öffnet den Weg zur ζωὴ αἰώνιος, die alle Verheißung und fromme Erwartung erfüllt (vgl. Apg 13,46).

Daß die antiochenische Predigt zunächst von der ἄφεσις ἁμαρτιῶν spricht, steht letztlich im Einklang mit dem Verkündigungsauftrag des Herrn selbst (Lk 24,46f): Nach der Rede vom Leiden und von der Auferstehung des Messias (vgl. Apg 13,27–37) sollen Umkehr und Sündenvergebung erster Inhalt der apostolischen Predigt sein; schon im AT steht es so geschrieben (οὕτως γέγραπται).

– Sehr bezeichnend für die in vv. 38f verborgene Verkündigungstheologie ist die Stellung von διὰ τούτου in v. 38, die es nahelegt, διὰ τούτου auch auf das folgende καταγγέλλεται zu beziehen. Die Botschaft von der ἄφεσις ἁμαρτιῶν ist in Lk-Apg immer an Jesus oder seinen Namen gebunden. In Anlehnung an Apg 26,23 ist in v. 38 Jesus selbst, der πρῶτος ἐξ ἀναστάσεως, als καταγγελεύς bezeichnet, der dem Volk in der Person des Predigers Vergebung zuspricht.

– Die scharfe Polemik P. Vielhauers, nach der in v. 39 die paulinische Rechtfertigungslehre total verfälscht wiedergegeben worden sei, ist inzwischen von der Exegese überholt. Unsere Analyse kommt zu dem gleichen Ergebnis. Gesagt werden soll ja nicht, daß schon das Gesetz einen partiellen Sündennachlaß bewirkt habe; dem Prediger geht es doch darum, das *generelle* Unvermögen des Gesetzes zu betonen. Selbst den frommen Juden konnte das Gesetz nicht von seinen Sünden befreien.

Die Epoche des Gesetzes ist mit Christus endgültig an ihr Ende gekommen. Seine Auferstehung ist wie das Angebot einer „Generalamnestie", die sich auf jedwede Schuld und alle Menschen bezieht.

---

49 Vgl. als Parallelen Mt 7,24.26. Siehe dazu Bl-Debr 413,2.
50 Der Empfang der Taufe ist Bestätigung des Glaubens (vgl. Apg 2,41; 8,12f.38; 10,47f; 11,17; 16,31ff; 18,8; 19,2–5: die Taufe war offensichtlich mit einem „Glaubensbekenntnis" verbunden: vgl. Apg 16,31 und Apg 8,36f (nach einigen Lesarten).

So ist aber auch in vv. 38f die Mahnung an die jüdische Zuhörerschaft enthalten, ihre Heilsbedürftigkeit anzuerkennen und ihr Heil im Glauben an Christus zu suchen. Hiermit ist auch der Übergang zur folgenden Warnung geschaffen.

2. DIE ABSCHLIESSENDE WARNUNG AN DIE JUDEN (APG 13,40f)

Die Paränese, die in vv. 38f nur indirekt enthalten war, nimmt in vv. 40f den Charakter einer dramatischen Schlußmahnung an. Es entspricht dem bekannten Stil der Acta-Reden, daß dem abschließenden Heilsangebot die eindringliche Bitte folgt, dieses anzunehmen,[51] doch erfährt dieser Redeabschluß in Apg 13,38–41 eine besonders deutliche und nuancierte Ausprägung.

v. 40: βλέπετε οὖν
μὴ ἐπέλθῃ τὸ εἰρημένον ἐν τοῖς προφήταις

In deutlicher Parallele zu der Formulierung γνωστὸν οὖν ἔστω ὑμῖν ὅτι von v. 38 steht in v. 40 die imperativische Wendung βλέπετε οὖν μή. Im Unterschied zur erstzitierten Einleitungsformel aber ist die letztere in der Apg singulär. Auch in Lk findet sich das Verbum βλέπω in dieser Konstruktion nur an einer Stelle, die zudem gemeinsames synoptisches Traditionsgut enthält.[52]

Dennoch kann man bezüglich Apg 13,40 vermuten, daß entsprechend zur Diktion des subordinierten μή-Satzes auch das regierende Prädikat redaktionellen Ursprungs ist; die Tatsache, daß die bisher untersuchten Zitationsformeln der antiochenischen Rede sämtlich lukanische Terminologie enthalten, legt diese Annahme nahe.

Letzte Sicherheit läßt sich über die Herkunft der Formulierung βλέπετε οὖν μή allerdings nicht gewinnen. Möglicherweise hat Lukas diesen Imperativ unter dem Einfluß des folgenden Habakukzitats gewählt, das ihm nach seiner LXX-Vorlage u. a. die Verbform ἐπιβλέψατε bot. Das Fehlen von ἐπιβλέψατε in v. 41 ließe sich dann aus dem lukanischen Streben nach Variation im Ausdruck und Kürzung des Schriftzitats verständlich machen, doch bleiben solche Erwägungen hypothetisch.

Wie in v. 38 hat die Partikel οὖν auch in v. 40 eine sehr differenzierte Bedeutung. Ihre erste Funktion liegt darin, die Dringlichkeit des Schlußappells zu unterstreichen, dient also in v. 40 als οὖν-paraeneticum. Schlußfolgernd ist οὖν hier insofern, als in vv. 40f in negativer Umschreibung die Aufforderung enthalten ist, den Worten des Predigers über das Werk Gottes Glauben zu schenken. Dieser indirekte Aufruf zur πίστις knüpft unmittelbar an v. 39 an.

Vorherrschend ist indessen ein anderer Eindruck. Es scheint, als wisse der Prediger bereits um die Reaktion seiner jüdischen Zuhörer, d. h. um ihre Ablehnung, von der die Apg anschließend berichtet (vgl. Apg 13,45.50). Die Zitationsformel in v. 40 bestimmt Hab 1,5 eindeutig als ein *Unheilsorakel*, was wohl der LXX, nicht aber unbedingt dem TM entspricht.[53] Das Vokabular des μή-Satzes ist lukanisch. So findet sich das Verbum ἐπέρχομαι im NT,

---

51 Zu diesem Schema von Verheißung und Drohung vgl. auch 2 Sam 7,8–14a/14b; Ps 89, 20–30/31–33. Vgl. in der Apg die Paränese in Apg 2,38–40; 3,17–20.26; 4,12; 5,32; 10,42f.

52 Vgl. Apg 13,40 mit Lk 21,8 (par Mt 24,4 und Mk 13,5). Nach Bl-Debr 364,3 ist an all diesen Stellen βλέπετε μή asyndetisch aufzufassen, doch ist nach unserer Ansicht das μή in Apg 13,40 ebenso subordinierend wie in 1 Kor 10,12; Kol 2,8 und Hebr 12,25.

53 Nach dem TM beginnt mit Hab 1,5 ein Orakel, das gleichzeitig droht und verheißt: vgl. *F. Horst, Die Zwölf Kleinen Propheten* (HAT 14) Tübingen ³1964, 175. Durch die Einfügung von καταφρονηταί läßt die LXX das Orakel eindeutig als Unheilsorakel an die gottlosen Bedrücker in Israel gerichtet sein.

abgesehen von Eph 2,7 und Jak 5,1, nur in Lk-Apg.[54] In Apg 8,24 bezieht es sich ebenso wie in Apg 13,40 auf das Eintreffen eines Wortes. Das Partizip εἰρημένον ist in Lk-Apg immer gleichbedeutend mit „Gotteswort", so daß man zu εἰρημένον ohne weiteres den Genitiv θεοῦ ergänzen kann.[55]

Durch die Stellenangabe ἐν τοῖς προφήταις will Lukas das Zitat vermutlich dem Zwölfprophetenbuch zuordnen.[56] Diese Annahme stützt sich vor allem auf einen Vergleich von Apg 13,40f mit Apg 7,42 und Apg 15,15. In Apg 7,42 wird ein Amoszitat durch die Formel eingeführt: καθὼς γέγραπται ἐν βιβλίῳ τῶν προφητῶν. Es liegt nahe, in der Wendung ἐν τοῖς προφήταις eine Variation zu der Formulierung ἐν βίβλῳ τῶν προφητῶν zu sehen. Die Hypothese, daß unter dem Plural προφῆται nicht die Gesamtheit der prophetischen Bücher, sondern nur das Buch der sog. prophetae minores zu verstehen ist, wird schließlich durch Apg 15,15 erhärtet. Hier heißt es: καὶ τούτῳ συμφωνοῦσιν οἱ λόγοι τῶν προφητῶν, und wiederum folgt ein Amoszitat.

Wenngleich Lukas, wie es eine Analyse von Apg 13,41 wahrscheinlich macht, gewußt hat, daß das Zitat aus dem Propheten Habakuk stammt, ist ihm genau wie bezüglich Jes 55,3 (vgl. v. 34) und Ps 16,10b (vgl. v. 35) an einer genaueren Stellenangabe nicht gelegen.[57] Für ihn ist das Zitat als „Gotteswort" genügend qualifiziert und bestimmt.

v. 41: Ἴδετε, οἱ καταφρονηταί,

       καὶ θαυμάσατε καὶ ἀφανίσθητε,

       ὅτι ἔργον ἐργάζομαι ἐγὼ ἐν ταῖς ἡμέραις ὑμῶν,

       ἔργον ὃ οὐ μὴ πιστεύσητε ἐάν τις ἐκδιηγῆται ὑμῖν.

Im wesentlichen gibt Apg 13,41 die LXX-Version von Hab 1,5 wieder. So übernimmt Lukas aus der LXX auch den Vokativ καταφρονηταί.[58] Bislang war die Meinung vorherrschend, daß die LXX an dieser Stelle irrtümlicherweise statt baggôjîm habbôgᵉdîm gelesen habe,[59] doch ist diese Annahme inzwischen durch den Fund von 1 QpHab erschüttert worden, denn in 1 QpHab 2,1ff wird gleichfalls die Lesart bôgᵉdîm vorausgesetzt.[60] Nicht zuletzt dieses Vokativs wegen hat Hab 1,5 die Aufmerksamkeit des Qumran-Kommentators gefunden, und es ist offensichtlich, daß καταφρονηταί als griechisches Äquivalent zu bôgᵉdîm auch für den Ver-

---

54 Vgl. Lk 1,35; 11,22; 21,26; Apg 1,8; 8,24; 13,40; 14,19. Siehe auch das biblische Hapax-Legomenon ἐπεισέρχομαι in Lk 21,35. In der LXX steht ἐπέρχομαι zumeist für das Eintreffen widerwärtiger Ereignisse (vgl. Gen 42,21; Jer 48,2; Weish 12,27; Spr 27,12; 2 Makk 9,18); im eschatologischen Sinn wird dieses Verb u. a. in Jes 41,4.22f; Lk 21,26 und Jak 5,1 verwendet.

55 Vgl. Lk 2,24 (= Lev 12,8; vgl. mit Lev 12,1); Apg 2,16. Auf die Rede Gottes in der Ich-Form bezieht sich λέγω u. a. auch in Röm 4,18; Hebr 1,13; 4,3f; 10,9.15; 13,5.

56 So auch bei *T. Holtz*, Untersuchungen 21 und *E. Haenchen*, Apg 355.

57 Von den sog. Kleinen Propheten wird nur der Prophet Joël ausdrücklich von Lukas genannt (vgl. Apg 2,16). – Deutlich wird das Buch des Propheten Jesaja von den anderen biblischen Büchern unterschieden: vgl. Lk 3,4; 4,17; Apg 7,48; 8,28.30.34; 28,25; auch dies macht eine Unterscheidung zwischen den Büchern der „Großen Propheten" und dem Buch der „Kleinen Propheten" in Lk-Apg wahrscheinlich. Der Plural οἱ προφῆται kann sich im übrigen in Lk-Apg auf die Gesamtheit der Hl. Schrift (vgl. Lk 24,25) oder der Propheten beziehen (vgl. Lk 1,70; 6,23; 13,28; Apg 3,21; 7,52; 10,43).

58 Im NT ist das Substantiv καταφρονητής ein Hapax-Legomenon; in der LXX findet es sich nur in Hab 1,5; 2,5 und Zef 3,4.

59 Vgl. *T. Holtz*, Untersuchungen 19 Anm. 7.

60 Aus der rabbinischen Literatur ist weiter keine Bezugnahme auf Hab 1,5 bekannt: vgl. Bill. II 726. Ob der Zitator in Apg 13,41 durch das bekanntere Habakukzitat Hab 2,4 (vgl. Röm 1,17; Gal 3,11; Hebr 10,38f) auf diesen Propheten gestoßen ist? Das Stichwort ἐκ πίστεως (Hab 2,4) könnte ihn zu Hab 1,5 (vgl. *ebd.* πιστεύσητε) geführt haben.

fasser der antiochenischen Rede zu den Schlüsselbegriffen dieses Zitats gehört.[61] Zur Bestimmung des genauen Stellenwertes und Inhaltes dieses Vokativs ist es notwendig, auf den Text und Kontext von Hab 1,5 in der LXX kurz einzugehen.

Das Zitat in Apg 13,41 ist einem Dialog zwischen dem Propheten und Jahwe entnommen. Habakuk hat sich zum Anwalt seines Volkes gemacht und Gott dessen Klage über den Verfall der Gerechtigkeit vorgetragen (vgl. Hab 1,2–4). Mit Hab 1,5 hebt die göttliche Antwort in Form eines Orakels an. Angesprochen sind mit οἱ καταφρονηταί die gottlosen Bedrücker, die ihr eigenes Volk quälen und nicht daran glauben, daß Gott gegen sie einschreiten und den Armen zu ihrem Recht verhelfen könnte. Der καταφρονητής wird dem ἀσεβής gleichgesetzt, dem Frevler,[62] der sich so aufführt, als gebe es keinen Gott. All diesen Verächtern prophezeit Habakuk, daß Gott sie durch das Volk der Chaldäer geißeln und strafen wird.[63] Jahwe wird sich ihnen als der Herr der Geschichte in einer Weise offenbaren, daß sie sprachlos werden und einfach nicht glauben können, daß Gott solches wirkt.[64]

Wie der Prophet richtet auch Paulus in Namen Gottes das Wort an sein Volk, das auf die Erlösung harrt (vgl. Lk 2,25). Die Synagogenvorsteher hatten ihn um einen λόγος παρακλήσεως gebeten (vgl. v. 15), und in Antwort darauf spricht Paulus seinen jüdischen Zuhörern die Botschaft von der allgemeinen Rechtfertigung durch den Glauben an Jesus zu.[65] Angesprochen sind Israeliten wie Gottesfürchtige (vgl. vv. 16b.26), und so richtet sich auch die abschließende Warnung an alle.

Unter den καταφρονηταί sind in v. 41 all die zu verstehen, die die christliche Erlösungsbotschaft verachten und angesichts des eschatologischen Handelns Gottes in der Haltung des Unglaubens verharren. Die drei Imperative ἴδετε, θαυμάσατε und ἀφανίσθητε beschreiben in einer dramatischen Steigerung die Reaktion der καταφρονηταί auf das ἔργον θεοῦ.

Der Zitator hat in v. 41 die LXX-Fassung gekürzt und die Verbform ἐπιβλέψατε wie auch den Akkusativ des inneren Objekts θαυμάσια nach θαυμάσατε gestrichen. Die hebr. Ausdrucksweise der LXX schien ihm offensichtlich zu umständlich zu sein. Neben ἴδετε und ἀφανίσθητε wirkt nun der einfache Imperativ θαυμάσατε stilistisch angemessener und eleganter als der Hebraismus θαυμάσατε θαυμάσια der LXX-Version.[66]

Die hebr. Intensivform hittammᵉhû tᵉmāhû versucht die LXX durch eine klimaktische Reihe von Imperativen wiederzugeben, die in der Verbform ἀφανίσθητε kulminiert. Zum Ausdruck gebracht wird hier nicht das anerkennende und wachsende Staunen des zum Glauben bereiten Menschen, sondern die sich steigernde Verstockung des Verächters, der an der Realität des Werkes Gottes zwar nicht vorbeisehen kann, dem ἔργον θεοῦ aber doch keine glaubende Anerkennung schenkt.

In Lk-Apg ist immer wieder davon die Rede, wie das Volk aufgrund der Worte oder Taten Jesu und der Apostel außer sich gerät vor Bewunderung, hierin die gnädige Heimsuchung

---

61 Vgl. *J. de Waard*, A Comparative Study of the Old Testament Text in the Dead Sea Scrolls and in the New Testament (Studies on the Texts of the Desert of Judah IV) Leiden 1965, 18f: „We should bear in mind, that habbôgᵉdîm in 1 QpHab as well as οἱ καταφρονηταί in Acts 13,41 are *conditio sine qua non* for the respective contexts."

62 Vgl. den Gebrauch der Termini ἀσέβεια in Hab 1,3 und ἀσεβής in Hab 1,4.

63 Vgl. Hab 1,6. Zum Problem der Namensnennung vgl. *F. Horst*, Die Zwölf Kleinen Propheten 175.

64 Vgl. zu dieser Auslegung *F. Horst*, ebd. 173.

65 Entsprechend dieser παράκλησις Pauli wird in Apg 15,31 auch die Entscheidung des jerusalemitischen Konzils als παράκλησις bezeichnet.

66 So hatte der Verfasser der antiochenischen Rede auch bei dem Zitat von Jes 55,3 in Apg 13,34 den Hebraismus διαθήσομαι διαθήκην gemieden.

Gottes erkennt, sich freut und Gott lobpreist.[67] Die gleichen Geschehnisse aber lösen auch häufig entgegengesetzte Reaktionen wie Wut und Eifersucht aus.[68] Die καταφρονηταί sind die ἀντιλέγοντες und βλασφημοῦντες. – Es bleibt also nicht nur bei einem inneren Verstocktsein. Der Unglaube manifestiert sich konkret in Widerspruch und Schmähungen, so wie sich der Glaube in öffentlichem Lobpreis und Bekenntnis kundtut.

Sachlich ist in den drei Imperativen von Hab 1,5 bzw. Apg 13,41 das gleiche Verstokkungsmotiv enthalten wie in Jes 6,9f bzw. Apg 28,26f. Hab 1,5 (LXX) formuliert indessen noch schärfer als Jes 6,9f und der Hab 1,5 zugrundeliegende TM: Die Verächter sollen zunichte werden. In seiner transitiven Bedeutung besagt ἀφανίζω nach dem Sprachgebrauch der LXX so viel wie „ausrotten" oder „vertilgen" und bezieht sich häufig auf die Frevler oder die Feinde Israels.[69] Das transitive ἀφανίσθητε ist in Hab 1,5 bzw. Apg 13,41 mehr als ein Ausdruck übergroßen Staunens. Impliziert ist in Hab 1,5 die Drohung von Dtn 18,19 bzw. Lev 23,29, die Petrus in seiner Rede auf dem Tempelplatz aufgreift: Jeder, der auf jenen Propheten nicht hört, wird aus dem Volk ausgerottet werden (vgl. Apg 3,23). Gott wird in der Mitte seines Volkes keine καταφρονηταί mehr dulden!

Nicht nur der Hauptsatz, sondern auch der abhängige Nebensatz hat in Apg 13,41 einige charakteristische Änderungen erfahren.[70] Die Abwandlungen von διότι in ὅτι wird Lukas vielleicht schon in seinem LXX-Exemplar vorgefunden haben, die Umstellung von ἐγώ hinter ἐργάζομαι und die Wiederholung von ἔργον finden indessen keine Stütze in irgendeiner LXX-Handschrift; beide stilistischen Änderungen müssen wohl auf den Zitator selbst zurückgeführt werden. T. Holtz schreibt dazu: „Die unmittelbare Folge von ἔργον ἐργάζομαι bringt die etymologische Figur zu besserer Geltung; ‚die schöne Anaphora des zweiten ἔργον vor dem Relativsatz' verleiht dem Satz stilistischen Schwung"[71]. Das ἐγώ wird beibehalten, um den Charakter des Geschehens als ἔργον θεοῦ betont hervorzuheben.

Die Frage, um welche Tat Gottes es sich konkret in v. 41 handelt, wurde schon allgemein beantwortet: Unter dem ἔργον θεοῦ ist die universale Rechtfertigung durch den Glauben an Jesus zu verstehen. Man würde den Begriff ἔργον wohl zu eng fassen, wollte man darunter ausschließlich die Heidenmission verstehen;[72] zum Ärgernis für die καταφρονηταί wird das Werk Gottes deswegen, weil es die Heilsnotwendigkeit des mosaischen Gesetzes aufhebt und somit auch den Heiden den Zugang zum Heil eröffnet.[73] Dies geht aus der unterschiedlichen Reaktion der jüdischen bzw. heidnischen Zuhörer deutlich hervor.[74]

---

67 Vgl. die Reaktion auf die Antrittsrede Jesu in Nazareth (Lk 4,22); vgl. ferner Lk 4,32.36; 5,8–10,26; Lukas verzeichnet mit Vorliebe Äußerungen von Jubel und Freude (vgl. Lk 1,28.46.58; 2,10; 10,17.20f; 13,17; 15,7.32; 19,6.37; 24,41.52; Apg 2,46; 5,41; 8,8.39; 13,48.52; 16,34). Als positives Pendant zum superlativischen ἀφανίζω könnte man das Verb ἐκπλήσσομαι betrachten: vgl. Lk 2,48; 4,32; 9,43; Apg 13,12. Die Menschen geraten außer sich vor Staunen über die Größe Gottes (vgl. Lk 9,43). Die μεγαλειότης θεοῦ ist letztlich seine βουλή (vgl. Apg 2,23), die das Leiden, Sterben und Auferstehen seines Messias einbegreift (vgl. Lk 9,18–22 vor Lk 9,43!). In seinen Reden will Paulus diese βουλὴ θεοῦ umfassend darlegen (vgl. Apg 20,27): Siehe hierzu P. Schubert, The Structure 182f.
68 Vgl. Apg 5,17; 13,45.50; 14,2; 17,5; 19,9; vgl. damit die Reaktion der Juden auf die Rede Jesu in Nazareth nach Lk 4,28f.
69 Bzgl. der Vernichtung von Feinden vgl. u. a. Dtn 7,2; 19,1; 2 Sam 22,38; von ἀσεβαί vgl. u. a. Spr 10,25; 12,7; 14,11; 1 Makk 9,73.
70 Vgl. dazu T. Holtz, Untersuchungen 19f.
71 T. Holtz, ebd. 20, unter Berufung auf B. Weiss, Apg 176.
72 So u. a. bei H. Wilckens, Missionsreden³ 52, und bei E. Haenchen, Apg 355. Apg 13,46 enthält die Aussage, daß die Zeit des den Juden geltenden πρῶτον ihrem Ende zugeht; in Rom findet diese ihren endgültigen Abschluß: Siehe hierzu J. Gnilka, Die Verstockung Israels (Stud. z. A. u. N. T. 3) München 1961, 149.
73 So heißt es im Anschluß an die antiochenische Rede (Apg 13,43) betont: προσμένειν χάριτι τοῦ θεοῦ; die χάρις schließt die Heilsnotwendigkeit des Gesetzes aus: vgl. Apg 15,11.
74 Vgl. Apg 13,45.50 mit 13,43.48.

So ist auch der Beginn der Heidenmission letztlich von Gott bewirkt (vgl. Apg 14,27 und 15,4). Zur Ausführung seines Werkes bedient sich Gott Pauli und Barnabas'. Die Beobachtung, daß der Terminus ἔργον im Kontext der antiochenischen Rede die Mission dieser beiden Apostel bezeichnet,[75] scheint uns darauf hinzudeuten, daß es sich hier jeweils um bewußte lukanische Redaktion handelt. So ist am Anfang und am Ende des Berichtes über die erste paulinische Missionsreise betont von diesem ἔργον die Rede (vgl. Apg 13,2 und 14,26). Gerade der absolute Gebrauch dieses Substantivs weist darauf hin, daß es im Zusammenhang mit der paulinischen Mission als ein terminus technicus zu betrachten ist.

Eine spezifische Konnotation erhält in Lk-Apg auch die zeitliche Bestimmung ἐν ταῖς ἡμέραις ὑμῶν aus Hab 1,5. Verstanden sind hierunter die Tage eschatologischer Erfüllung, die Tage des heilsgeschichtlichen καιρός. H. Schürmann vermutet, daß Hab 1,5 (LXX) vor allem die Diktion des programmatischen Verses Lk 1,1 beeinflußt hat, da u. a. das uns hier begegnende ntl. Hapax-Legomenon διήγησις offensichtlich in Anlehnung an die Verbform ἐκδιηγῆται des Habakukzitats gewählt worden ist.[76] Apg 15,3 zeigt, daß Lukas das Verbum ἐκδιηγεῖσθαι, dem hebr. Äquivalent entsprechend, im Sinne von „erzählen" verstanden wissen will.[77] „Erzählen" meint hier freilich nicht chronologische Berichterstattung, sondern deutende Wiedergabe des heilsgeschichtlichen Geschehens.

Zusammenfassung: Auch wenn auf den ersten Blick die in Apg 13,40f ausgesprochene Drohung dem Verlauf und dem Tenor der Rede nicht zu entsprechen scheint, so hat doch unsere Untersuchung gezeigt, daß diese Verse integrierender Bestandteil der Redekomposition sind. In folgenden Punkten zeigt sich dieser Zusammenhang:

– Es entspricht atl.-biblischer Gewohnheit, das Gewicht einer abschließenden Segensverheißung durch die folgende Androhung eines Fluches zu unterstreichen. In negativer Umschreibung ist in vv. 40f noch einmal die Aufforderung enthalten, doch dem Werke Gottes Glauben zu schenken. So gesehen ist der antithetische Schluß in vv. 38–41 für jüdische Ohren durchaus nicht ungewohnt.

– Mag diese Form des Redeschlusses auch traditionell sein, so beweist der Prediger in der Auswahl des Schriftzitats und seiner situationsgerechten Anpassung wieder einmal seine Eigenständigkeit und sein literarisches Geschick.

Zunächst sind die Einleitung und die Zitationsformel zu Hab 1,5 von ihm so redigiert, daß der Eindruck eines Unheilsorakels noch verstärkt wird.

Unter verschiedener Hinsicht hat dieses Hab.-Zitat, das ansonsten weder im NT noch in der zeitgenössischen jüdischen Literatur herangezogen wird, die Aufmerksamkeit des Redaktors gefunden.

Das ihm von der LXX-Version angebotene Stichwort οἱ καταφρονηταί war wohl zunächst für die Auswahl entscheidend. In diesem Vokativ findet das wichtige Verstokkungsmotiv seinen Ausdruck, das nicht nur den Schluß der antiochenischen Rede, sondern auch den der gesamten Apg bestimmt (vgl. Apg 28,25–27). Die Verächter nehmen Anstoß an der soeben angekündigten eschatologischen Großtat Gottes: dem universalen Heilsangebot.

– Der Emphase, mit der der Prediger die deutende Erzählung der Heilsgeschichte (vgl. ἐκδιηγῆται in v. 41 bzw. Hab 1,5) in vv. 17–37 vorgetragen und immer wieder Gott als Subjekt herausgestellt hat, entsprechen die auf ihn zurückzuführenden Änderungen des Hab.-Zitats: die Umstellung von ἐγώ (= θεός) und die eingeführte Verdoppelung des Begriffs ἔργον. Nach all den vorbereitenden Heilstaten, von denen die Rede war, ist das uni-

---

75 Vgl. Apg 13,2.41; 14,26; 15,18.38.
76 Vgl. *H. Schürmann,* Luk 7.
77 Der TM hat in Hab 1,5 jᵉsuppār. Vgl. mit Hab 1,5 (LXX) Ps 118,17 (ἐκδιηγήσομαι τὰ ἔργα κυρίου); Sir 18,5 (τὶς προσθήσει ἐκδιηγήσασθαι τὰ ἐλέη αὐτοῦ); vgl. fernerhin Sir 36,7; 42,15.17.

versale Heilsangebot, das jetzt in der Gegenwart ergeht (vgl. ἐν ταῖς ἡμέραις ὑμῶν in v. 41 bzw. Hab 1,5), das größte und alles vollendende ἔργον θεοῦ, auf das die Deutung der erhöhenden und groß-machenden Taten Gottes in der Geschichte Israels (vgl. bes. ὕψωσεν in v. 17) hinausläuft; so bezeichnet ἔργον im Kontext der antiochenischen Rede die Mission Pauli und Barnabas', die letztlich ein Werk Gottes ist.

– Dem einleitenden Thema von der Erwählung und dem Wachsen des Volkes Israel (vgl. v. 17) entspricht – wie ein Kontrapunkt – die abschließend angedrohte Verwerfung und Ausrottung (vgl. ἀφανίσθητε in v. 41 mit Apg 3,23!).

Es ist, als wisse der Prediger schon um die sich steigernde Verstockung Israels und die daraus folgende Hinwendung zu den Heiden. Deutlich wird jedenfalls, daß die Dramatik dieser Rede das nachfolgend beschriebene Geschehen einbegreift.

3. DIE HINWENDUNG ZU DEN HEIDEN (vgl. APG 13,46f)

Es besteht unter den heutigen Acta-Interpreten Einigkeit darüber, daß sich von der Exegese der Verse Apg 13,46f her das tiefere Verständnis des Redeabschlusses (Apg 13,41) und des nachfolgend beschriebenen Geschehens (vgl. Apg 13,42–52) eröffnet.[78] Wir wollen darum der Exegese dieser beiden Verse im folgenden Abschnitt unsere besondere Aufmerksamkeit widmen.

Es ist wohl der dramatische und gleichzeitig dunkel-rätselhafte Schlußsatz der Rede (vgl. v. 41), welcher bei den Zuhörern den Wunsch aufkommen läßt, über „diese Dinge" (vgl. v. 42) am nächsten Sabbat wieder zu hören. τὰ ῥήματα ταῦτα (v. 42) dürfte darum wohl nicht auf die Rede insgesamt zu beziehen sein, sondern nur auf das abschließende Zitat, das einer weiteren Erklärung bedarf. Als Subjekt zu dem Prädikat dieses Verses παρεκάλουν muß man wohl οἱ ἀρχισυνάγωγοι ergänzen, da nur den Synagogenvorstehern das Recht zustand, eine solche Einladung auszusprechen (vgl. Apg 13,15).[79]

Mag es auch zunächst den Anschein haben, als seien v. 42 und v. 43 Dubletten, so werden doch jeweils verschiedene Szenen beschrieben: die erste (v. 42) spielt sich in der Synagoge ab, die zweite (v. 43), modern ausgedrückt, „draußen vor der Kirchentür".[80]

Beide Szenen sind vorbereitend. Lukas spricht noch nicht von Bekehrungen, sondern nur von dem wachsenden Interesse, das Paulus sowohl bei Juden als auch bei Proselyten findet. Die Imperfektform ἔπειθον (v. 43) ist darum auch als impf. de conatu zu interpretieren: Paulus und Barnabas versuchten, die vielen Juden und Proselyten, die ihnen folgten, dahinzubringen, „bei der Gnade Gottes zu bleiben" (v. 43).

Enthalten ist in der Wendung ἔπειθον αὐτοὺς προσμένειν τῇ χάριτι τοῦ θεοῦ also nicht eine Aufforderung zur Glaubenstreue[81], denn vom Akt des Gläubigwerdens ist erst in v. 48 die Rede. Der genannten Formulierung läßt sich nur entnehmen, daß Paulus unter der Zuhörerschaft Anhänger gefunden hat, solche, denen „der Herr das Herz geöffnet hat", so daß sie aufmerksam den Worten des Paulus lauschten (vgl. Apg 16,14); χάρις τοῦ θεοῦ steht für εὐαγγέλιον τῆς χάριτος τοῦ θεοῦ (vgl. Apg 20,24; siehe auch Apg 14,3).

In vv. 44f zeigt sich schließlich deutlich der *idealtypische* Charakter der lukanischen Darstellung: Fast die ganze Stadt hat sich versammelt, um die christliche Botschaft zu hören (vgl. v. 44). Daß es sich hier nicht nur mehr um Juden und Proselyten handelt, versteht sich bei ei-

---

78 So *J. Dupont,* Je t'ai établi lumière des nations. Ac 13,14.43–52 (AssSeign 25) Paris 1969, 19; *J. Jervell,* Das gespaltene Israel und die Heidenvölker: StTh 19 (1965) 88–90; *U. Wilckens,* Missionsreden³ 70f.
79 Vgl. Bill. IV 1, 146.
80 So *E. Haenchen,* Apg 355.
81 Diesen Sinn hat die Formulierung παρακαλοῦντες ἐμμένειν τῇ πίστει in Apg 14,22!

ner solchen Aussage von selbst; angedeutet ist schon die Gegenwart der ἔθνη, von denen in der Folge die Rede ist (vgl. vv. 46–48). Moderne Fragen danach, wie z. B. der große Zustrom zu erklären ist, oder wie die Synagoge die Massen überhaupt fassen kann, bleiben unbeantwortet. Es soll allein herausgestellt werden, daß es sich hier um ein großes, repräsentatives Geschehen handelt.[82]

Der Anblick der Scharen erregt die Eifersucht der Juden; vorausgesetzt wird also, daß all diese Menschen sich dem christlichen und nicht dem jüdischen Glauben anschließen wollen, m. a. W.: Lukas geht von einer schon vollzogenen Trennung zwischen Kirche und Synagoge aus. Die Schmähungen der Juden (vgl. v. 45: βλασφημοῦντες) richten sich mithin auf die christliche Heilslehre,[83] nach der jedem, der glaubt, der Weg zum Heil offensteht (vgl. v. 39).[84]

v. 46a: παρρησιασάμενοί τε ὁ Παῦλος καὶ ὁ Βαρναβᾶς εἶπαν
　　　　ὑμῖν ἦν ἀναγκαῖον πρῶτον λαληθῆναι τὸν λόγον
　　　　τοῦ θεοῦ

Mit v. 46 wird die große Wende eingeleitet. Das Partizip παρρησιασάμενοι darf man nicht parataktisch auflösen,[85] sondern muß es modal, als gleichbedeutend mit μετὰ παρρησίας, interpretieren.[86] Lukas hat in v. 46a offensichtlich deshalb die partizipiale Konstruktion bevorzugt, um dem Leser den Gegensatz zum vorhergehenden βλασφημοῦντες (v. 45) zu verdeutlichen: παρρησιασάμενοι ... εἶπαν (v. 46a) erscheint so als Kontrastparallele zu ἀντέλεγον βλασφημοῦντες (v. 45). Das enklitische, besonders in der Apg beliebte τε[87] hat die Funktion, diesen Kontrast zu unterstreichen.[88]

Inhaltlich will παρρησιασάμενοι ein dreifaches besagen:
1. daß die Erklärung Pauli und Barnabas' in aller Öffentlichkeit geschieht (vgl. v. 44);
2. daß sie, da gegen eine feindliche Zuhörerschaft gerichtet (vgl. v. 45), mit Freimut vorgetragen wird und
3. daß sie im Namen Jesu ausgesprochen wird (vgl. v. 47).[89]

Die Bedeutung des Gesagten wird dadurch hervorgehoben, daß nun auch Barnabas ausdrücklich erwähnt wird; die Anklage Pauli wird durch einen zweiten Zeugen gestützt und wird so zu einem objektiven Testimonium (vgl. Mt 18,16). Ein solches gemeinsames Auftreten entspricht zudem dem Auftrag des Herrn (vgl. Lk 10,1–11).

Daß Paulus, der inzwischen in die Stellung des großen Missionars hineingewachsen ist und darum nicht mehr unter dem Namen Σαῦλος, sondern unter dem bekannteren römischen

---

82 Siehe dazu *E. Haenchen*, Apg 355f.
83 βλασφημέω wird in Lk-Apg nur in religiösem Sinn verwendet: vgl. Lk 12,10; 22,65; 23,29; Apg 18,6; 19,37; 26,11.
84 παρρησιάζομαι ist ein typischer Acta-Terminus, der, absolut gebraucht, den Sinn von „freimütig predigen" hat: vgl. Apg 9,27f; 14,3; 18,26; 19,8; 26,26. Er findet sich ansonsten nur noch in Eph 6,20 und 1 Thess 2,2.
85 Vgl. damit Röm 9,30–33! Paulus ergeht es so wie Jesus in Nazareth: „It is not so much that Jesus goes elsewhere because he is rejected as that he is rejected because he announces that it is God's will and his mission to go elsewhere": *R. C. Tannehill*, The Mission of Jesus 62. Zur Parallelität im Ausdruck vgl. Lk 4,28 (ἐπλήσθησαν πάντες θυμοῦ) mit Apg 13,45 (ἐπλήσθησαν ζήλου); Lk 4,29 (ἐξέβαλον αὐτόν) mit Apg 13,50 (ἐξέβαλον αὐτούς).
86 Vgl. Apg 2,29; 4,29.31; 28,31.
87 Die Partikel τε wird im NT weitaus am häufigsten vom Verfasser der Apg gebraucht (circa 170 mal): vgl. *N. Turner*, Grammar 338.
88 Siehe dazu auch die Bemerkung von B. Weiss: „Mit dem Verhalten der Juden verbindet sich durch τε absichtsvoll aufs engste als seine notwendige Folge die freimütige Erklärung des Paulus": *B. Weiss*, Apg 177.
89 Vgl. dazu *H. Schlier*, παρρησία, ThW V, 880f.

cognomen Παῦλος erscheint,[90] in v. 46a zuerst genannt wird, entspricht dem Verlauf der antiochenischen Mission (vgl. auch v. 50); bisher hatte es immer geheißen: Βαρναβᾶς καὶ Σαῦλος;[91] auf diese Weise wird mit der Pauluspredigt auch in dieser Hinsicht eine Wende eingeleitet.

Der Nachdruck auf das Dativobjekt hat die emphatische Voranstellung von ὑμῖν bewirkt. Man wird hier nicht interpretieren dürfen, daß die Juden mehr als alle anderen der Verkündigung des Wortes Gottes bedurft hätten; die Satzstellung veranschaulicht nur den heilsgeschichtlichen ordo, nach dem zuerst den Juden das Heilswort verkündigt werden mußte.[92]

Entsprechend ist auch das ungewöhnliche ἦν ἀναγκαῖον im Sinne von 1 Kor 9,16 als ein göttliches „Muß" zu verstehen.[93] Daß dieses heilsgeschichtliche Prinzip imperfektisch formuliert wird, bedeutet noch keineswegs, daß dieses πρῶτον mit v. 46a grundsätzlich aufgehoben ist, da sich ja Paulus auch bei seiner weiteren Mission immer wieder zunächst an die Juden wendet.[94] Erst Apg 28,28 spricht von einer endgültigen Wende.

v. 46b: ἐπειδὴ ἀπωθεῖσθε αὐτὸν καὶ οὐκ ἀξίους κρίνετε
   ἑαυτοὺς τῆς αἰωνίου ζωῆς,
   ἰδοῦ στρεφόμεθα εἰς τὰ ἔθνη.

Die den Nebensatz einleitende Konjunktion ἐπειδή ist kausal aufzufassen,[95] wenngleich ihre kausale Bedeutung anschließend durch v. 47 etwas relativiert wird: der entscheidende Grund für die Hinwendung der Missionare zu den Heiden ist ein Befehl des Herrn.

Sehr signifikant ist die Verwendung des LXX-Terminus ἀπωθέομαι, denn mit diesem Verbum hatte Lukas in Apg 7,39 die Reaktion der israelitischen Väter auf die λόγια ζῶντα des mosaischen Gesetzes umschrieben;[96] das Wort Gottes stößt bei den Juden Antiochiens auf den gleichen Widerstand.

Das präsentische ἀπωθεῖσθε bezeichnet dabei nicht einen einmaligen Akt, sondern eine innere Haltung: die antiochenischen Juden sind „Verächter" des Heilswortes (vgl. v. 41 = Hab 1,5; Jer 23,17). So erachten sie sich des ewigen Lebens für unwürdig (οὐκ ἀξίους κρίνετε ἑαυτοὺς τῆς αἰωνίου ζωῆς); beides steht in einem inneren Zusammenhang: des ewigen Lebens wert wird der Mensch dadurch, daß er das Wort Gottes aufnimmt. In biblisch-jüdischer Terminologie kommt hier der Grundgedanke zum Ausdruck, der anschließend in v. 48 positiv formuliert wird: daß der Mensch durch den Glauben in das ewige Leben eintritt.[97] Die ζωὴ αἰώνιος ist Gegenstand der eschatologischen Erwartung und bezeichnet das zukünftige, un-

90 So zum erstenmal in Apg 13,9: Σαῦλος δέ, ὁ καὶ Παῦλος: vgl. dazu E. Haenchen, Apg 342.
91 Vgl. Apg 12,25; 13,2.7.
92 Vgl. Apg 13,16.23.26.32f.38; siehe auch Apg 3,26; Röm 1,16; 2,9f.
93 Siehe zu 1 Kor 9,16 die Erklärung bei W. Grundmann, ἀναγκάζω, ThW I, 350: „Seinen Inhalt hat dieses Muß darin, daß ihm [= Paulus] ein Stück des göttlichen Heilsplanes anvertraut ist." Wenn S. Schulz Apg 13,46 vom heidnischen Ananke- bzw. Fatumsdenken her interpretiert (vgl. S. Schulz, Gottes Vorsehung 109), übersieht er, daß Paulus sein Verhalten mit einem persönlichen Auftrag Christi begründet: vgl. Apg 13,46f.
94 Vgl. Apg 14,1; 16,13; 17,1.10.17; 18,4.19; 19,8; 28,17.23.
95 Die Konjunktion ἐπειδή verwendet von den Evangelisten allein Lukas; nur in Lk 7,1 wird sie in temporalem Sinn verwendet, sonst immer in kausalem.
96 Das Verb ἀπωθέομαι wird in Apg 7,39 zwar absolut gebraucht, doch ergibt sich die Beziehung auf Μωϋσῆς bzw. λόγια ζῶντα (vgl. Apg 7,38f) unmittelbar aus dem Kontext. Von großem biblisch-theologischem Belang ist, daß die LXX ἀπωθέομαι zumeist auf die Verwerfung Israels durch Gott bezieht (vgl. die dazu bei Hatch-Redpath I 151 aufgeführten Stellen) oder auf die Verstockung des Volkes Israel gegenüber Jahwe und seinen Geboten: vgl. u. a. Jer 6,19; 23,17; Ez 5,6; 20,13.16.24.
97 Jedweder Verdienstgedanken ist bei ἄξιος durch den Charakter des Evangeliums selbst ausgeschlossen. Zur biblisch-jüdischen Ausdrucksweise vgl. Bill. I 129; II 254.

zerstörbare Auferstehungsleben (vgl. v. 35). Die Glaubenden besitzen also noch nicht das ewige Leben, sind indessen dafür bestimmt (vgl. τεταγμένοι in v. 48).[98]

Die Wortwahl des ἰδού-Satzes scheint schon durch Jes 49,6 (LXX) bestimmt zu sein. So könnte auch erklärt werden, warum Lukas bei dem anschließenden Zitat das einleitende ἰδού nicht mitübernommen hat.

Dieses ἰδού ist in mancher Hinsicht bemerkenswert. Bekanntermaßen wiederholt Paulus noch zweimal seine Absage an die Juden (vgl. Apg 18,6; 28,28), doch allein in v. 46 findet sich das feierliche ἰδού, das schon deshalb ungewöhnlich ist, weil es im Satzgefüge von v. 46 den Hauptsatz einleitet.[99] Eine Übersicht über den Gebrauch dieses ἰδού im NT zeigt, daß es vor allem ,,Verkündigungswörter" wie ἀναβαίνειν, παραδίδοσθαι, ἐγγίζειν, νικᾶν u. a. hervorhebt.[100] Als Interjektion, die auf Verkündigung abzielt, signalisiert ἰδού dem Leser bzw. Hörer jeweils eine heilsgeschichtliche Wende (vgl. v. 25!) oder auch die Erfüllung von Verheißungen;[101] für v. 46 trifft beides zu.

Die beiden Aussagen ,,sich abwenden von" und ,,sich hinwenden zu" scheinen sich gegenseitig zu bedingen. So begegnet uns die Wortverbindung ἀπωθέομαι-στρέφομαι bezeichnenderweise schon in Apg 7,39. Es kann nicht ausgeschlossen werden, daß Lukas sich in der Wortwahl wiederum durch Jes 49,6 beeinflussen ließ, da sich hier der Infinitiv ἐπιστρέψαι findet.

Mit einer an Sicherheit grenzenden Wahrscheinlichkeit gilt das für den Terminus ἔθνη; in jedem Fall muß der Sinn von ἔθνη in v. 46 aus Jes 46,6 bestimmt werden: hier aber sind unter ἔθνη die Heiden, d. h. die nichtjüdischen Völker verstanden.

v. 47a: οὕτως γὰρ ἐντέταλται ἡμῖν ὁ κύριος

Der Übergang der Mission zu den Heiden wird letztlich mit einem Befehl des Herrn begründet. Die Argumentation in vv. 46f ist sehr subtil, da sie sich gleichsam auf einer dreifachen Ebene bewegt:

Nachdem zunächst in v. 46 die Hinwendung zu den Heiden aus der ablehnenden Haltung der antiochenischen Juden abgeleitet worden war, rechtfertigen die Missionare ihr Verhalten in v. 47 mit einem Befehl des Herrn, der sich aber wiederum auf ein atl. Gotteswort gründet. Damit ist klargestellt, daß die Heidenmission ihren letzten Grund nicht in dem Scheitern der Judenmission hat, sondern in dem Willen Gottes. Davon unberührt bleibt die Feststellung, daß das Heil eben auf diesem Weg zu den Heiden gekommen ist. Die Verstockung der antiochenischen Juden war der unmittelbare Anlaß für die Heidenmission, schlug also zum Heil der ἔθνη aus (vgl. Röm 11,11).

An die Stelle des gebräuchlichen γέγραπται[102] tritt in der Zitationsformel das ungewöhnliche, aber dem Kontext sehr entsprechende ἐντέταλται: das Schriftwort soll ja dem Herrn selbst als Befehl in den Mund gelegt werden; κύριος mit Artikel bezieht sich in der Apg immer auf Christus.[103]

Das Prädikat ἐντέταλται verweist den Leser auf Apg 1,2, die einzige Stelle der Apg, in der das Verbum ἐντέλλομαι sonst noch verwendet wird. Die Konstruktion von Apg 1,2 bereitet den Exegeten nicht geringe Schwierigkeiten, doch besteht Einigkeit darüber, daß die Partizipialform ἐντειλάμενος in Lk 24,44–49 ihre inhaltliche Erklärung findet.[104] Unter dem Auf-

---

98 Auch hier handelt es sich um eine jüdische Wendung: vgl. Bill. II 726f. Man darf hier keine Prädestinationslehre hineinlesen; zum Ausdruck gebracht werden soll die Souveränität Gottes als den Herrn über Leben und Tod: vgl. *R. Bultmann*, ζάω, ThW II, 865.
99 Vergleichbare Beispiele in den Redepartien des NT finden sich nur in Joh 3,26 und Gal 1,20.
100 Siehe dazu *P. Fiedler*, Die Formel ,,Und Siehe" 82 Anm. 289.
101 Vgl. *ebd.* 82f.
102 Vgl. unmittelbar zuvor Apg 13,33; siehe ferner Apg 1,20; 7,42; 15,15; 23,5.
103 So bei *M. Zerwick*, Analysis 288.
104 Vgl. *E. Haenchen*, Apg 107.

trag des Herrn ist also letztlich der Missionsbefehl verstanden, der in Apg 1,8 noch einmal (vgl. Lk 24,47f) programmatisch für die Apg formuliert wird. Auf die Frage, wie Paulus und Barnabas, die doch bei der Himmelfahrt des Herrn nicht anwesend waren, diesen Befehl Jesu auf sich beziehen können, wird noch ausführlich einzugehen sein, doch bleibt festzustellen, daß Apg 13,47 einen deutlichen Rückverweis auf Apg 1,2.8 enthält.

Beachtung verdient, daß in v. 47a die Perfektform verwendet wird, möglicherweise in Angleichung an das folgende τέθεικα. Zum Ausdruck kommt damit, daß der einst gegebene Auftrag Jesu als ein beständiges Gebot gilt.

Dieses Gebot hat göttliche Autorität. In der LXX steht das sehr häufig vorkommende Verbum ἐντέλλομαι fast ausschließlich für einen göttlichen Befehl; Subjekt ist in der Regel ὁ θεός bzw. ὁ κύριος.[105] Lukas lehnt sich in der Zitationsformel eindeutig an den LXX-Sprachgebrauch an, denn auch in der LXX ist das Subjekt zu Jes 49,6 κύριος (vgl. Jes 49,1.5).

v. 47b: Τέθεικά σε εἰς φῶς ἐθνῶν
    τοῦ εἶναί σε εἰς σωτηρίαν ἕως ἐσχάτου τῆς γῆς.

Folgt man dem LXX-Text, wie er von J. Ziegler dargeboten wird, so entspricht das Zitat von Jes 49,6 in v. 47b bis auf das nicht mitübernommene ἰδού genau der Vorlage.[106] Die Bestimmung εἰς διαθήκην, die sich in der Rahlfs-Edition findet, wird von J. Ziegler als Einschub aus Jes 42,6 betrachtet und gestrichen; sie findet im TM ohnehin keine Stütze. Doch ist nicht mit Sicherheit auszumachen, welche LXX-Version Lukas vorgelegen hat. Die Möglichkeit, daß der Verfasser der antiochenischen Rede auch hier (vgl. v. 34 mit Jes 55,3) den Bundesgedanken bewußt fallengelassen hat, muß darum offenbleiben; immerhin ist im Kontext von Jes 49,6 unzweifelhaft von der διαθήκη ἐθνῶν die Rede (vgl. Jes 49,8).[107]

Bezüglich der 2. Zeile des Schriftzitats ist die LXX-Überlieferung einheitlich; die Apg stimmt hier wörtlich mit ihr überein.

Indessen findet sich im LXX-Text eine bedeutsame Abwandlung des TM. Während es im hebr. Text heißt lihᵉjôt jᵉšûˁātî ˁad qᵉṣēh hāˀāreṣ (= daß mein Heil bis an die Grenzen der Erde reiche), übersetzt die LXX: τοῦ εἶναι σε εἰς σωτηρίαν ἕως ἐσχάτου τῆς γῆς (= damit du (!) das Heil seiest bis an die Grenzen der Erde). Im Unterschied zum TM *personifiziert* die LXX das Heil mit dem Gottesknecht selbst; für den Prädikatsnominativ σωτηρία tritt hier, durch das semitische lᵉ bedingt, εἰς c. acc. ein. Die Frage lautet nun, wer dieser δοῦλος ist.

Nach Jes 49,3 ist der δοῦλος identisch mit Israel, in Jes 49,5 jedoch wird er von Israel und Jakob abgehoben. Im Kontext von Jes 49,6 wird also der Gottesknecht einmal als korporative, dann wieder als individuelle Persönlichkeit verstanden. Mag dieser Tatbestand auch von uns heute als verwirrend empfunden werden, so ist doch seine Berücksichtigung für das rechte Verständnis von Jes 49,6 bzw. Apg 13,47 unerläßlich.[108] Vom hebr.-atl. Denken her eröffnet sich so die Möglichkeit, das Akkusativobjekt σε sowohl kollektiv wie individuell zu deuten. Die Alternative also, ob sich das Jesajazitat auf die Missionare oder auf Jesus bezieht,[109] ist falsch gestellt. Will man dem lukanischen Verständnis des Zitats gerecht werden, so muß man es auf beide beziehen.

Die Parallelität zwischen der Situation der Apostel in Antiochien und der des Gottesknech-

---

105 Vgl. dazu die bei Hatch-Redpath I 477–479 aufgeführten Stellen; in Jes findet sich das Verb allerdings recht selten (8mal).
106 Siehe dazu *T. Holtz*, Untersuchungen 32f, *P. S. White*, Prophétie 402f und *E. Haenchen*, Apg 356 („Nicht LXX-Text") halten sich einseitig an die Rahlfsedition.
107 Sollte Lk 2,32 ein Verweis auf Jes 42,6 sein, so wäre dies ein zusätzliches Argument dafür, daß Lukas den Bundes-Begriff, zumal im Hinblick auf die Heiden, nicht verwenden will; die Wendung εἰς διαθήκην γένους (Jes 42,6) findet sich nicht in Lk 2,32.
108 So auch bei *P. S. White*, Prophétie 407–409.
109 So u. a. bei *H. Conzelmann*, Apg 86, und *E. Haenchen*, Apg 356.

tes nach Jes 49,1–6 ist frappant. Wie der Gottesknecht nach dem Scheitern seiner Mission an Jakob und Israel (vgl. Jes 49,4) aufgefordert wird, seine Berufung, nämlich „Licht der Heiden" zu sein, wahrzumachen, so fühlen sich auch Paulus und Barnabas nach ihrem vergeblichen Mühen um die antiochenischen Juden vom Herrn dazu autorisiert, sich nun den Heiden zuzuwenden.

Von der Einleitungsformel und vom Kontext her legt es sich nahe, Jes 49,6 also zunächst auf die Missionare und hier wiederum besonders auf Paulus hin zu interpretieren, denn gerade seine Berufung wird von der Apg in Anlehnung an die Sendung des Gottesknechtes beschrieben.[110]

Wenn Paulus Jes 49,6 zur Begründung seiner Mission heranzieht, so kann das nicht bedeuten, daß er sich selbst als Licht der Heiden versteht, wohl aber ist damit gesagt, daß er seine Verkündigung als Zeugnis von seiner eigenen Christuserfahrung begreift.

Den konkreten Hintergrund für v. 47 gibt das Damaskuserlebnis ab. Paulus überträgt das Lichtmotiv auf Christus, da der Herr ihm als Licht vom Himmel, als Auferstandener und Verklärter erschienen ist.[111] Hatte Paulus in der antiochenischen Rede noch von der ihm zuteilgewordenen Erscheinung geschwiegen (vgl. vv. 31f), so beruft er sich nun, da sich die entscheidende Wende zur Heidenmission vollzieht, ausdrücklich auf sein besonderes Bekehrungserlebnis, das für ihn gleichbedeutend war mit seiner Bestellung zum Apostel der Heiden.[112]

Wie sehr die Damaskuserfahrung die Verkündigung Pauli bestimmte, zeigt sich nicht zuletzt darin, daß er analog zu seiner eigenen Bekehrung (vgl. Apg 9,17f; 22,13) die Umkehr der Heiden als Übergang von der Finsternis zum Licht beschrieb (vgl. Apg 26,17f).

Das Damaskuserlebnis schließlich erklärt, daß Paulus in Apg 13,47 die sich in Jes 49,6 findende Identifikation von φῶς und σωτηρία aufgreifen und nachvollziehen konnte.

Wie die Wendungen εἰς φῶς und εἰς σωτηρίαν, so stehen auch die Bestimmungen ἐθνῶν und ἕως ἐσχάτου τῆς γῆς parallel zueinander und erklären sich gegenseitig. W. C. van Unnik hat schlüssig nachgewiesen, daß unter letzterem Ausdruck der äußerste Rand der Erdscheibe zu verstehen ist.[113] Gilt auch für die Apg Rom als Zentrum der Heiden,[114] so ist mit der Verkündigung der christlichen Botschaft in dieser Stadt der Auftrag des Herrn keineswegs schon erfüllt: Von Rom aus soll nun das Zeugnis der Boten Jesu die gesamte Erde durchmessen (vgl. Apg 28,28).

Die Interpretation von Jes 49,6 auf die Missionare, besonders auf Paulus hin schließt ein christologisches Verständnis dieses Zitats durchaus ein; durch seine Verkündigung will Paulus Christus zu den Heiden bringen. Der λόγος σωτηρίας (vgl. v. 26) erhält somit einen „hypostatischen" Charakter; im Heilswort ist der σωτήρ selbst gegenwärtig. Von dieser lukanischen Wort-Theologie her eröffnet sich auch das Verständnis von Apg 26,18.23: die Sendung Pauli (vgl. Apg 26,28) ist die gleiche wie die des auferstandenen Herrn (vgl. Apg 26,23), oder besser gesagt: der Apostel predigt „im Namen" des Auferstandenen.[115]

---

110 Vgl. Apg 9,15; 22,21; 26,18 mit Jes 49,2.6. Vgl. auch Jes 49,1.5 (Jer 1,5) mit Gal 1,15! τίθημι im Sinne von „berufen" (durch Gott) findet auch in 1 Tim 2,7 und 2 Tim 1,11 Verwendung: auch hier handelt es sich konkret um die Berufung Pauli zum Apostel der Heiden: vgl. 1 Tim 2,7.

111 Apg 9,3; 22,6; 26,16.

112 Nach Apg 26,16 und 22,15 muß die Verkündigung Pauli das Zeugnis von seiner Christusvision einschließen; in Apg 13,46f kommt Paulus diesem Auftrag des Auferstandenen nach.

113 *W. C. van Unnik*, ῈΩΣ ἘΣΧΑΤΟΥ ΤΗΣ ΓΗΣ (Apostelgeschichte 1,8) und sein alttestamentlicher Hintergrund, in: Studia biblica et semantica T. C. Vriesen dedicata, Wageningen 1966, 335–349.

114 Siehe dazu *J. Dupont*, Le salut, in: Études 403f.

115 Zuletzt sind diese Gedanken sehr gut von *C. P. März* herausgearbeitet worden: vgl. *C. P. März*, Das Wort Gottes bei Lukas (Erfurter Theologische Schriften 11) Leipzig, 1974, 11–17. Die Interpretation von J. Jerwell, der in den Aposteln Paulus und Barnabas die Repräsentanten Israels sieht (vgl. *J. Jervell*, Das gespaltene Israel 89), widerspricht fundamental dem lukanischen Zeugnis- und Verkündigungsbegriff.

So muß auch die Berufung Pauli zum Heidenapostel eng zusammengesehen werden mit der Einsetzung Jesu in die universale Herrschaft; m. a. W.: Die christologische Interpretation von Jes 49,6 muß eine *österliche* sein, denn Licht der Heiden wurde Jesus durch die Auferstehung (vgl. Apg 23,26).

M. A. Chevallier hat zwischen Jes 49,1–6 und Ps 2 eine Reihe auffallender Parallelen entdeckt.[116] Gemeinsam ist beiden Texten vor allem die universalistische Tendenz, die primär in Ps 2,8 und Jes 49,6 zum Ausdruck kommt; in beiden Versen finden wir die Ausdrücke ἔθνη und τὰ πέρατα τῆς γῆς bzw. ἕως ἐσχάτου τῆς γῆς. So führt eine klare Verbindungslinie von Apg 13,47 (= Jes 49,6) zu Apg 13,33 (= Ps 2,7), denn die Einsetzung Jesu in die göttliche Sohnschaft ist gleichbedeutend mit dem Beginn seiner universalen Herrschaft (vgl. auch Ps 2,7 mit Jes 49,1!).

Daß Paulus mit dem Zitat von Jes 49,6 bewußt Bezug nehmen will auf seine vorausgegangene Predigt, zeigt schließlich ein Vergleich von Apg 13,47 mit Apg 13,34 bzw. von Jes 49,6 mit Jes 55,3, denn auch im Kontext von Jes 55,3 ist vom ἄρχων und προτάσσων ἔθνησιν die Rede (vgl. Jes 55,4).

Sofern Paulus seine eigene Berufung auf Christus, den auferstandenen Herrn, zurückführt, kann er sie nur universal verstehen; jedweder Heilspartikularismus würde dem Sinn des Ostergeschehens widersprechen. Apg 13,47 bildet den Höhepunkt der Darstellung von der antiochenischen Mission, da nun, in der Einbeziehung der Heiden, die Auferstehungsbotschaft aktualisiert und in ihrer vollen Bedeutsamkeit sichtbar wird.

Zusammenfassung: Die Darstellung, welche die Auswirkungen der antiochenischen Predigt beschreibt, ist vom Redaktor der Apg sehr eng mit der Pauluspredigt verknüpft worden. Unsere Exegese von Apg 13,46f hat folgende Verbindungslinien aufgezeigt:

– Wie in vv. 27–37 Tod und Auferstehung Jesu, so wird in vv. 46f auch die Hinwendung der Apostel zu den Heiden aus der Hl. Schrift begründet. Es ist wichtig, hier die inhaltliche Nähe von Jes 49,6 (vgl. Apg 13,47) zu Jes 55,3 (vgl. Apg 13,34) zu beachten: Beide Schriftworte, in ihrem Kontext gelesen, verheißen das universale Heil. Mag der Übergang der Mission zu den Heiden auch zunächst wie ein Bruch erscheinen, ist doch die Einbeziehung der ἔθνη in die Heilsgemeinschaft nichts anderes als die letzte Erfüllung der ἐπαγγελία.

– Im Unterschied zum TM identifiziert die LXX in Jes 49,6 das Heil mit dem Gottesknecht selbst, sieht sie die σωτηρία konkret in diesem σωτήρ gegenwärtig. Diese Identifikation, die sich in ähnlicher Form in der Pauluspredigt findet (vgl. die Parallelität von σωτήρ bzw. λόγος σωτηρίας in v. 23 bzw. v. 26!), ist für den Redaktor der Apg von tiefer Bedeutung: Im Heilswort der Verkündigung (vgl. auch unsere Interpretation von v. 38) begegnet so dem Zuhörer der σωτήρ selbst.

– Die Heidenmission ist letztlich ermöglicht und begründet durch die Auferstehung, denn erst durch seine ἀνάστασις ist der σωτήρ Jesus in die universale Herrschaft eingesetzt worden (vgl. Apg 13,33). Beachtung verdient hier vor allem, daß den Texten Jes 49,1–6 (vgl. Apg 13,47) und Ps 2 (vgl. Apg 13,33) dieser universale Aspekt gemeinsam ist. So erscheint nach vv. 46f die Heidenmission in dem österlichen Licht von v. 33.

– Schließlich verweist die Darstellungsweise auf den idealtypischen Charakter dieses Geschehens. Wie nach vv. 16a.17 die jüdische Zuhörerschaft für das Volk Israel steht, so sieht der Verfasser der Apg in vv. 46f in dem Hinzutreten der antiochenischen Heiden eine große, repräsentative heilsgeschichtliche Wende. Die universale Mission, die der Prediger

---

116 Vgl. *M. A. Chevallier*, L'Esprit et le Messie dans le Basjudaïsme et le Nouveau Testament, Paris 1958, 6f.

Paulus von allem Anfang an im Blick hat (vgl. schon die Erwähnung der φοβούμενοι τὸν θεόν in v. 16b), wird beschrieben als Verwirklichung des großen Missionsbefehls, mit dem das Lk-Ev abschließt und die Apg beginnt (vgl. Lk 24,47 und Apg 1,2.8).

Ergebnis unserer Analyse von Apg 13,38–41.46f ist also, daß der gesamte Redeabschluß *formal* und *inhaltlich* in Einheit mit den vorausgegangenen Ausführungen des Predigers steht.

7. Kapitel:
Theologische Leitgedanken in Apg 13,16–41. – Zusammenfassung

Zwar hat in den letzten Jahren, gerade was die protestantische deutsche Forschung betrifft, die pauschale Lukaskritik einer vielfach verständnisvolleren Beurteilung Platz gemacht,[1] doch darf man daraus nicht die Schlußfolgerung ziehen, daß *allgemein* einstmals bezogene Positionen aufgegeben oder wesentlich verändert worden wären.[2] Weitgehend läßt man sich nach wie vor leiten von der Prämisse, die einst E. Käsemann für die Interpretation der lukanischen Theologie aufgestellt hatte: ,,Man wird ihr nur gerecht, wenn man sich ihr von der Antithese zwischen theologia crucis und theologia gloriae her nähert und darin das Zentralproblem aller christlichen Verkündigung aufwirft''[3]. Die so mit dem Vorzeichen einer *theologia gloriae* versehene lukanische heilsgeschichtliche Konzeption erfährt zwar heute mehr Verständnis, andererseits aber auch noch scharfe Kritik.[4] Nur wird der so kritisierte Theologe Lukas nicht mehr immer ausdrücklich beim Namen genannt.[5]

Natürlich ist es uns im Rahmen unserer Arbeit nicht möglich, zur gesamten heutigen Lukasdiskussion Stellung zu nehmen. Wir möchten nur von der Exegese der antiochenischen Predigt her einige Aspekte dieser Theologie abschließend darstellen und damit gleichzeitig den bibeltheologischen Ertrag unserer Analysen zusammenfassen. Ausgangspunkt unserer Darlegungen soll zunächst die Frage sein, welche theologischen Konsequenzen sich aus der aufgezeigten formalen und inhaltlichen Einheit der Rede ergeben. Wie ist die darin sich offenbarende Kontinuität der Heilsgeschichte zu begreifen? In einem zweiten Abschnitt greifen wir die vieldiskutierte Frage auf, welchen Ort das Kreuz in einer solchen, anscheinend bruchlosen historia salutis hat. Wird es in den λόγος σωτηρίας vom Verfasser der antiochenischen Rede wirklich einbezogen? Abschließend soll noch einmal die geschichtstheologische Konzeption der Paulusrede im Lichte des Schemas von Verheißung und Erfüllung reflektiert werden.

---

1 Vgl. *U. Wilckens,* Missionsreden[3] 189 Anm. 1.
2 Vgl. dazu die Forschungsübersicht bei *W. Eltester,* Israel im lukanischen Werk 76–93. So schreibt *U. Wilckens* in der neu erschienenen Auflage seines Buches, daß er ,,besonders auch was die Wertung der lukanischen Theologie betrifft'', der Sache nach ,,nichts zurückzunehmen'' habe: vgl. *U. Wilckens,* Missionsreden[3] 189 Anm. 1.
3 Vgl. *E. Käsemann,* Neutestamentliche Fragen von heute: ZThK 54 (1957) 21. Bezeichnenderweise ist das theologische Schlußkapitel bei U. Wilckens in der 2. Auflage seines Buches vornehmlich eine Auseinandersetzung mit E. Käsemann, der nach der Meinung dieses Autors die lukanische Theologie ,,nicht ohne Recht'' als theologia gloriae gegenüber der paulinischen theologia crucis beschrieben hatte: vgl. *ebd.* 217.
4 Vgl. *W. G. Kümmel,* Lukas in der Anklage der heutigen Theologie: ZNW 63 (1972) 149–165.
5 So muß man wohl den leidenschaftlichen Protest von G. Klein gegen die theologische Kategorie einer ,,Heilsgeschichte'' als massive Kritik am theologischen Programm des Lukas werten, auch wenn dieser nicht ausdrücklich von G. Klein genannt wird: vgl. *G. Klein,* Bibel und Heilsgeschichte. Die Fragwürdigkeit einer Idee: ZNW 62 (1971) 1–47; siehe auch *F. Hesse,* Abschied von der Heilsgeschichte (Theol. Studien 108) Zürich 1971. Der Beobachter gewinnt allerdings den Eindruck, daß G. Klein sich auf einem verlorenen Posten befindet, wenn er, von der Existenztheologie herkommend, eine heilsgeschichtliche Konzeption bei Paulus rigoros bestreitet: vgl. u. a. *E. Käsemann,* Paulinische Perspektiven, Tübingen 1969, 112; *W. Eltester,* Israel im lukanischen Werk 91; *E. Haenchen,* Apg 686f. Diese Paulusdeutung hat indessen noch nicht die Einseitigkeit in der Beurteilung von Lk-Apg entscheidend beheben können.

1. DAS SICH IN APG 13,16–41 REFLEKTIERENDE BIBLISCHE GESCHICHTSBILD

Die These, daß in der Apg eine *theologia gloriae* zur Darstellung komme, hat u. a. zur Konsequenz, daß man die Apg als den Siegeslauf der Erwählungsgeschichte sieht, der so mächtig ist, „daß er den Abfall und die Feindseligkeiten menschlicher Sünde ohne jede Schwierigkeit gleichsam hinwegräumt, wenn der heilsgeschichtliche καιρός dafür gekommen ist"[6]. Extrem sind nach unserer Ansicht die Äußerungen von S. Schulz zu diesem Thema. Wir möchten darauf näher eingehen, weil dieser Autor seine Auffassung vor allem durch die antiochenische Rede gestützt sieht.[7]

S. Schulz hebt sehr zu Recht hervor, daß diese Predigt einen programmatischen Einblick in das lukanische Geschichtsbild gewährt.[8] Das einzigartige dieser Rede besteht in der Tat darin, daß sie die Geschichte Israels, Jesusgeschehen und den gegenwärtigen Heilsempfang zusammenfassend zur Darstellung bringt. Nach einer Übersicht über Apg 13,16–41 zieht nun der Autor das Fazit, daß die hier dargestellte Heilsgeschichte nicht atl.-, spätjüdisch-, juden-christlich interpretierte Vorsehungsgeschichte sei, da sie ja von Gott geradezu *anankehaft* dirigiert werde. An die Stelle des freien Willens als des eigentlichen Fundaments von Erwählungsglaube und Toragabe trete hier die göttliche Prognosis, die den Geschichtsablauf plane und allen Widerständen zum Trotz zum Ziele führe; eine echte Glaubensentscheidung gegenüber dem Kerygma komme nach Lukas nicht mehr in Betracht.[9]

Auch ohne daß ausdrücklich ein Werturteil über die theologischen Vorstellungen der antiochenischen Rede abgegeben wird, bezieht S. Schulz doch klar und eindeutig Position. Seine Interpretation läuft im Grunde auf den Vorwurf hinaus, daß das lukanische Geschichtsbild nicht atl.-biblisch, sondern heidnisch ist. Die Deutung dieses Autors mag extrem sein, doch ist sie gerade als solche eine Illustration dafür, wohin eine Exegese führt, welche sich einem Acta-Text unkritisch von der Antithese theologia crucis-theologia gloriae her nähert.

S. Schulz trägt seine Behauptungen so massiv vor, daß man sich unwillkürlich zu der Frage provoziert sieht, ob er nicht ebenso massiv an der Grundintention dieser Predigt vorbeiinterpretiert. Wir möchten ihm gegenüber betonen, daß gerade diese Rede ein Beweis dafür ist, wie sehr der Autor von Apg 13,16–41 dem atl. Geschichtsbild und Gottesbild verhaftet ist.

So läßt sich doch nicht leugnen, daß gerade dem Erwählungsgedanken in dieser Rede eine fundamentale Bedeutung zukommt.[10] In der einleitenden Adresse werden die jüdischen Zuhörer mit dem Ehrennamen ἄνδρες ᾿Ισραηλῖται angesprochen; der Gott, von dessen Handlungen im folgenden die Rede ist, wird als der Gott τοῦ λαοῦ τούτου ᾿Ισραήλ (v. 17) bezeichnet. In aller Form ist hernach von der Erwählung die Rede, welche die beiden folgenden Sätze sachlich bestimmt und schließlich auf v. 23 abzielt, in dem das Thema der Rede angesprochen wird.[11]

Der Verfasser von Apg 13,16–41 hat nicht die Absicht, die Geschichte Israels lückenlos darzustellen, denn er leitet in v. 23 von David unmittelbar zu Jesus über; er schreibt also nicht als ein Historiker, dem es um den Aufweis irdischer Kausalzusammenhänge zu tun ist; von einer derart verstandenen Kontinuität oder Heilsgeschichte kann keine Rede sein.

Im übrigen sollte schon die Stephanusrede mit ihrem abrupten Schluß (vgl. Apg 7,51–53) davor warnen, dem Verfasser der antiochenischen Rede ein *ananke*haftes Verständnis der is-

---

6 *U. Wilckens,* Missionsreden[2] 217; ähnlich bei *W. Eltester,* Israel im lukanischen Werk 107–109; *E. Haenchen,* Apg 332 u. a.
7 Vgl. *S. Schulz,* Gottes Vorsehung bei Lukas: ZNW 54 (1963) 104–116 hier: 109–111.
8 Vgl. *ebd.* 109.
9 Vgl. *ebd.* 110.
10 Vgl. dazu auch *G. Delling,* Israels Geschichte 188.
11 Daß *B. Schulz* den Erwählungsgedanken in Apg 13,16ff leugnet, ohne zu sehen oder zu erwähnen, daß davon doch ausdrücklich die Rede ist, läßt unserer Ansicht nach auf eine systematische Voreingenommenheit schließen.

raelitischen Geschichte zu unterschieben, als ob dieses Volk gleichsam mit schicksalhafter Notwendigkeit zum Heile gelange und Gott Israels Geschichte so lenken könnte, daß sich sein Heilswille immer als sieghaft erweist. Lukas ist weit davon entfernt, die Geschichte des auserwählten Volkes aus der Perspektive einer so verstandenen theologia gloriae zu beschreiben. Wie könnte er auch sonst die Pauluspredigt in Antiochien mit Hab 1,5 enden lassen! *Israel bleibt in seiner Glaubensentscheidung frei.*

Partner Gottes ist nach Apg 13,16–41 nicht der einzelne Israelit, sondern das ganze Volk. Die Rede in Antiochien hat darum die Bekehrung ganz Israels (vgl. v. 24) im Blick. Das Verhalten dieser jüdischen Diasporagemeinde kann zwar nicht bestimmend sein für das Geschick des ganzen Volkes, doch ist es gleichsam *repräsentativ* für die sich immer wiederholende Reaktion der Juden auf das Angebot des λόγος σωτηρίας.[12] S. Schulz verkennt darum die Perspektive dieser Rede, wenn er Lukas nur für den voluntativen und moralischen Spielraum des einzelnen plädieren läßt.[13] Was ja Paulus unbegreiflich bleibt, ist gerade die sich hier abzeichnende Ablehnung des σωτήρ durch sein eigenes Volk, dem doch dieser Heiland zunächst zugesandt ist (vgl. Apg 13,46).

Das Problem der ungläubigen Juden bleibt in der Apg offen; Lukas gibt hierauf im Unterschied zu Paulus in Röm 9–11 keine Antwort.[14] Daß er in der Gemeinschaft der Gläubigen das wahre Israel verkörpert sieht (vgl. Apg 3,23) und von der Rettung vieler Juden weiß,[15] steht dieser Feststellung nicht entgegen. Insgesamt gibt die Apg den Eindruck wieder, daß die Judenmission Pauli letztlich scheitert.[16] Es ist darum wohl nicht richtig, wenn man bezüglich der Apg von einem unaufhörlichen Siegeszug des Wortes Gottes spricht, das allen individuellen und kollektiven Widerstand überwindet. Gott selbst scheint nach Apg 28,26f an seinem ungläubigen Volk zu verzweifeln!

Was die antiochenische Predigt (vgl. die häufigen Anreden: vv. 16.26.33.34.38.41) wie überhaupt die paulinische Mission prägt, ist die *Beständigkeit,* mit der das Heilswort immer wieder angeboten wird.[17] Gott bleibt seiner ἐπαγγελία treu; allein in dieser Hinsicht, daß nämlich die Verheißungstreue Gottes sich in der Geschichte Israels immer wieder manifestiert, läßt sich von Kontinuität sprechen.[18] Die betont positive Darstellung der israelitischen Geschichte bis hin zur Erweckung des σωτήρ, in dem sich die παράκλησις τοῦ Ἰσραήλ erfüllt (vgl. Apg 13,15; Lk 2,25),[19] hat darum nicht zum Ziel, die Vergangenheit dieses Volkes zu verklären, um so zu einer kontinuierlichen Heilsgeschichte zu kommen. Dem Verfasser geht es ja allein um die διήγησις (vgl. Apg 13,41 mit Lk 1,1) der μεγαλεῖα τοῦ θεοῦ (vgl. Apg 2,11), dessen Heilswillen die Geschichte Israels durchwaltet.[20]

---

12 So auch bei *E. Haenchen,* Apg 359f.

13 Vgl. *S. Schulz,* Gottes Vorsehung 110f.

14 Vgl. *W. Eltester,* Israel im lukanischen Werk 118f.

15 Vgl. Apg 1,15; 2,41.46f; 4,4; 5,12ff; 6,1.7; 9,31; 21.20.

16 So auch bei *U. Wilckens,* Missionsreden² 205; *E. Haenchen,* Apg 680. Daß der Prozeß der Ablehnung schon sehr früh begann, zeigt Apg 3,23; vgl. dazu *C. M. Martini,* L'esclusione 1–14. Man kann indessen Lukas nicht vorwerfen, daß er alle Fehlschläge systematisch den Juden anlaste: vgl. Apg 16,19–24; 17,32; 19,23.

17 Vgl. Apg 13,14; 14,1; 16,13; 17,2.10.17; 18,4.19; 19,8; 28,17.23.

18 In diesem Sinn spricht auch E. Käsemann von einer Kontinuität der Heilsgeschichte bei Paulus: vgl. *E. Käsemann,* Paulinische Perspektiven 21. Allein auch gegen diesen Begriff von heilsgeschichtlicher Kontinuität wehrt sich G. Klein entschieden: vgl. *G. Klein,* Bibel und Heilsgeschichte 34f.

19 Zum Ausdruck „Trost Israels" vgl. Bill. II 124.

20 Gerade in der Theologisierung der Geschichte unterscheidet sich Lukas von der profanen Geschichtsschreibung, die in der Natur, nicht aber in der Geschichte den Finger des Göttlichen erblickt: vgl. *H. Dörrie,* Spätantike Symbolik und Allegorese (Frühmittelalterliche Studien 3) 1969, 8. Signifikativ für das theokratische Programm des Lukas ist schon das häufige Vorkommen des Wortes θεός: vgl. Mt 51mal; Mk 48mal; Lk 122mal; Joh 83mal; Apg 166mal. Es wäre wichtig, nach der Erarbeitung der lukanischen Christologie (vgl. *G. Voss,* Christologie) einmal die Frage nach dem Gottesbild dieses Evangelisten zu stellen und seine *Theo*logie zu erarbeiten.

Die soteriologischen Termini, die in Apg 13,17–23 verwendet werden, lassen das durch Gott bewirkte bzw. vorbereitete Heil durchgehend als Befreiung aus der Erniedrigung, als Erhöhung erscheinen. Dabei stellt der universale Charakter der Anreden, in welche auch die Heiden einbezogen sind (vgl. Apg 13,16b.26), klar, daß alle Menschen erlösungsbedürftig sind, die Notwendigkeit der Erlösung also nicht aus einem Fehlverhalten Israels abgeleitet werden darf. Gott initiiert vielmehr die Geschichte Israels im Hinblick auf das Heil *aller* Menschen.

Dieser Begriff von σωτηρία impliziert die Vorstellung, daß die Menschen schon vorgängig zur israelitischen Erwählungsgeschichte eines σωτήρ bedurften. In der allgemeinen Verkündigung der ἄφεσις ἁμαρτιῶν (vgl. Apg 13,38f) kommt indirekt zum Ausdruck, daß die Sünde die Unheilssituation verursacht hat, aus der zu befreien Jesus gekommen ist.

Die antiochenische Rede will von den Heilstaten Gottes berichten. Mit einer bemerkenswerten Konsequenz wird schließlich auch das gesamte Jesusgeschehen auf die Initiative Gottes zurückgeführt. Gott ist es, der den σωτήρ Jesus erweckt und Israel zuführt (vgl. vv. 23.26). Der Tod Jesu erscheint als Tat der Menschen, dient aber so der Erfüllung der Hl. Schrift, d. h. des göttlichen Ratschlusses (vgl. vv. 27–29). Die Osterereignisse werden als ἔργον θεοῦ dargestellt; Gott erweckt Jesus von den Toten (vgl. vv. 30.33.34.37), er läßt ihn den Aposteln erscheinen (vgl. v. 31) und bewahrt ihn vor der Verwesung (vgl. vv. 34–37). Bezeichnend ist hier die Verwendung des dativus commodi: all das, was Gott an Jesus getan hat, ist für Israel, ist für die Menschen getan (vgl. vv. 23.26.33.38).

So ist die ganze Rede *anthropologisch* zentriert: nicht nur die Christologie, sondern auch die Theologie wird konsequent unter dem Gesichtspunkt der Soteriologie betrieben. Die Erfüllung der ἐπαγγελία besteht nicht in der δόξα, nicht in der Erhöhung Jesu als solcher:[21] auch die Verleihung des Hoheitstitels υἱός, die Einsetzung Jesu in die göttliche Sohnschaft, geschieht ἡμῖν (v. 33), muß also soteriologisch interpretiert werden (vgl. auch Apg 2,33; 3,26) und wird als Voraussetzung dafür gesehen, daß sich das universale Heil (vgl. v. 39) verwirklichen kann.

Das Zitat von Hab 1,5 am Schluß der Rede wirft schließlich ein bezeichnendes Licht auf vv. 38–40, denn somit erscheint auch die Mission als ἔργον θεοῦ. Durch Christus (ἐν τούτῳ: v. 39) verkündigt Gott Sündennachlaß (v. 38) und bewirkt Rechtfertigung (v. 39).[22] Der Prediger begann mit der διήγησις der Machttaten Gottes in der Vergangenheit (vgl. vv. 17–23), um so die Zuhörer zum Glauben an das in Jesus geschehene (vgl. vv. 23.26.33) und immer noch geschehende (vgl. vv. 38–41) ἔργον θεοῦ zu führen.

Das Geschichtsbild, das sich in Apg 13,16–41 reflektiert, ist in seiner Geschlossenheit imponierend. Dem Volke Israel wird aufgewiesen, daß der christliche Glaube sich auf den atl. Jahweglauben gründet und in seiner Konsequenz liegt. Während auf der einen Seite die atl. Geschichte als Präludium zum Jesusgeschehen gedeutet wird, hat auf der anderen Seite *der Jesusglaube seine notwendige Voraussetzung in der Geschichte des AT.* Dieser Zusammenhang ist so eng, daß er auch für das Glaubensdenken der heidnischen Welt bedeutsam erscheint. So möchten wir G. Delling zustimmen, wenn er schreibt, daß eine Synagogenpredigt vor Juden und gottesfürchtigen Heiden Lukas die rechte Gelegenheit bot, „den Zusammenhang zwischen dem Heil in Jesus und der Geschichte Israels in aller Knappheit aufzuzeigen"[23].

---

21 Der Versuch von J. Panagopoulos, in der „Theologie der Doxa Jesu" das eigentlich lukanische der Acta-Reden herauszuarbeiten (vgl. *J. Panagopoulos,* Zur Theologie der Apostelgeschichte: NT 14 (1972) 145) kann deshalb schwerlich überzeugen, zumal der Begriff δόξα in den Missionsreden der Apg überhaupt nicht verwendet wird und auch ansonsten nicht als ein spezifischer Acta-Terminus betrachtet werden kann.

22 Vgl. *U. Wilckens,* Missionsreden[3] 188: „So tritt immer wieder augenfällig hervor, daß die christliche Predigt grundsätzlich *Gottes* Sache ist, das Instrument, durch das er – bzw. der erhöhte Kyrios – die Geschichte der Ausbreitung seines Wortes Schritt für Schritt vorantreibt."

23 *G. Delling,* Israels Geschichte 197.

Es darf dabei aber nicht vergessen werden, daß schon durch Lk 1–2 das gesamte lukanische Werk diese Perspektive erhält. Die Nichtberücksichtigung dieser einleitenden Kapitel[24] kann u. a. zu dem Fehlschluß führen, Lukas abstrahiere vom atl. Gottesglauben und habe im Grunde ein heidnisches Geschichtsbild. Die Analyse der antiochenischen Rede hat uns u. a. gezeigt, wie eng die terminologische und thematische Verknüpfung mit Lk 1–2 und so mit dem AT ist.

Zusammenfassend läßt sich sagen, daß die verbindenden Schlüsselbegriffe der Pauluspredigt nicht nur die formale, sondern auch die innere Einheit der Rede und damit auch der Heilsgeschichte begründen. Im Rückblick auf das AT (vv. 16a–22) sieht der Verfasser der antiochenischen Rede die typologische Bedeutung der Geschehnisse, sieht, wie die Begriffe Verheißung, Heil und (Auf-)Erweckung – Erhöhung aufeinander bezogen sind und sich immer stärker mit Wirklichkeit füllen, wie alles Handeln Gottes an seinem Volk und dann an dessen Führern sich schließlich auf die (Auf-)Erweckung der einen Rettergestalt, Jesus, sich hinordnet (vv. 23.32.33), der wiederum allen das Heil schenkt (vv. 38f). Durch ihn erben alle, die an ihn glauben, das ewige Leben (vv. 40.46.48). So erfüllt sich die tiefste Hoffnung Israels (vgl. auch Lk 10,25; 18,18), die größte Sehnsucht der Menschen.

Deutlich hat sich auch in unserer Exegese der ideal-typische Charakter der Paulusrede gezeigt. Ihre Sicht und Darstellung der Geschichte ist wie ein Credo, gesprochen von der jungen Kirche im Angesichte Israels (vgl. bes. vv. 16a.17). Im Gesamt der Apg fällt der antiochenischen Rede die Aufgabe zu, die Einheit des Jesusgeschehens mit dem AT zu bekennen. Der Verfasser von Apg 13,16–41 will mit dieser Rede nicht nur sagen, daß der christliche Prediger sich der Geschichte und der Sprache des jeweiligen Kulturkreises bedienen soll, vielmehr geht es ihm darum zu zeigen, daß die Interpretation des Christusgeschehens vom AT her und seine Einbettung in die Geschichte Israels eine bleibende Notwendigkeit für die Verkündigung ist.

Daß dieser geschichtsmächtige, nur auf das Heil seines Volkes bedachte Gott Israels mit seiner letzten und größten Heilstat auf Unglauben stößt, zeigt, wie offen wiederum die Heilsgeschichte für den einzelnen ist und mit welcher Beständigkeit der λόγος σωτηρίας immer wieder angeboten werden muß. Von daher ist die sich immer wiederholende persönliche Anrede in der Paulusrede zu begreifen. Die Frage nach dem Heil der ungläubig bleibenden Israeliten weiß der Verfasser der antiochenischen Rede allerdings noch nicht zu beantworten.

2. DER ORT DES KREUZES IM HEILSPLAN GOTTES NACH APG 13,16–41

Wenn der Verlauf der in Apg 13,16–41 explizierten Heilsgeschichte sein Prinzip nicht in einem neutralen, überweltlichen Fatum hat, wenn nicht römischer Schicksalsglaube das Geschichtsbild des antiochenischen Predigers bestimmt, sondern die lebendige Überzeugung von dem Heilswillen des Gottes Israels, welche soteriologische Bedeutung kommt dann dem Kreuz zu?[25]

---

24 Darin sehen wir ganz allgemein einen Mangel vor allem der deutschen Acta-Forschung; hier setzt auch zu Recht die Kritik u. a. von H. H. Oliver und P. S. Minear an den redaktionsgeschichtlichen Ergebnissen von H. Conzelmann an: vgl. *H. H. Oliver,* The Lucan Birth Stories: NTS 10 (1963/64) 216f; *P. S. Minear,* Luke's Use of the Birth Stories 120–130. Die terminologische und thematische Nähe der Hymnen „Benedictus" und „Magnificat" (vgl. Lk 1,68–79 bzw. 1,46–55) zu der Petrusrede im Tempelhof (vgl. Apg 3,12–26) hat zuletzt F. Gryglewicz eindrucksvoll aufgewiesen: vgl. *F. Gryglewicz,* Die Herkunft der Hymnen des Kindheitsevangeliums des Lucas: NTS 21 (1975) 265–273. Auch bzgl. der antiochenischen Rede ist der Schluß unausweichlich, daß sie auf ein judäisch-christliches Milieu verweist.

25 Vgl. dazu *H. Schürmann,* Wie hat Jesus seinen Tod verstanden und bestanden? Eine methodenkritische Besinnung, in: Orientierung an Jesus, Festschrift J. Schmid, Freiburg 1973, 325–364; *J. Roloff,*

Es hat den Anschein, als ob gerade hier sich die Brüchigkeit der geschichtstheologischen Struktur von Apg 13,16–41 zeigt. Lukas scheint es nicht zu gelingen, die Heilsbedeutung des Kreuzes einsichtig zu machen wie überhaupt das Erdenleben Jesu mit der Sündenvergebung und dem Heil in einen inneren Zusammenhang zu bringen.[26]

So wird in bezug auf das Jesuskerygma der Acta-Reden interpretiert, daß Lukas das Kreuz lediglich als einen Justizirrtum verstehe, als ein Jesus zugefügtes Verbrechen, das Gott dann „zum Glück" durch sein erneutes, herrliches Eingreifen in die Geschichte nach drei Tagen „korrigiert" habe.[27] Zwar wird dieses Geschick in den Acta-Reden aus der Setzung Gottes begründet, doch bleibt dieses δεῖ ein göttliches Geheimnis: die Frage nach der soteriologischen Bedeutung des Kreuzestodes wird durch diese Bezugnahme nur aufgeschoben, nicht aber beantwortet.[28]

Nun ist es in der Tat auch für die heutige Theologie und Verkündigung nicht leicht, den Sinn dieses δεῖ, den Sinn des Kreuzes, begreiflich zu machen,[29] und es ist nicht unwichtig zu sehen, daß auch die ntl. Autoren erst nach Deutungsmöglichkeiten suchen mußten. Weder zeitgenössische jüdische Messiasvorstellungen noch hellenistische σωτήρ-Erwartungen konnten ja der urchristlichen Predigt Ansatzpunkte bieten.[30] Selbst die Jünger, die Vertrauten Jesu, ließ das jerusalemitische Geschehen ratlos zurück (vgl. Lk 24,13–35).[31]

Als die erste und grundlegende theologische Leistung der urchristlichen Prediger muß darum die Tatsache bezeichnet werden, *daß* sie überhaupt diese Passion, allen geläufigen Messiaserwartungen zum Trotz, proklamierten, und zwar nicht in dogmatischen Sätzen, sondern als ein konkretes historisches Ereignis der jüngsten Vergangenheit.[32] Die Darstellung dieses Geschehens nimmt in den Evangelien einen bemerkenswert breiten Raum ein; das gleiche gilt für die antiochenische Rede. Auch hier wird die „Kreuzestheologie" in die Form eines Berichtes gekleidet, welcher unter der Bezeichnung λόγος παρακλήσεως (vgl. Apg 13,15) bzw. λόγος σωτηρίας (vgl. Apg 13,26) steht. Von einem „soteriologischen Loch"[33] hinsichtlich des Kreuzestodes in Apg 13,16–41 ließe sich unserer Ansicht nach erst dann reden, wenn der Prediger die Erwähnung der Passion unterschlagen hätte.[34] Daß er aber das Wort vom Kreuz selbst vor Diasporajuden und Heiden, die doch am Kreuzigungsgeschehen nicht betei-

Anfänge der soteriologischen Deutung des Todes Jesu (Mk 10,45 und Lk 22,27): NTS 19 (1972) 38–64; *R. Zehnle,* The Salvific Character of Jesus' Death in Lucan Soteriology: ThSt 30 (1969) 420–444.

26 So *E. Haenchen,* Apg 689.

27 Vgl. *U. Luz,* Theologia crucis als Mitte der Theologie im Neuen Testament: EvTh 34 (1974) 120. Ob man Paulus indessen gerecht wird, wenn man ihn einseitig aus der Perspektive einer theologia crucis sieht? Wie sind dann Stellen wie Röm 4,25 und 1 Kor 15,17 zu verstehen, wenn man allein im Kreuz das Heil bei Paulus begründet sieht?

28 Vgl. *G. Delling,* Der Kreuzestod Jesu in der urchristlichen Verkündigung, Göttingen 1972, 87.90.93.

29 Vgl. dazu *H. W. Bartsch,* Die Ideologiekritik des Evangeliums dargestellt an der Leidensgeschichte: EvTh 34 (1974) 180 Anm. 11.

30 Vgl. 1 Kor 1,23. Auch das Sühnetodmotiv war dem Judentum nicht geläufig: vgl. *K. Schubert,* „Auferstehung Jesu" im Lichte der Religionsgeschichte des Judentums, in: *E. Dhanis* (Hrsg.), Resurrexit 208.

31 Vgl. dazu *H. D. Betz,* Ursprung und Wesen christlichen Glaubens nach der Emmauslegende, 13.

32 So auch *H. W. Bartsch,* Die Ideologiekritik 181, im Anschluß an *M. Dibelius,* Formgeschichte 15f.

33 So *E. Haenchen,* Apg 689.

34 Der Hinweis von U. Luz, daß Lukas in seinen Heidenpredigten (vgl. Apg 14,15ff und 17,22) auf das Kreuz verzichten könne (vgl. *H. Luz,* Theologia crucis, 120 Anm. 10), überzeugt nicht, da man dann auch aus Apg 14,15ff schließen müßte, daß Lukas auf die Auferstehung verzichten kann, denn auch diese wird hier nicht erwähnt.

ligt waren, in den λόγος σωτηρίας einbezieht, ist der erste und entscheidende Hinweis dafür, daß dieses Wort mehr sein will als eine „Scheltrede".[35]

Uns scheinen die Äußerungen von U. Wilckens zu diesem Punkt nicht ganz einheitlich zu sein. Er betont sehr zu Recht, daß alle Daten der Geschichte Jesu ein wesenhaft zusammengehöriges Heilsgeschehen darstellen und daß man nicht allein in der Erhöhung Jesu das soteriologisch entscheidende Ereignis sehen dürfte.[36] Wenn aber die ganze historia Jesu, mit der Passion und der Auferweckung als Mitte, nach den Acta-Reden als ein einziges Heilsgeschehen expliziert wird, kann man dann noch die These aufrechterhalten, Lukas wisse nichts von einer Heilsbedeutung des Todes Jesu? Ist dann die Passion Jesu wirklich nicht mehr als der „Gipfelpunkt seiner Bestreitung durch die Juden"[37]?

Das demonstrative τούτου in Apg 13,38 bezieht sich sicherlich auf den Auferstandenen, aber doch nur auf dem Hintergrund seiner konkreten historia, die entscheidend nicht nur seine Auferweckung, sondern auch seine Passion einbegreift. Der, durch den das Heil geschieht, ist ja in der Verkündigung der Acta-Reden immer wesentlich auch der Christus passus.[38] Mag sich auch in der antiochenischen Rede das paulinische Sühnetodmotiv nicht finden,[39] so ist doch die These, die Passion entbehre hier jeder Heilsbedeutung, durch die Aufnahme eben dieses Geschehens in den λόγος σωτηρίας in Frage gestellt. Man sollte also zunächst nur folgern, daß Kreuz und Heil hier nicht erkennbar in der Weise miteinander zu tun haben, wie es bei Paulus der Fall ist.[40] Werden hingegen auch Deutungslinien sichtbar?

Konstitutiv für das Jesuskerygma der antiochenischen Rede ist zunächst das „Kontrastschema",[41] das durchgängig alle Missionsreden der Apg charakterisiert. Der Tod Jesu erscheint als Folge des Tuns der Menschen und wird mit der Auferweckung als Tat Gottes kontrastiert. Lukas greift hier zurück auf den ältesten Ansatz einer Deutung des Todes Jesu, dessen „Sitz im Leben" wahrscheinlich in der jerusalemitischen Missionspredigt zu suchen ist.[42] Schon hier aber ist nicht Polemik das Ziel der „Scheltrede", sondern Umkehr: die Zuhörer sollen durch die Anerkennung ihrer Schuld zur μετάνοια bewegt werden.[43] Das Wort vom Kreuz hat hier also den Sinn, die Bosheit und das Unrecht bloßzulegen, welche zum Tode Jesu führten. Die Heilsbedeutung des Kreuzes liegt darin, daß es die Sündhaftigkeit und den Widerspruchsgeist Jerusalems enthüllt und dieses so für das Heil bereitet.[44] Dieses paränetische

---

35 Im Unterschied zu Apg 7,1–53 dient das Passionssummarium in Apg 13,27–29 ja nicht als Topos der Anklage, als „Scheltrede", sondern ist „Heilsgeschichte": vgl. U. Wilckens, Missionsreden[3] 223.

36 So U. Wilckens in seiner Rezension von E. Kränkl, Jesus der Knecht Gottes, in: ThLZ 99 (1974) 186f.

37 so ebd. 187.

38 Vgl. Apg 2,36; 3,15; 4,10; 5,30f; 10,39f; an all diesen Stellen schließt die Beziehung auf den Auferstandenen gleichzeitig die Beziehung zum Gekreuzigten mit ein; dies geschieht besonders deutlich in Apg 17,3: vgl. dazu G. Schneider, Verleugnung 178.

39 So schon bei C. H. Dodd, The Apostolic Preaching and its Developments, London [5]1965, 25: „The Jerusalem Kerygma does not assert that Christ died for our sins." Doch darf man daraus nicht schließen, daß Lukas dem Kreuzestod Christi keinen positiven Sinn zuerkannt hat, da dies doch bzgl. der Missionspredigten nur ein argumentum e silentio ist; nach Lk 22,19f und Apg 20,28 kannte Lukas das Sühnetodmotiv, es wurde von ihm nur nicht in seinem Werk betont: vgl. dazu W. G. Kümmel, Lukas in der Anklage 159.

40 Vgl. die vorsichtige Formulierung bei G. Delling, Der Kreuzestod Jesu 83.

41 Den Ausdruck „Kontrastschema" haben wir von J. Roloff übernommen: vgl. J. Roloff, Anfänge der soteriologischen Deutung, 38.

42 Vgl. Apg 2,22–36; 3,12–26; 4,8–12. So auch J. Roloff, ebd. 38f. G. Delling wird sein Urteil, daß man heute – jedenfalls im deutschsprachigen protestantischen Forschungsbereich – in den Reden der Apg keine frühe Soteriologie und Christologie finde, wohl modifizieren müssen: vgl. G. Delling, Der Kreuzestod Jesu 97. Auch die Kritik von U. Wilckens an der lukanischen Soteriologie hat sich gemildert: vgl. U. Wilckens, Missionsreden[2] 217 mit U. Wilckens, Missionsreden[3] 199.

43 Vgl. Apg 2,22f.37; 3,13f.17.19; 5,30f.

44 Vgl. Lk 2,34f. Zu unserer Interpretation siehe auch K. Stalder, Die Heilsbedeutung des Todes Jesu in den lukanischen Schriften: IKZ 52 (1962) 238f.

148

Motiv wird schon in Lk 23,48 sichtbar, wenn es dort heißt: Alle, die dieses Schauspiel (τὴν θεωρίαν ταύτην) der Kreuzigung sahen, schlugen sich an die Brust.

Nun hat Lukas durchaus nicht die Absicht, die Diasporajuden für den Mord an Jesus verantwortlich zu machen. Darum verbindet sich in Antiochien die Deutungslinie des „Kontrastschemas" mit einer zweiten: Die Jerusalemiten erscheinen hier deutlich als Vollstrecker dessen, was in der Schrift über Jesus vorausgesagt worden ist (vgl. Apg 13,27–29).[45] Was damit gemeint ist, wird schon am Schluß der Stephanusrede deutlich ausgesprochen: Das Verhalten der Jerusalemiten hat typische Bedeutung; sie stellen sich als „Verräter und Mörder Jesu" in eine Reihe mit ihren Vätern, welche schon jene Propheten getötet haben, die die Ankunft des „Gerechten" weissagten (vgl. Apg 7,51–53).

Dieses Motiv der *passio iusti* wird in Apg 13,27–29 wieder aufgegriffen und, so scheint es, durch die Verbindung mit der Moses-Jesus-Typologie spezifiziert.[46] Wie Jahwe Moses als ἄρχων und λυτρωτής gesandt hat (vgl. Apg 7,35), so hat er nun in Jesus einen σωτήρ erweckt (vgl. Apg 13,23.26). Dieser σωτήρ-Titel wird in Lk-Apg allein Jesus vorbehalten. Jesus steht zwar in einer Reihe mit den vielen atl. iusti, doch resultiert das besondere des jerusalemitischen Geschehens daraus, daß nach Apg 13,26–29 der σωτήρ selbst verworfen worden ist. In dem Geschick Jesu wird ein heilsgeschichtliches Gesetz erkennbar, das durchgehend die Vergangenheit Israels geprägt hat, dessen Wahrheit aber in der Passion Jesu seine entscheidende Bestätigung erfährt.

Lukas betrachtet das Kreuz nicht als ein kontingentes Geschehen und dunkles Schicksal. So wie die Erniedrigung Jesu zu seiner Erhöhung führt,[47] so schlägt auch die Ablehnung des λόγος σωτηρίας zum Heil der Völker aus (vgl. Apg 13,46). Die Fruchtbarkeit von Kreuz und erfahrener Ablehnung wird von Lukas gleichsam historisch aufgewiesen; die Geschichte der Ausbreitung des Heilswortes ist gleichzeitig die Geschichte seiner Verwerfungen. Das Martyrium des Stephanus und die dann einsetzende Verfolgung sind Ausgangspunkt für die Mission (vgl. Apg 8,1ff). Die Ablehnung, die Paulus in Antiochien erfährt, motiviert ihn dazu, sich den Heiden zuzuwenden. Das Geschick des σωτήρ ist auch das Geschick des λόγος σωτηρίας. Daß diese Parallelisierung durch den Redaktor Lukas bewußt geschieht, zeigt ein Vergleich der Nazarethperikope (Lk 4,16–30) mit Apg 13,16–52,[48] zeigt schließlich ein Vergleich der Passion Jesu mit der Passion Pauli[49] und wird endlich dadurch erkennbar, daß durch Ps 118,22 die Verwerfung Jesu in einen thematischen und kausalen Zusammenhang mit der Heidenmission gestellt wird (vgl. Lk 20,17 mit Apg 4,11).

Wohl darf man die Apg nicht als ein Trostbuch für eine ecclesia pressa bezeichnen,[50] doch läßt sich auf der anderen Seite nicht leugnen, daß die Passion Jesu in Lk-Apg nicht als ein „Unfall" erscheint, da doch die gesamte lukanische Geschichtsdarstellung und -theologie in dem Passions- und Auferweckungsgeschehen ihre Mitte hat und von daher aufzuschlüsseln ist.[51] Die Dialektik von Erniedrigung und Erhöhung prägt das Geschick des σωτήρ Jesus und die Geschichte seiner Kirche, d. h. die Geschichte der Heilsvermittlung.

---

45 So können wir J. Roloff nicht zustimmen, wenn er in den Acta-Reden nur den Deutungsansatz des „Kontrastschemas" sieht: vgl. *J. Roloff,* Die Deutung des Todes Jesu 38f.

46 Der Bezug auf das Schicksal des Moses deutet sich schon in der Verklärungsszene an: Moses und Elija sprechen vom Ende Jesu, das sich in Jerusalem erfüllen soll: vgl. Lk 9,30f; diff. Mt 17,3 und Mk 9,4: siehe dazu *H. Schürmann,* Luk 557f.

47 Vgl. dazu *E. Schweizer,* Erniedrigung und Erhöhung bei Jesus und seinen Nachfolgern (AThANT 28) Zürich ²1962.

48 Vgl. dazu *R. C. Tannehill,* The Mission of Jesus 59–63.

49 Vgl. dazu auch die Untersuchung von *A. J. Mattil, Jr.,* The Jesus-Paul parallels and the purpose of Luke-Acts: H. H. Evans reconsidered: NT 17 (1975) 30–37.

50 So bei *F. Schütz,* Der leidende Christus: die angefochtene Gemeinde und das Christuskerygma der lukanischen Schriften (BWANT 89) Stuttgart 1969.

51 Vgl. Lk 24,26 und 9,18–27.

Die lukanische Soteriologie darf indessen nicht einseitig unter dem Aspekt von Sündennachlaß und Rechtfertigung gesehen werden. Paulus verkündigt die Auferweckung Jesu als Erfüllung der an die Väter ergangenen ἐπαγγελία (vgl. Apg 13,32f). Aus den von ihm herangezogenen Schriftstellen geht hervor, daß diese Verheißung sich nicht zuletzt in der Bewahrung vor der διαφθορά erfüllt (vgl. Apg 13,34–37). Jesus muß sterben, muß sich in den Machtbereich des Todes begeben, um ihn eben so zu überwinden (vgl. auch Apg 2,24).[52] Die einmalige Heilsbedeutung des Todes Jesu liegt darin, daß er sterbend den Tod besiegt und so als ἀρχηγὸς τῆς ζωῆς[53] (vgl. Apg 3,15) allen, die sich ihm glaubend verbinden, den Weg zum ewigen Leben eröffnet (vgl. Apg 13,46.48).

Schließlich hat unsere Exegese von vv. 27–29 gezeigt, wie stark das Jerusalemmotiv den Leidensbericht mit der Geschichte des Volkes Israel (vv. 17–22) verbindet. Dabei sind die Jerusalemiten nur vordergründig die Akteure des Passionsgeschehens. Die in diesem Abschnitt sichtbar werdende ständige Bezugnahme auf die Hl. Schrift soll Gott selbst letztlich als Subjekt des Passionsgeschehens erkennen lassen. Daß der Verfasser der antiochenischen Rede das zu bekennen wagt, ist um so beachtenswerter, als er ja sonst alle dunklen Aspekte in seiner Geschichtsdarstellung ausblendet und die Taten Gottes sämtlich als Heilstaten schildert. Das Wort vom Kreuz, untrennbar mit dem Bekenntnis der Auferstehung verbunden, ist für ihn kein dunkles, sondern heilbringendes Geschehen.

3. DAS SCHEMA VON VERHEISSUNG UND ERFÜLLUNG IN DER ANTIOCHENISCHEN REDE

Von der Analyse der antiochenischen Rede her stellt sich schließlich die wichtige Frage nach der Aufgliederung der dargestellten Heilsgeschichte und damit nach dem Ort der Heilsteilhabe. Daß mit der Erweckung des σωτὴρ Ἰησοῦς die Zeit der Erfüllung begonnen hat, ist aus Apg 13,23 ohne weiteres einsichtig. Indessen erscheint nach ebendiesem Vers das Jesusgeschehen als in die Geschichte Israels eingebettet. Die Epocheneinteilung von H. Conzelmann kann darum zu dem Mißverständnis Anlaß geben, daß Lukas die Zeit Israels als abgeschlossen betrachtet, wo er doch vielmehr Israel in der Gemeinde der Christusgläubigen fortbestehen sieht.

Die Vorstellung von einem zeitlichen Nacheinander, welche das Epochenschema von H. Conzelmann erweckt, scheint sich erst recht nur schwer im Hinblick auf eine strikte Trennung zwischen einer „Zeit Jesu" und einer „Zeit der Kirche" realisieren zu lassen. Wenn es in der Konsequenz einer solchen Unterscheidung liegt, daß man den christlichen Glauben nach Lk-Apg als „prinzipiell rückwärts" auf das vergangene Leben Jesu gerichtet verstehen muß und nicht primär als ein gegenwärtiges Verhältnis zum erhöhten κύριος,[54] dann melden sich doch schwere Bedenken gegen eine solche heilsgeschichtliche Einteilung an. Heißt πιστεύειν in der Apg nicht wesentlich in Gemeinschaft mit dem erhöhten Herrn treten,[55] so daß an die Stelle des Verbums ἀκολουθεῖν das Verbum πιστεύειν treten kann, ohne daß man hierin eine „urchristliche Ersatzvorstellung" sehen dürfte?[56]

---

52 So auch bei *G. Schneider*, Verleugnung 189.
53 Vgl. *K. Stalder*, Die Heilsbedeutung des Todes Jesu, 239: „Die Meinung scheint die zu sein, daß Jesus, indem er sich nach Gottes Ratschluß in den Machtbereich des Todes begab, sich aber als mächtiger erwies, dem Tode überhaupt seine Macht genommen hat." Die Heilsbedeutung des Todes Jesu Christi ist zu Recht auch in der Arbeit von R. Glöckner herausgestellt worden: vgl. *R. Glöckner*, Die Verkündigung des Heils beim Evangelisten Lukas (Walberberger Studien 9) Mainz 1976, 155–201. Leider aber geht der Verfasser nicht näher auf die Frage nach dem Ort des Kreuzes in der antiochenischen Rede ein.
54 So bei *U. Wilckens*, Missionsreden² 205–207.
55 Vgl. dazu die Wendungen προσμένειν τῷ κυρίῳ (Apg 11,23) und ἐμμένειν τῇ πίστει (Apg 14,22).
56 Gegen *A. Schulz*, Nachfolgen und Nachahmen (Stud. z. A. u. N. T. 6) München 1962, 150f; hier wird in diesem Zusammenhang von einer urchristlichen „Ersatzvorstellung" gesprochen. – In der

Uns will scheinen, daß die antiochenische Rede eher die Interpretation von H. Schürmann bestätigt, nach der das γενόμενον ῥῆμα (vgl. Apg 10,37) seine eschatologische Gegenwärtigkeit im Wort der Predigt behält.[57] In Apg 13,26 heißt es ja ausdrücklich, daß der λόγος σωτηρίας (eine Umschreibung für das in Apg 13,23 verwendete Substantiv σωτήρ) „uns", d. h. der gegenwärtigen Generation zugesandt ist. Auch aus Apg 13,33 geht eindeutig hervor, daß der Prediger nicht zwischen „Jesuszeit" und „Jetztzeit" unterscheiden will, sondern allein zwischen einer Zeit der Verheißung und Erfüllung. Dem *Christus praesens* zu begegnen und seine Heilsmacht zu erfahren ist nicht ein Privileg der Zeitgenossen Jesu, da doch die „Späteren" in Apg 13,38f daraufhin angesprochen werden, daß ihnen dieser Jesus *jetzt* Sündennachlaß und Rechtfertigung erwirken kann.[58]

So fällt es uns schwer einzusehen, daß das Heil für die Apg prinzipiell eine zurückliegende, vergangene Tatsache sein sollte. Wenn die These einer strikten Trennung zwischen der „Zeit Jesu" und der „Zeit der Kirche" das Problem aufkommen läßt, ob Jesus nach Lukas gegenwärtig überhaupt noch heilsbedeutsam sein kann, so darf dies doch unserer Ansicht nach nicht zur Konsequenz haben, daß man die lukanische geschichtstheologische Konzeption in Frage stellt;[59] hingegen wird so das Schema fragwürdig, in welches man diese Theologie einzuordnen sucht. Darum scheint es uns auch nicht möglich zu sein, im Hinblick auf Lk-Apg die Dreiteilung der Heilsgeschichte zu vertreten und gleichzeitig darauf zu insistieren, daß das gesamte lukanische Werk entscheidend durch das Schema von Verheißung und Erfüllung bestimmt sei.[60] *Allein das letztere Schema* bietet nach unserem Dafürhalten einen hermeneutischen Ansatz, welcher der geschichtstheologischen Konzeption von Apg 13,16–41 und damit auch von Lk-Apg gerecht werden kann.[61]

Mit der Erweckung des σωτὴρ Ἰησοῦς hat Gott die Zeit der Erfüllung, die Heilszeit eröffnet. Diese kam in der Auferweckung und Erhöhung Jesu nicht zum Abschluß, sondern erhielt vielmehr dadurch ihre endgültige und bleibende Gegenwärtigkeit für uns. Als endzeitliches Geschehen prägt die Auferstehung der Jetzt-Zeit den Stempel der End-Zeit auf. Gerade unsere Exegese von vv. 32–39 sollte zeigen, wie ernst es dem Verfasser der Rede mit dem perfektischen ἐκπεπλήρωκεν (v. 33) ist.

In diesem Punkte berühren sich unsere Ergebnisse übrigens sehr stark mit der abschließenden Sicht von M. Dumais. Auch er kritisiert das Drei-Epochen-Schema von H. Conzelmann und legt ausführlich dar, daß die Dialektik von Verheißung und Erfüllung die paulinische Predigt bestimmt.[62] Die genauere Untersuchung von Apg 13,16–41 zeigt ihm gleichfalls, wie unberechtigt die Meinung ist, für den Verfasser dieser Rede habe die Eschatologie ihre zentrale Stellung verloren und sei gleichsam an den Rand gedrängt, nur noch eine Sektion in seiner Lehre über die letzten Dinge.[63]

Diese Gemeinsamkeit im Ergebnis mag ein Hinweis dafür sein, daß nach genauerer Analyse der Texte manche pauschale Kritik an der lukanischen Theologie ihr Recht verliert.

Apg werden die Jünger immer wieder als Gläubige bezeichnet: vgl. Apg 2,44; 4,4.32; 5,14; 22,19. Vgl. auch die Formulierungen προσετίθεντο τῷ κυρίῳ in Apg 5,14 und προσετέθη τῷ κυρίῳ in Apg 11,24 wie auch ἐπέστρεψεν ἐπὶ τὸν κύριον in Apg 11,21.

57 Vgl. *H. Schürmann*, Luk 14–16.233.

58 So darf man auch die Anrufung des Namens Jesu nicht wesenhaft als geschichtlichen Rückbezug interpretieren (so bei *U. Wilckens*, Missionsreden[2] 206), sondern muß sie nach der Apg als „unmittelbare Erfahrung aus der Transzendenz" deuten: so auch bei *E. Haenchen*, Apg 688.

59 So geschieht es bei *U. Wilckens*, Missionsreden[2] 210–218.

60 So bei *U. Wilckens*; Rez. *E. Kränkl*, Jesus der Knecht Gottes: ThLZ 99 (1974) 186; *E. Grässer*, Das Problem der Parusieverzögerung in den synoptischen Evangelien (BZNW 22) Berlin 1957, 215.

61 Vgl. *W. G. Kümmel*, Lukas in der Anklage der heutigen Theologie, 164f.

62 Vgl. *M. Dumais*, Le Langage 302–312.

63 So *P. Vielhauer*, Zum „Paulinismus" der Apostelgeschichte, 12.

LITERATURVERZEICHNIS

1. Allgemeine Hilfsmittel

Zeitschriften und wissenschaftliche Reihen werden nach der im *Lexikon für Theologie und Kirche* (2. Aufl., 1. Bd., Freiburg 1957 16–48) üblichen Weise abgekürzt. Die alt- und neutestamentlichen Schriften werden zitiert nach der deutschen Einheitsübersetzung. Für die hebr. Worte gilt die Transskriptionsliste von Haags Bibellexikon. Als Textausgaben werden in der Regel benutzt: *Biblia Hebraica,* ed. R. *Kittel,* Stuttgart [13]1962; Septuaginta I–II, ed. *A. Rahlfs,* Stuttgart [7]1962; The Greek New Testament, ed. *K. Aland, M. Black, C. M. Martini, B. M. Metzger, A. Wikgren,* Stuttgart [2]1968. Bzgl. der weiteren allgemeinen Hilfsmittel vgl. *H. Schürmann,* Das Lukasevangelium (HThK III 1) XI–XV; vgl. besonders: *W. Bauer,* Griechisch-Deutsches Wörterbuch zu den Schriften des Neuen Testaments und der übrigen urchristlichen Literatur, Berlin [5]1963 (= *Bauer,* Wb).

F. Blass – A. Debrunner, Grammatik des neutestamentlichen Griechisch, bearb. v. *F. Rehkopf,* Göttingen [15]1979 (= Bl-Debr).

F. J. Foakes and *K. Lake* (ed.), The Beginnings of Christianity. Part I, The Acts of the Apostels, 5 vols., London 1920–1933 (= Beg.).

E. Hatch and *H. A. Redpath,* A Concordance to the Septuagint I–II + Supplement, Oxford 1897–1906, Nachdr. Graz 1954 (= Hatch-Redpath).

R. Morgenthaler, Statistik des Neutestamentlichen Wortschatzes, Zürich – Frankfurt 1958 (= *R. Morgenthaler,* Statistik).

N. Turner, A. Grammar of the New Testament Greek ed. by *J. H. Moulton,* Vol. III, Syntax, Edinburgh 1963 (= *N. Turner,* Grammar).

H. L. Strack und *B. Billerbeck,* Kommentar zum Neuen Testament aus Talmud und Midrasch I–IV, München 1922–1928 (= Bill.).

M. Zerwick, Graecitas Biblica, Rom [5]1966 (= *M. Zerwick,* Graecitas Biblica).

2. Sonstige Literatur

S. Antoniadis, L'évangile de Luc. Esquisse de grammaire et de style, Paris 1930.

W. Bacher, Die Proömien der alten jüdischen Homilie (BWAT 12) Leipzig 1913.

C. Barth, Die Errettung vom Tod in den individuellen Klage- und Dankliedern des Alten Testaments, Zürich 1947.

H. W. Bartsch, Die Ideologiekritik des Evangeliums dargestellt an der Leidensgeschichte: EvT 34 (1974) 176–195.

B. Bauer, Die Apostelgeschichte. Eine Ausgleichung des Paulinismus und des Judenthums innerhalb der christlichen Kirche, Berlin 1850.

F. C. Bauer, Das Christenthum und die christliche Kirche der drei ersten Jahrhunderte, Tübingen [2]1860.

O. Bauernfeind, Die Apostelgeschichte (ThHK 5) Leipzig 1939.

–, Der Schluß der antiochenischen Paulusrede, in: Festschrift K. Heim, Hamburg 1954, 74–76.

P. Benoit, L'Enfance de Jean-Baptiste selon Luc I: NTS 3 (1956/57) 169–194.

C. A. Bernoulli, Johannes der Täufer und die Urgemeinde = *C. A. Bernoulli,* Die Kultur des Evangeliums I, Leipzig 1918.

H. D. Betz, Ursprung und Wesen christlichen Glaubens nach der Emmauslegende (Lk 24,13–32): ZThK 66 (1969) 7–21.

O. Betz, siehe *O. Michel – O. Betz.*

J. Beutler, Die paulinische Heidenmission am Vorabend des Apostelkonzils: TheolPhil 43 (1968) 360–383.

H. W. Beyer, Semitische Syntax im Neuen Testament I,1 (Studien z. Umwelt des N. T. 1) Göttingen 1962.

W. Bieder, Auferstehung des Fleisches oder des Leibes? ThZ 1 (1945) 105–120.

M. Black, An Aramaic Approach to the Gospels and Acts, Oxford [3]1967.

F. Blass, Acta Apostolorum sive Lucae ad Theophilum liber alter, Göttingen 1895.

J. Bligh, Galatians. A Discussion of St Paul's Epistle (Householder Commentaries 1) London 1970.

J. Blinzler, Die Grablegung Christi, in: *E. Dhanis* (Hrsg.), Resurrexit. Actes du Symposium International sur la Résurrection de Jésus (Rome 1970), Rom 1974, 56–107.

H. W. Boers, Ps 16 and the historical origin of the Christian faith: ZNW 60 (1969) 105–110.

M. E. Boismard, Constitué Fils de Dieu (Rom 1,4): RB 60 (1953) 5–17.

G. Bornkamm, Jesus von Nazareth (Urban-Bücher 19) Stuttgart [6]1963.

J. W. Bowker, Speeches in Acts. A Study in Proem and Yellammedenu Form: NTS 14 (1967) 96–111.

H. Braun, Qumran und das Neue Testament I–II, Tübingen 1966.

–, Zur Terminologie der Acta von der Auferstehung Jesu: ThLZ 77 (1952) 533–536.
B. *Brinkmann,* De praedicatione christologica S. Joannis Baptistae: VD 10 (1930) 309–313.338–342.
W. H. *Brownlee,* John the Baptist in the New Light of Ancient Scrolls, in: The Scrolls and the New Testament, ed. by K. *Stendahl,* New York 1957, 33–53.
N. *Brox,* Zeuge und Märtyrer (Stud. z. A. u. N.T. 5) München 1961.
F. F. *Bruce,* The Acts of the Apostels, London ²1956.
–, Justification by Faith in the Non-Pauline Writings of the New Testament: EvQ 24 (1952) 66–77.
A. *Büchele,* Der Tod Jesu im Lukasevangelium. Eine redaktionsgeschichtliche Untersuchung zu Lk 23 (Frankfurter Theologische Studien 26) Frankfurt a. M. 1978.
R. *Bultmann,* Jesus, Tübingen 1926, Nachdr. 1964.
–, Der Stil der Paulinischen Predigt und die kynisch-stoische Diatribe (FRLANT 13) Göttingen 1910.
–, Theologie des Neuen Testaments, Tübingen ⁵1965.
M. F.-J. *Buss,* Rez. M. *Dumais,* Le Langage de l'Évangélisation en milieu juif (Actes 13,16–41) (Recherches 16) Tournai – Montréal 1976, in: Bibl 61 (1980) 442–446.
H. J. *Cadbury,* Luke – Translator or Author?: Am. Journ. of Theol. 24 (1920) 436–455.
–, The Making of Luke-Acts, London ²1958.
H. von *Campenhausen,* Gesetz und Schrift in der heiden-christlichen Kirche des ersten Jahrhunderts, in: ders., Die Entstehung der christlichen Bibel (BHTh 39) Tübingen 1968, 28–75.
L. *Cerfaux,* Citations scripturaires et tradition textuelle dans le livre des Actes, in: Au seuil de la tradition chrétienne (Mél. M. Goguel), Neuchâtel 1950, 43–51.
–, Témoins du Christ d'après le Livre des Actes: Angelicum 20 (1943) 166–183.
M. A. *Chevallier,* L'Esprit et le Messie dans le Basjudaïsme et le Nouveau Testament, Paris 1958.
H. *Conzelmann,* Die Apostelgeschichte (HNT 7) Tübingen ²1972.
–, Die Mitte der Zeit. Studien zur Theologie des Lukas (BHTh 17) Tübingen ⁵1964.
O. *Cullmann,* Ὁ ὀπίσω μου ἐρχόμενος, in: Coniect. Neotest. 11, Lund 1947, 26–32.
N. A. *Dahl,* The Story of Abraham in Luke-Acts, in: L. E. Keck and J. L. Martyn (Hrsg.), Studies in Luke-Acts, Nashville – New York 1966, 139–158.
G. *Delling,* Israels Geschichte und Jesusgeschehen nach Acta, in: Neues Testament und Geschichte, Festschrift O. Cullmann, Zürich – Tübingen 1972, 187–197.
–, Die Jesusgeschichte in der Verkündigung nach Acta: NTS 19 (1972/73) 373–389.
–, Der Kreuzestod Jesu in der urchristlichen Verkündigung, Göttingen 1972.
A. *Descamps,* Le Messianisme royal dans le Nouveau Testament, in: L'Attente du Messie (Recherches Bibliques), Brügge 1954, 57–84.
E. *Dhanis,* Resurrexit. Actes du Symposium International sur la Résurrection de Jésus (Rome 1970), hrsg. v. E. Dhanis, Rom 1974.
M. *Dibelius,* Aufsätze zur Apostelgeschichte, hrsg. v. H. Greeven (FRLANT 42) Göttingen 1968.
–, Die Reden der Apostelgeschichte und die antike Geschichtsschreibung (SAH 1) Heidelberg 1949, in: Aufsätze, 120–162.
–, Die Formgeschichte des Evangeliums, Tübingen ⁴1961.
–, Die urchristliche Überlieferung von Johannes dem Täufer (FRLANT 15) Göttingen 1911.
C. H. *Dodd,* According to the Scriptures, London 1952.
–, The Apostolic Preaching and its Developments, London 1936.
–, Historical Tradition in the Fourth Gospel, Cambridge 1963.
J. W. *Doeve,* Jewish Hermeneutics in the Synoptic Gospels and Acts, Assen 1953.
M. *Dumais,* Le Langage de l'Evangélisation. L'annonce missionnaire en milieu juif (Actes 13,16–41) (Recherches 16) Tournai – Montréal 1976.
J. *Dupont,* Les Béatitudes III, Paris 1973.
–, Les discours de Pierre dans les Actes et le chapitre XXIV de l'évangile de Luc (Biblioteca Ephem. Theol. Lovaniensium 32) Löwen 1973, 329–374.
–, Études sur les Actes des Apôtres (Lectio Divina 45) Paris 1967.
–, Aequitas Romana: RSR 49 (1961) 354–385; in: Études, 527–552.
–, Les Discours Missionnaires des Actes des Apôtres d'après un ouvrage récent: RB 69 (1962) 37–60, in: Études, 133–155.
–, L'interprétation des Psaumes dans les Actes des Apôtres, in: Le Psautier (Orient. et Bibl. Lov. 4) Löwen 1962, 357–388, in: Études, 282–307.
–, ΤΑ 'ΟΣΙΑ ΔΑΥΙΔ ΤΑ ΠΙΣΤΑ (Actes 13,34 = Isaïe 55,3): RB 68 (1961) 91–114, in: Études, 337–359.
–, „Parole de Dieu" et „Parole du Seigneur": RB 62 (1955) 47–49, in: Études, 523–525.
–, Les Problèmes du Livre des Actes entre 1940 et 1950, in: Études, 11–124.
–, Repentir et convérsion d'après les Actes des Apôtres: ScEccl 12 (1960) 137–173, in: Études, 421–457.

–, Ressuscité „Le Troisieme Jour": Bibl 40 (1959) 742–761, in: Études, 321–336.
–, Le salut des gentils et la signification théologique du livre des Actes: NTS 6 (1959/60) 132–155, in: Études, 393–419.
–, L'utilisation apologétique de l'Ancient Testament dans les discours des Actes: EThL 29 (1953) 289–327, in: Études, 245–282.
–, „Filius meus es tu". L'interprétation des Ps II,7 dans le Nouveau Testament: RSR 35 (1948) 522–543.
–, Le Ps 110 dans le N. T., in: E. Dhanis (Hrsg.), Resurrexit. Actes du Symposium International sur la Resurrection de Jesus (Rome 1970), Rom 1974, 340–422.
–, Je t'ai établi lumière des nations. Ac 13,14.43–52 (AssSeign 25) Paris 1969, 19–24.
G. Duterme, Le vocabulaire de Discours d'Etienne (Act. VII,2–53), Diss. (Maschinenschrift), Löwen 1950.
G. Ebeling, Theologie und Verkündigung (Hermeneutische Untersuchungen z. N. T. 1) Tübingen [2]1963.
E. E. Ellis, Midraschartige Züge in den Reden der Apostelgeschichte: ZNW 62 (1971) 94–104.
W. Eltester, Israel im lukanischen Werk und die Nazarethperikope, in: Jesus in Nazareth (BZNW 40) Berlin 1972, 76–147.
J. G. Eichhorn, Einleitung in das Neue Testament I–II, Leipzig 1810.
O. Eissfeldt, Einleitung in das Alte Testament, Tübingen [2]1956.
E. J. Epp, The „Ignorance Motif" in Acts and Antijudaic Tendencies in Codex Bezae: HThR 55 (1962) 51–62.
–, The Theological Tendency of Codex Bezae Cantabrigiensis in Acta (NTS Monograph Series 3) Cambridge 1966.
P. Fiedler, Die Formel „Und Siehe" im Neuen Testament (Stud. z. A. u. N. T. 20) München 1969.
H. Flender, Heil und Geschichte in der Theologie des Lukas (BEvTh 41) München 1965.
R. Geiselmann, Jesus der Christus. Die Urform des apostolischen Kerygmas als Norm unserer Verkündigung und Theologie von Jesus Christus (Bibelwiss. Reihe 5) Stuttgart 1951.
J. Gewiess, Die urapostolische Heilsverkündigung nach der Apostelgeschichte (Breslauer Stud. z. hist. Theol. N. F. 5) Breslau 1939.
R. Glöckner, Die Verkündigung des Heils beim Evangelisten Lukas (Walberberger Studien 9) Mainz 1976.
O. Glombitza, Akta XIII.15–41. Analyse einer lukanischen Predigt vor Juden: NTS 5 (1958) 306–317.
–, Der Schritt nach Europa: Erwägungen zu Apg 16,9–15: ZNW 53 (1962) 77–82.
J. Gnilka, Die Verstockung Israels (Stud. z. A. u. N. T. 3) München 1961.
M. Goguel, Jésus et les origines du Christianisme, Paris 1946.
D. Goldsmith, Acts 13,33–37: A Pesher on II Sam 7: JBL 87 (1968) 321–324.
R. P. Gordon, Targumic Parallels to Acts XIII 18 and Didache XIV 3: NT 16 (1974) 285–289.
E. Grässer, Das Problem der Parusieverzögerung in den synoptischen Evangelien und in der Apostelgeschichte (BZNW 22) Berlin 1956.
H. Grass, Ostergeschehen und Osterberichte, Göttingen [4]1970.
W. Grundmann, Das Evangelium nach Lukas (ThHK 3) Berlin [2]1966.
K. Grobel, He that cometh after me: JBL 60 (1941) 397–401.
F. Gryglewicz, Die Herkunft der Hymnen des Kindheitsevangeliums des Lucas: NTS 21 (1975) 265–273.
E. Haenchen, Die Apostelgeschichte (Krit.-exeg. Komm. üb. d. N. T., 3. Abt.) Göttingen [6]1968.
F. Hahn, Christologische Hoheitstitel (FRLANT 83) Göttingen [3]1966.
A. Harnack, Neue Untersuchungen zur Apostelgeschichte und zur Abfassungszeit der synoptischen Evangelien (Beitr. z. Einl. in d. N. T. 4) Leipzig 1911.
R. Harris, Testimonies II, London 1920.
L. Hartmann, Davids son. A propå Acta 13,16–41: Svensk Exegetisk Årsbok 18–19 (1964) 117–134.
J. C. Hawkins, Horae Synopticae, Oxford [2]1909.
F. Hesse, Abschied von der Heilsgeschichte (Theol. Studien 108) Zürich 1971.
T. Holtz, Untersuchungen über die alttestamentlichen Zitate bei Lukas (TU 104) Berlin 1968.
H. J. Holtzmann, Lehrbuch der neutestamentlichen Theologie I–II, Tübingen [2]1911.
F. Horst, Die Zwölf Kleinen Propheten (HAT 14) Tübingen [3]1964.
B. M. F. van Iersel, „Der Sohn" in den synoptischen Jesusworten (Suppl. to NT 3) Leiden [2]1964.
E. Jacquier, Les Actes des Apôtres, Paris [2]1926.
H. Jeanmaire, Le substantif HOSIA et sa signification comme terme technique dans le vocabulaire religieux: REG 58 (1945) 66–89.
J. Jeremias, Die Abendmahlsworte Jesu, Göttingen [3]1960.
–, Das Gebetsleben Jesu: ZNW 25 (1926) 123–140.
–, Heiligengräber in Jesu Umwelt, Göttingen 1958.
J. Jervell, Das gespaltene Israel und die Heidenvölker: StTh 19 (1965) 68–96.

–, Midt i Israels historie: Norsk teologisk tidsskrift 69 (1968) 130–138.

M. Johannessohn, Der Gebrauch der Präpositionen in der LXX, Berlin 1926.

A. Jülicher, Einleitung in das Neue Testament, Freiburg i. B. – Leipzig 1894.

J. Jüngst, Die Quellen der Apostelgeschichte, Gotha 1895.

J. Juster, Les Juifs dans l'Empire Romain I–II, Paris 1914.

E. Käsemann, Die Johannesjünger in Ephesus: ZThK 49 (1952) 144–154.

–, Neutestamentliche Fragen von heute: ZThK 54 (1957) 1–21.

–, Ein neutestamentlicher Überblick, in: Verkündigung und Forschung (Theol. Jahresber. 1949/50) München 1951/52.

–, Paulinische Perspektiven, Tübingen 1969.

J. Kilgallen, The Stephen Speech. A Literary and Redactional Study of Acts 7, 2–53 (AnBib 67) Rom 1976.

G. D. Kilpatrick, A Theme of the Lucan Passion Story and Luke 23,47: JThS 43 (1942) 34–36.

G. Klein, Bibel und Heilsgeschichte. Die Fragwürdigkeit einer Idee: ZNW 62 (1971) 1–47.

K. Kliesch, Das heilsgeschichtliche Credo in den Reden der Apostelgeschichte (BBB 44) Köln – Bonn 1975.

J. Knabenbauer, Commentarius in Actus Apostolorum (Cursus Scripturae Sacrae. Commentariorum in Nov. Test. Pars I in libros historicos V) Parisiis 1899.

L. Köhler, Kleine Lichter, Zürich 1945.

E. Kränkl, Jesus der Knecht Gottes (Biblische Untersuchungen 8) Regensburg 1972.

J. Kremer, Das älteste Zeugnis von der Auferstehung Christi (SBS 17) Stuttgart 1966.

W. G. Kümmel, „Das Gesetz und die Propheten gehen bis Johannes" – Lukas 16,16 im Zusammenhang der heilsgeschichtlichen Theologie der Lukasschriften, in: Verborum Veritas, Festschrift G. Stählin, München 1970, 89–102.

–, Lukas in der Anklage der heutigen Theologie: ZNW 63 (1972) 149–165.

G. W. H. Lampe, The Lucan Portrait of Christ: NTS 2 (1955) 160–175.

R. Laurentin, Structure et théologie de Luc I–II, Paris 1957.

–, Traces d'allusions éthymologiques en Luc 1–2: Bibl 38 (1957) 1–23.

K. Lehmann, Auferweckt am dritten Tag nach der Schrift (Quaest. disp. 38) Freiburg 1968.

F. Lentzen-Deis, Ps 2,7, ein Motiv früher „hellenistischer" Christologie?: TheolPhil 44 (1969) 342–362.

B. Lindars, New Testament Apologetic, London 1961.

E. Lövestam, Son and Saviour. A Study of Acts 13,32–37 (Coniect. Neotest. 18) Lund 1961.

G. Lohfink, Die Himmelfahrt Jesu (Stud. z. A. u. N. T. 26) München 1971.

–, Paulus vor Damaskus (SBS 4) Stuttgart 1965.

–, Die Sammlung Israels (Stud. z. A. u. N. T. 39) München 1975.

E. Lohmeyer, Das Urchristentum, 1. Buch: Johannes der Täufer, Göttingen 1932.

E. Lohse, Die Auferstehung Jesu Christi im Zeugnis des Lukasevangeliums (BSt 37) Neukirchen 1961.

A. Loisy, Les Actes des Apôtres, Paris 1920.

U. Luz, Theologia crucis als Mitte der Theologie im Neuen Testament: EvTh 34 (1974) 116–141.

C. P. März, Das Wort Gottes bei Lukas (Erfurter Theologische Schriften 11) Leipzig 1974.

L. Malevez, Jésus de l'histoire et interprétation du Kérygme: NRT 91 (1969) 785–808.

C. M. Martini, L'apparizione agli Apostoli in Lc 24,36–43 nel complesso dell' opera lucana, in: *E. Dhanis* (Hrsg.), Resurrexit. Actes du Symposium International sur la Résurrection de Jésus (Rome 1970), Rom 1974, 230–245.

–, Atti degli Apostoli, a cura di C. M. Martini e di N. Venturini, Venezia 1965.

–, L'esclusione dalla communità del popolo di Dio e il nuovo Israele secondo Atti 3,23: Bibl 50 (1969) 1–14.

W. Marxen, Einleitung in das Neue Testament, Gütersloh ³1964.

A. J. Mattil Jr., The Jesu-Paul parallels and the purpose of Luke-Acts: H. H. Evans reconsidered: NT 17 (1975) 15–46.

P. H. Menoud, Le salut par la foi selon le livre des Actes, in: Foi et Salut selon S. Paul (AnBibl 42) Rom 1970, 255–276.

A. Menzies, The Jewish Synagogue and Missions, Interpr 6 (1909/10) 254–263.

B. M. Metzger, The Formulas Introducing Quotations of Scripture in the N. T. and in the Mishnah: JBL 70 (1951) 297–307.

O. Michel, Der Brief an die Hebräer (Krit.-exeget. Komm. üb. d. N. T. 3. Abt.) Göttingen ¹²1966.

O. Michel und *O. Betz,* Von Gott gezeugt, in: BZNW 26, Berlin 1960, 3–23.

P. S. Minear, Luke's Use of the Birth Stories, in: *L. E. Keck* and *J. L. Martyn* (Hrsg.), Studies in Luke, Acts, Nashville – New York, 111–130.

D. Minguez, Pentecostés. Ensayo de Semiótica narrativa en Hch 2 (AnBib 75) Rom 1976.

R. *Morgenthaler,* Die lukanische Geschichtsschreibung als Zeugnis (AThANT 14) Zürich 1948: Gestalt; 15 (1949): Gehalt.

C. F. D. *Moule,* The Christology of Acts, in: *L. E. Keck* and *J. L. Martyn* (Hrsg.), Studies in Luke-Acts, Nashville – New York 1966, 159–185.

F. *Mussner,* Die Idee der Apokatastasis in der Apostelgeschichte, in: Lex Tua Veritas, Festschrift *H. Junker,* Trier 1961, 293–306.

W. *Nauck,* Das οὖν paräneticum: ZNW 49 (1958) 134f.

E. *Norden,* Agnostos Theos. Untersuchungen zur Formengeschichte religiöser Rede, Darmstadt [4]1956.

H. H. *Oliver,* The Lucan Birth Stories: NTS 10 (1963/64) 202–226.

A. J. *Oort,* Specimen theologicum quo inquiritur in orationum, quae in Actis Apostolorum Paulo tribuuntur, indolem Paulianam, Lugduni – Batavorum 1862.

R. F. *O'Toole,* Acts 26. The Christological Climax of Paul's Defense (Ac 22,1–26,32) (AnBib 78) Rom 1978.

–, Christ's Resurrection in Acts 13,13–52: Bibl 60 (1979) 361–372.

J. *Panagopoulos,* Zur Theologie der Apostelgeschichte: NT 14 (1972) 137–159.

F. X. *Patrizi,* In Actus Apostolorum Commentarium, Rom 1867.

A. *Pelletier,* Les apparitions du Ressuscité en termes de la Septante: Bibl 51 (1970) 76–79.

O. *Pfleiderer,* Das Urchristenthum I, Berlin [2]1902.

E. *Plümmacher,* Lukas als hellenistischer Schriftsteller. Studien zur Apostelgeschichte (Studien z. Umwelt des N. T. 9) Göttingen 1972.

B. *Prete,* Prospettive messianiche nell' espressione σήμερον del Vangelo di Luca, in: Il Messianismo. Atti della XVIII Settimana Biblica, Brescia 1966, 269–284.

G. *von Rad,* Theologie des Alten Testaments I–II, München 1958/60.

E. *Renan,* Les Apôtres (Histoire des origines du christianisme 2) Paris 1866.

M. *Rese,* Alttestamentliche Motive in der Christologie des Lukas (Stud. z. N. T. 1) Gütersloh 1969.

W. C. *Robinson,* Der Weg des Herrn. Studien zur Geschichte und Eschatologie im Lukas-Evangelium (Theol. Forsch. 36) Hamburg 1964.

J. *Roloff,* Anfänge der soteriologischen Deutung des Todes Jesu (Mk 10,45 und Lk 22,27): NTS 19 (1972) 38–64.

W. R. *Roscher,* Die Zahl 40 im Glauben, Brauchtum und Schrifttum der Semiten (Abhandlungen der Philologisch-Hist. Klasse der Königl. Sächsischen Gesellschaft der Wissenschaften XXVII, 4) Leipzig 1909.

G. *Ruggieri,* Il Figlio di Dio davidico (AnGr 116, Series Facult. Theol. sectio B 54) Rom 1968.

L. *Ruppert,* Jesus als der leidende Gerechte. Der Weg Jesu im Lichte eines alt- und neutest. Motivs (SBS 59) Stuttgart 1972.

J. A. *Schep,* The Nature of the Resurrection Body, Michigan 1964.

A. *Schlatter,* Der Evangelist Matthäus, Stuttgart [6]1959.

A. *Schmitt,* Ps 16,8–11 als Zeugnis der Auferstehung in der Apg: BZ 17 (1973) 229–248.

J. *Schmitt,* Jésus ressuscité dans la prédication apostolique, Paris 1949.

–, Kérygme pascal et lecture scripturaire dans l'instruction d'Antioche (Act. 13,23–37), in: *J. Kremer* (Hrsg.), Les Actes des Apôtres. Tradition, rédaction, théologie (Biblioteca Ephem. Theol. Lovaniensium 48) Löwen 1979, 155–167.

G. *Schneider,* Die Passion Jesu nach den drei älteren Evangelien (Bibl. Handbibliothek 11) München 1973.

–, Verleugnung, Verspottung und Verhör Jesu nach Lukas 22,54–71 (Stud. z. A. u. N. T. 22) München 1969.

K. *Schrader,* Der Apostel Paulus, 5. Theil, Leipzig 1836.

K. *Schubert,* „Auferstehung Jesu" im Lichte der Religionsgeschichte des Judentums, in: *E. Dhanis* (Hrsg.), Resurrexit. Actes du Symposium International sur la Résurrection de Jésus (Rome 1970), Rom 1974, 207–229.

P. *Schubert,* The Structure and Significance of Luke 24, in: Ntl. Studien für R. Bultmann z. 70. Geb.tag (BZNW 21) Berlin [2]1957, 165–186.

H. *Schürmann,* Das Lukasevangelium (HThK III 1) Freiburg 1969.

–, Wie hat Jesus seinen Tod verstanden und bestanden? Eine methodenkritische Besinnung, in: Orientierung an Jesus, Festschrift J. Schmid, Freiburg 1973, 325–364.

R. *Schütz,* Johannes der Täufer (AThANT 50) Zürich 1967.

A. *Schulz,* Nachfolgen und Nachahmen (Stud. z. A. u. N. T. 6) München 1962.

S. *Schulz,* Gottes Vorsehung bei Lukas: ZNW 54 (1963) 104–116.

–, Die Stunde der Botschaft, Hamburg 1967.

156

A. Schwegler, Das nachapostolische Zeitalter in den Hauptmomenten seiner Entwicklung I–II, Tübingen 1846.

E. Schweizer, The Concept of the Davidic „Son of God" in Acts and Its Old Testament Background, in: *L. E. Keck* and *J. L. Martyn* (Hrsg.), Studies in Luke-Acts, Nashville – New York, 1966, 186–193.

–, Erniedrigung und Erhöhung bei Jesus und seinen Nachfolgern (AThANT 28) Zürich ²1962.

–, Zu den Reden der Apostelgeschichte: ThZ 13 (1957) 1–11.

M. Sorof, Die Entstehung der Apostelgeschichte, Berlin 1890.

G. Stählin, Die Apostelgeschichte (NTD 5) Göttingen ¹⁰1962.

K. Stalder, Die Heilsbedeutung des Todes Jesu in den lukanischen Schriften: IKZ 52 (1962) 222–242.

O. H. Steck, Israel und das gewaltsame Geschick der Propheten. Untersuchungen zur Überlieferung des deuteronomistischen Geschichtsbildes im Alten Testament, Spätjudentum und Christentum (Wiss. Monograph. z. A. u. N.T. 23) Neukirchen 1967.

A. Steinmann, Die Apostelgeschichte (HSNTIV) Bonn 1916.

C. H. Talbert, An Antignostic Tendency in Lucan Christology: NTS 14 (1968) 259–271.

R. C. Tannehill, The Mission of Jesus according to Luke IV, 16–30, in: Jesus in Nazareth (BZNW 40) Berlin 1972, 51–75.

H. Thyen, ΒΑΠΤΙΣΜΑ ΜΕΤΑΝΟΙΑΣ ΕΙΣ 'ΑΦΕΣΙΝ 'ΑΜΑΡΙΩΝ, in: Zeit und Geschichte, Festschrift R. Bultmann, Tübingen 1964, 97–125.

–, Der Stil der jüdisch-hellenistischen Homilie (FRLANT 47) Göttingen 1955.

W. C. van Unnik, 'ΕΩΣ 'ΕΣΧΑΤΟΥ ΤΗΣ ΓΗΣ (Apostelgeschichte 1,8) und sein alttestamentlicher Hintergrund, in: Studia biblica et semantica J. T. C. Vriesen dedicata, Wageningen 1966, 335–349.

A. Vanhoye, De narrationibus passionis Christi in evangeliis synopticis, P. I. B., Rom 1970.

P. Vielhauer, Zum „Paulinismus" der Apostelgeschichte: EvTh 10 (1950/51) 1–15.

G. Voss, Die Christologie der lukanischen Schriften in Grundzügen (Stud. Neotest. 2) Paris – Brügge 1965.

J. de Waard, A Comparative Study of the Old Testament Text in the Dead Sea Scrolls and in the New Testament (Studies on the Texts of the Desert of Judah IV) Leiden 1965.

J. Wackernagel, Kleine Schriften I–II, hrsg. v. der Akademie der Wissenschaften zu Göttingen, Göttingen 1953.

H. H. Wendt, Die Apostelgeschichte (Krit.-exeg. Komm. üb. d. N. T., 3. Abt.) Göttingen ⁸1899.

B. Weiss, Die Apostelgeschichte. Textkritische Untersuchungen und Textherstellung (TU 9, Heft 3/4) Leipzig 1893.

W. M. L. de Wette, Kurze Erklärung der Apostelgeschichte, 4. Aufl. bearb. u. stark erweitert v. *F. Overbeck,* Leipzig 1870.

A. Wikenhauser, Die Apostelgeschichte (RNT 5) Regensburg ⁴1961.

U. Wilckens, Die Missionsreden der Apostelgeschichte (Wiss. Monograph. z. A. u. N. T. 5) Neukirchen ²1963, ³1974 (überarbeitete und erweiterte Aufl.).

–, Rez. *E. Kränkl,* Jesus der Knecht Gottes (Biblische Untersuchungen 8) Regensburg 1972, in: ThLZ 99 (1974) 185–187.

M. Wilcox, The Semitisms of Acts, Oxford, 1965.

W. Wink, John the Baptist in the Gospel Tradition (NTS Monograph. Series 7) Cambridge 1968.

P. Winter, The Holy Messiah: ZNW 50 (1959) 275.

P. S. White, Prophétie et Prédication. Une étude hermeneutique des citations de l'Ancien Testament dans les sermons des Actes, Université de Lille III, 1973.

E. Wright, God Who Acts. Biblical Theology as Recital (Studies in Biblical Theology 8) London 1952.

T. Zahn, Die Apostelgeschichte des Lucas (Komm. z. N.T. V 1–2) Leipzig ³⁺⁴1927.

–, Das Evangelium des Lucas (Komm. z. N.T. 3) Leipzig 1920.

R. Zehnle, Peters's Pentecost Discourse. Tradition and Lucan Reinterpretation in Peters's Speeches of Acts 2 and 3 (SBL Mon. Ser. 15) Nashville – New York 1971.

–, The Salvific Character of Jesus' Death in Lucan Soteriology: ThSt 30 (1969) 420–444.

M. Zerwick, Analysis Philologica Novi Testamenti Graeci, Rom ³1966.

H. Zimmermann, Neutestamentliche Methodenlehre, Stuttgart ²1968.

Bibelstellenregister

Altes Testament

Gen

3,19	*100*
12,7	*41*
12,10	*37*
17,8	*37*
20,1	*37*
20,9	*99*
24,40	*64*
25,17	*119*
35,29	*119*
40,15	*99*
40,19	*73*
42,21	*130*

Ex

1,7	*38*
1,9	*38*
1,12	*38*
2,14	*71*
12,40	*37*
13,2	*97*
13,12	*97*
13,15	*97*
16,35	*39*
23,20	*54*
32,34	*54*
33,2	*54*
34,6	*54*

Lev

12,1	*130*
12,8	*130*
23,29	*132*
24,9	*116*

Num

11,12	*40*
14,42	*54*
27,17	*54*

Dtn

1,3	*54*
1,31	*40*
2,7	*39,40*
3,18	*54*
4,21	*96*
4,31	*23*
4,32	*23*
4,34	*38*
4,37-38	*23*
7,1	*40,41*
7,2	*132*
7,6	*36*
7,13	*93*
8,4	*39,40*
12,10	*40*

14,2	*36*
18,15	*93,109*
18,18	*82*
18,19	*79,82,132*
19,1	*132*
19,9	*96*
21,21ff	*73*
21,22f	*72,80,81*
23,43	*96*
26,5	*37*
26,5-9	*25,49*
26,8	*38*
27,15-26	*29*
28,1-14	*29*
28,15-46	*29*
29,4	*39,40*
29,18	*104,110*
31,3	*54*

Ri

2,10	*119*
2,16	*42,74*
3,9	*42,43,47,74*
3,15	*42,43,47,74*
8,22f	*43*
9,1-57	*43*

1 Sam

2,10	*43*
8,5	*43*
8,7f	*43*
9,1-3	*43,44*
9,16	*44*
9,21	*44*
10,20f	*44*
10,21	*43*
12,17	*43*
12,19	*43*
12,1-25	*43*
12,13	*43*
13,14	*23,45*
14,47f	*117*
14,51	*43*
15,11	*117*
13,13	*117*
15,26	*117*
21,7	*116*
31,4-13	*119*

2 Sam

2,10	*104*
7	*16,37,82,86,121*
7,1f	*117*
7,6	*32*
7,6-16	*13,14,23,24,48*
7,8-14	*129*
7,11	*32,43,49*

(dritte Spalte)

7,12	*46,82,103,104,119*
7,12f	*104*
7,12-14	*13,32*
7,13	*103*
7,14	*97*
7,14b	*129*
7,15	*32,49*
7,16	*48,82,103,106,119*
12,13	*117,125*
21,14	*43*
22,1-51	*117*
22,38	*132*
22,26	*110*
23,1-7	*117*

1 Kön

1,1	*119*
2,1-4	*119*
2,2	*118*
2,4	*119*
2,10	*119*
12,2	*56*
17,17-24	*100*

2 Kön

4,32-37	*100*
22,20	*119*

1 Chr

8,33	*44*
9,39	*44*
12,1	*43*
17,10	*43*
26,28	*43*

2 Chr

1,10	*56*
1,13	*54*
5,6	*35*
6,42	*103,105*
17,27	*106*
19,5	*43*
35,24	*67*

Neh

9,7	*36*
13,14	*105*

Est

5,14	*73*
6,4	*73*

1 Makk

2,6	*67*
2,57	*117*
2,69	*119*
9,73	*132*
14,3	*38*

162

18,19	25,56,84,136,144	22,18	107	28,15	43
18,25	50	22,19	127,151	28,17	25,34,123,136,144
18,26	56,135	22,20	71	28,18	70,71,78
18,27	74	22,21	64,139	28,20	120
19,1-7	50	22,29	71	28,22	122
19,2	103,127	23,1	123	28,23	25,126,136,144
19,2-5	128	23,5	137	28,25	130
19,3	50	23,6	86,99,123	28,25-27	133
19,4	56,58,60,62,127	23,13	76	28,26f	123,144
19,5	50,112	23,14	78	28,26-28	30
19,7	39	23,15	71	28,28	122,123,124,136,
19,8	25,56,135,136,144	23,21	71,76,78		137
19,8f	84	23,26	140	28,31	135
19,9	132	23,28	70		

Röm

19,10	35,67	23,29	74	1,1f	87
19,13	124	23,33	78	1,3f	95,96,97
19,17	35,67,122	23,55	112	1,4	109
19,18	127	24,1	78	1,8	125
19,21	59,60	24,7	38	1,16	136
19,23	144	24,11	76,77	1,17	130
19,32	76	24,12	84	1,18ff	71
19,33	33	24,14	127	1,23	101
19,34	39	24,15	86	2,1	69
19,37	71,135	24,21	99	2,9f	136
20,7	84	24,23	116,118	2,21ff	27
20,9	84	24,25	84	4,16	63
20,15	43,108	25,1	77	4,18	130
20,21	35	25,3	71	4,22	107
20,24	59,103,134	25,9	77	4,24	74
20,25	100	25,14	76	4,24	99
20,26	107	25,18	61,70	4,25	147
20,27	116,132	25,18f	71	6,4	99
20,28	124,148	25,27	70	6,7	125
20,32	114	26,2	34	6,9	99,100
20,34	116,118	26,6	46,86	6,12	123
20,38	100	26,6f	120	6,18	125
21,1	43	26,6-8	46,86	6,22	125
21,4	78	26,8	74	7,4	99
21,10	76	26,11	135	7,25	116
21,12	77	26,12-18	112	8,2	125
21,15	77	26,13	112	8,3	127
21,20	127,144	26,14	112	8,11	74,99
21,25	127	26,16	53,76,118,139	8,21	125
21,28	34,107	26,17f	113,139	8,33f	27
21,40	123	26,18	114,125,91,103,	8,34	99
21,34	123		139	9-11	144
21,37-39	123	26,19	34	9,4	34
21,40	33	26,22f	90,92	9,6-8	63
22,1	123	26,23	35,91,99,101,113,	9,9	37
22,4	74		120,125,128,139,	9,30-33	135
22,6	112,139		135	10,4	127
22,6-16	112	26,27	127	10,9	74,99
22,7	112	28,28	139	11,1	34
22,8	112	26,31f	71	11,11	137
22,11	112	27,3	108	12,1	123
22,12	67	27,4	43	13,12	123
22,13	139	27,5	39		
22,14	53,91	27,25	127	**1 Kor**	
22,15	139	27,27	61	1,12	98
22,16	128	28,8	113		

Griechisches Stichwortverzeichnis